PROUST OU LE RÉEL RETROUVÉ

ÉCRITURE

COLLECTION DIRIGÉE PAR

BÉATRICE DIDIER

PROUST OU LE RÉEL RETROUVÉ

Le sensible
et son expression dans
À la recherche du temps perdu

Anne Simon

Presses Universitaires de France

À mes parents
À Marie-France

REMERCIEMENTS

Je tiens à exprimer ma reconnaissance à ceux qui, par leurs conseils avisés, m'ont permis de mener à bien cet ouvrage : Jean-Yves Tadié, qui a suivi de près sa progression, Antoine Compagnon, Jean-Michel Maulpoix et Pierre-Louis Rey.

ISBN 2 13 051150 3
ISSN 0222-1179

Dépôt légal — 1re édition : 2000, novembre

© Presses Universitaires de France, 2000
108, boulevard Saint-Germain, 75006 Paris

Introduction

> Si la réalité était cette espèce de
> déchet de l'expérience, à peu près
> identique pour chacun (...) ; si la réa-
> lité était cela, sans doute une sorte
> de film cinématographique de ces
> choses suffirait et le « style », la « lit-
> térature » qui s'écarteraient de leurs
> simples données seraient un hors-
> d'œuvre artificiel. Mais était-ce bien
> cela, la réalité ?[1]

DU « RÉEL IMMOBILE »
AU « RÉEL RETROUVÉ »

Entré chez le crémier, le protagoniste de *La Prisonnière* y entrevoit une « trop maigre jeune personne » au nez arqué et au regard dédaigneux, qui ne lui plaît pas. Pourtant, parce que Françoise lui apprend que la petite est « délurée », parce que le déplaisir même que ressent le héros à la voir la met en relief en occultant le souvenir des autres employées, il n'a qu'une hâte, la rencontrer. Une fois arrivée chez lui, la « blonde crémière » se trouve malheureusement « réduite à elle-même », ne possédant « qu'un seul nez » « qui donnait une idée de sa bêtise et avait en tout cas perdu le pouvoir de se multiplier. Ce vol capturé, inerte, anéanti, incapable de rien ajouter à sa pauvre évidence, n'avait plus mon imagination pour collaborer avec lui » : notre héros est « tombé dans le réel immobile »[2].

---

1. *RTP* IV, p. 468.
   L'édition d'*À la recherche du temps perdu* utilisée est celle publiée sous la direction de J.-Y. Tadié, Paris, Gallimard, Bibl. de la Pléiade, t. I, 1987, t. II et III, 1988, t. IV, 1989. Elle sera abrégée en *RTP*.
   Contre Sainte-Beuve, Paris, Gallimard, Bibl. de la Pléiade, 1971, sera abrégé en *CSB*.
2. *RTP* III, p. 648 à 650.

Cette acception du terme permet de proposer une première approximation, bien connue des critiques, de la notion de réalité chez Proust : se définissant, selon un usage courant du langage ordinaire, comme effectivité ou actualité brute, elle s'oppose aux délices de l'inconnu et du désir, aux inventions du songe et de l'imaginaire, aux retouches du souvenir, aux faisceaux du possible et de l'éventuel. On se souvient à cet égard qu'entre le salon Guermantes et le héros du roman, « il y avait la barrière où finit le réel »[1]. La réalité apparaît ainsi comme la sanction négative des fantasmagories personnelles : ce sont les fameuses désillusions qui parcourent le roman et dont le protagoniste prend acte progressivement, qui opposent l'être effectif et le mythe subjectif, la mesquinerie de la duchesse de Guermantes et son aura mérovingienne, une embouchure cartographiquement repérable et les sources fantasmatiques de la Vivonne[2]. Et si notre héros, lorsqu'il est amoureux, préfère persévérer dans son erreur en forçant « la femme réelle à ressembler » à la « création factice » de son cœur, c'est pour sa plus grande « souffrance »[3], puisque les dés sont d'emblée pipés.

Le problème est que cette plane évidence du fait, pour sembler véridique, s'assortit à l'insignifiance et à la superficialité. L'intelligence, en

laissant filer la chaîne des jours passés, n'en garde fortement que le dernier bout, souvent d'un tout autre métal que les chaînons disparus dans la nuit, et dans le voyage que nous faisons à travers la vie, ne tient pour réel que le pays où nous sommes présentement[4],

réduisant à néant la vérité des « impressions premières » et de leurs compositions mythologiques. L'assimilation de la réalité à une existence close sur elle-même, dissociée des horizons qui nous faisaient rêver, dévalorise conjointement,

---

1. *RTP* II, p. 670.
2. *RTP* I, p. 169.
3. *RTP* II, p. 666.
4. *Ibid.,* p. 301.

par un cercle vicieux, et l'imaginaire, en proie à un défaut d'être, et le réel, en proie à un défaut de profondeur.

Il importe de relever que c'est ce type d'appréhension de la réalité qui jette un discrédit sur l'art, que le héros mettra des années à dépasser. En effet, si l'art n'est que « le produit d'un labeur industrieux », « il n'est pas plus réel que la vie »[1], et le protagoniste n'a pas à regretter son manque de persévérance. La citation, qui renvoie dos à dos la vanité de l'existence et l'inauthenticité de l'art, crée du même coup une issue : que le protagoniste parvienne à établir que la première est « réelle », la réhabilitation du second s'ensuivra sans solution de continuité. Sauver la vie, c'est sauver l'art, et *vice versa*. Loin que l'existence et l'écriture s'opposent, elles tressent leurs valeurs autour d'un même axe, celui d'un certain rapport à l'être, qu'il conviendra donc de restaurer sous peine de perdre et l'une et l'autre. Si la réalité se découvre plus complexe que ne semble le suggérer la classique polarité entre le fait et l'imaginaire – entre l'être et le non-être – qui vient d'être mise en relief, c'est bien une réintégration de l'existence dans l'art que le lecteur découvrira. La redéfinition de la réalité engendre donc un enjeu fondamental, puisqu'il oriente toute l'interprétation de la *Recherche*. Appréhender la réalité proustienne simplement comme factualité où ne sont pas pris en compte les horizons de la relation entre le sujet et le monde, oblige à considérer le roman comme un progressif désengagement vital, et l'art comme un horschamp du réel, trouvant en lui-même ses propres valeurs, ou leur absence (le présupposé implicite étant que le symbolique ne fait pas partie de la réalité).

À ces premières occurrences, réductrices, du terme « réel » s'opposent d'autres acceptions, qui saturent notamment (mais pas seulement) les pages épiphaniques du *Temps retrouvé*. La réalité, loin de se réduire à l'effectif, se trouve alors assimilée à l'authenticité et à la vérité : se découvre « l'univers réel

1. *RTP* III, p. 667.

sous l'univers apparent »[1]. Mais il serait erroné de croire que ce type de formule fait référence à un arrière-monde de type idéaliste ou une essentialité néo-platonicienne. Cette réalité qui se substitue à l'étant brut surmonte au contraire la dichotomie entre objet et sujet (matière et esprit, fait et fantasme) qui fondait les acceptions examinées en premier lieu. Le narrateur du *Temps retrouvé* définit en effet le réel comme « sillon »[2] tracé entre le monde et le moi, et non plus comme « fait seul (...) purement utile et sans élément qualitatif ni durable »[3], comme mixte de sensations et non plus comme au-delà sensible, comme « acte de création » personnelle[4] et non plus comme stase proposée à un regard objectif. En se transformant radicalement, la réalité retrouve les droits qu'elle avait perdus lorsqu'elle était conçue comme existence événementielle. En déduire cependant que la valeur absolue du présent ou du fait disparaît de la visée romanesque serait une erreur. C'est la notion de fait elle-même qui se trouve remise en cause, Proust y intégrant *comme étant réels à part entière* les horizons (qu'ils se révèlent ou non illusoires *a posteriori*) qui ont occasionné sa rencontre, dessiné son avènement, remodelé son souvenir ou son à-venir. Autant dire qu'il n'y a plus dans la *Recherche* d'actualité qui soit dépourvue de latence ou de vacillement. C'est cette réalité-là, comprise comme enracinement dans un monde sensible gainé d'imaginaire et « [bourré] »[5] par nos idées que l'art doit restituer. Cette ouverture du réel sur le symbolique ne le transforme pas pour autant en une simple représentation subjective, puisqu'on vient de voir que le nez de la crémière anéantit tous les nez imaginés. La réalité proustienne n'est pas une image monadique, mais le lien même, mouvant et soumis à révision, qui unit un sujet au spectacle qu'il érige autant qu'il le contemple. Ce qui se trouve dès lors perçu n'est jamais un étant figé (à

1. *RTP* II, p. 102, à propos de « la vraie vie des autres ».
2. *Ibid.,* p. 470.
3. *Ibid.,* Esquisse XXIV, p. 820.
4. *RTP* IV, p. 458 (à propos de la « lecture » du livre intérieur).
5. *RTP* I, p. 19.

quelques rares exceptions près qui seront étudiées) : soit parce que le liseré subjectif en découvre d'invisibles aspects, soit parce que la manifestation sensible en elle-même se définit comme fugacité et genèse, et autorise au sujet sentant un accès à sa profondeur ontologique. Les séries de visages d'adolescentes, de vues marines, de paysages mobiles et constamment prêts à s'évanouir, tentent de serrer au plus près ce qui fonde le réel proustien : un dynamisme qui l'institue comme acte génétique et poussée émergente. Cette absence de clôture du sensible, qui n'est jamais en soi, mais constamment la proie d'un élan, d'un effort ou d'un « travail », permet de comprendre pourquoi la restitution de la temporalisation (plus que du temps, concept figé et extérieur à son objet) devient dans *Le Temps retrouvé* le but majeur, qui surpasse tous les autres, du narrateur. Car l'extra-temporalité proustienne n'est pas un au-delà du temps, mais la relation vivante qui s'instaure entre tous ses faisceaux, et qui inclut en elle le mouvement, l'évolution, la reformulation. Elle n'est pas absence de temps, mais trébuchement et liaison entre deux moments qui n'ont de sens que l'un par rapport à l'autre.

La réalité ainsi définie se trouve donc revalorisée. Promouvant un glissement continu entre existence et imaginaire, entre « monde réel » et « merveilleux »[1], elle prend en compte la croyance et le désir dans sa propre constitution (ce qui explique certaines affirmations de Proust quant au « caractère purement mental de la réalité »[2]) :

Une femme avait beau être dans la même voiture que moi, elle n'était pas *en réalité* à côté de moi, tant que ne l'y créait pas à tout instant un besoin d'elle (...), tant que la caresse constante de mon regard ne lui rendait pas sans cesse ces teintes qui demandent à être perpétuellement rafraîchies[3].

1. *Ibid.,* p. 409. Voir aussi *ibid.,* p. 621, où un malentendu inventé devient « quelque chose de réel ».
2. *RTP* IV, p. 493. Voir aussi *ibid.,* p. 122.
3. *RTP* III, p. 672 ; je souligne. Et dans *RTP* II, p. 396, la croyance au mythe est fondée sur l'intensité de la sensation de réalité (et non l'inverse) : « Cette ruelle gothique avait pour moi quelque chose de si

5

Cette relation d'enveloppement entre le monde et le moi explique que le fantasme lui-même puisse devenir créateur d'existence (l'amour est une illusion dont les souffrances n'en sont pas moins réelles[1]), ou révéler un aspect véritable du monde ou d'autrui. Elle explique aussi que la réalité proustienne se caractérise par une fondamentale propension à la transformation, soit parce que le sujet change, soit parce que le monde ou la société évolue, soit surtout parce que la rencontre même, structure d'échanges entre l'être et le mythe, constitue un événement complet qui multiplie et reconfigure les perspectives du réel. Par sa résistance à sa transformation en pure projection subjective, celui-ci ne devient en effet une émanation du moi que de façon éphémère et illusoire. La réalité permet en fait au sujet de sortir de sa monade en le mettant en rapport avec « quelque chose qui ne [vient] pas de [lui], quelque chose de réel, de nouveau »[2], d'inconnu, d'imprévisible[3] et même d' « inaccessible »[4].

Ce vacillement entre altérité et implication définit l'ambivalence du réel chez Proust. Car « l'aspect, la dernière fois négligé, du visage, et à cause de cela même, le plus saisissant cette fois-ci, le plus réel, le plus rectificatif, deviendra matière à rêverie, à souvenirs »[5]. Le « réel immobile » dans lequel était « tombé » l'amoureux de la crémière permet donc toujours, en dernier recours, de « rebondir »[6].

Reste à préciser deux caractéristiques de mon propos. La première concerne le sous-titre donné à cet ouvrage, et son

réel, que si j'avais pu lever et y posséder une femme, il m'eut été impossible de ne pas croire que c'était l'antique volupté qui allait nous unir, cette femme eût-elle été une simple raccrocheuse. »

1. *RTP* II, p. 479.
2. *RTP* I, p. 402.
3. *RTP* III, p. 600 : « Le champ infini des possibles s'étend, et si par hasard le réel se présentait devant nous, il serait tellement en dehors des possibles que (...) nous tomberions à la renverse » (à propos de l'amour et de la jalousie).
4. *RTP* I, p. 319.
5. *RTP* II, p. 271.
6. *RTP* III, p. 650.

centrage sur la notion de sensible ; la seconde concerne la polysémie du terme « retrouvé » employé par Proust.

Il est bien évident que le sensible peut paraître ne constituer qu'un aspect de la réalité dans la *Recherche*. Il a cependant paru fondamental à divers titres. Tout d'abord parce que de nombreux critiques ont conçu le rapport proustien au sensible comme une simple propédeutique à une conversion spiritualiste finale, en réduisant du même coup le terme à la première approche de la réalité abordée plus haut. Ensuite parce qu'il oriente chez Proust une conception générale du comportement humain, qu'il soit social, sentimental, linguistique ou onirique. La philosophie de Merleau-Ponty m'a en effet convaincue qu'avec

la première vision, le premier contact, le premier plaisir, il y a initiation, c'est-à-dire, non pas position d'un contenu, mais ouverture d'une dimension qui ne pourra plus être refermée, établissement d'un niveau par rapport auquel désormais toute autre expérience sera repérée[1].

Dans une approche liminaire, on peut définir le sensible comme dynamisme et fluctuation, comme dimension ou niveau (et non comme étant), comme avènement d'une profondeur sous-jacente à une surface qui n'en est pas dissociée, comme imbrication du moi et du monde. Ces caractérisations semblent valoir comme schèmes généraux suffisants pour aborder chaque aspect particulier du réel proustien, y compris ceux qui semblent devoir lui échapper, tels les lois et le style. En effet, les lois apparaissent, selon Jean-Yves Tadié, « comme le terme *momentané* qu'un esprit inquiet fixe à sa quête »[2], s'assortissant à l'imaginaire et pouvant se contredire, puisque la seule loi véritablement générale est celle de la relativité par rapport à une temporalité et un point de vue. Quant au style, Proust précise bien que le grand artiste est

---

1. *Le Visible et l'Invisible*, Paris, Gallimard, 1964, p. 198. Selon le narrateur, sa première cristallisation amoureuse (Gilberte) a orienté ses désirs postérieurs.
2. *Proust et le roman*, Paris, Gallimard, 1971, p. 420 (je souligne).

celui qui parvient à donner « en l'instantanéisant, une sorte de réalité historique au symbole de la fable »[1]. Il faudra donc montrer comment l'écriture proustienne parvient à prendre en charge l'instabilité, le surgissement et la motilité de l'apparaître. Ce qui se trouve au centre du questionnement descriptif est dans la *Recherche* moins l'objet en tant que tel, que son dynamisme ontologique, lié à la manière dont se sent affecté le héros ou le narrateur, consciences incarnées s'il en est puisque le roman se présente fictivement comme une autobiographie. L'écriture exprimera donc une *relation*, l'avènement dans un corps en contexte de sa propre perception, qui prend elle-même sa source dans une réalité qui ne se confond pas avec une simple représentation.

Enfin, mon emploi d'une certaine terminologie n'est pas innocent. Contrairement à certains usages psychanalytiques ultérieurs, les noms « réel » et « réalité » ne sont pas à distinguer, puisque l'écrivain les emploie tour à tour dans des sens semblables. En revanche, il a fallu globalement s'abstenir de parler d'Être à propos de la réalité proustienne, dans la mesure où les connotations philosophiques du terme sont trop diverses ou trop abstraites pour rendre compte du mouvement d'incarnation – Proust parlerait d'incorporation[2] – qui caractérise son entreprise scripturale. Il n'y a pas chez Proust une notion d'Être dissociable, même transcendantalement, de la perception ou de l'expression du procès sensible (les néologismes actifs « d'ek-stase » ou « d'ex-sistence » seraient en ce sens plus justifiés). Le terme « sensible » enfin, dans son emploi français (il n'a pas d'équivalent direct en anglais), a paru particulièrement propre à suggérer le mouvement de réversibilité entre le monde et le moi que la *Recherche* met au jour, puisqu'il caractérise ce qui est apte à

---

1. *RTP* II, p. 715. Dans le contexte, le terme « historique » signifie « temporelle », « climatique », et non « chronologiquement située dans l'histoire ».
2. *RTP* IV, p. 623, où le narrateur veut mettre en relief « le temps incorporé ».

8

sentir autant que ce qui est apte à être senti, et qu'il dépasse
dans cette conjonction l'opposition actif-passif.

Je voudrais clore ce préambule en explicitant en quels sens
le réel se trouve dans la *Recherche* « retrouvé ». Une évidence
s'impose pour commencer : si le réel est retrouvé, c'est qu'il
fut, dans le courant d'une vie, perdu. Le réel, ou une certaine
conception de ce qui relève ou non de la réalité ? La distinction est majeure, et renvoie à celle établie en commençant.
Dans une première acception valide d'un titre qui, comme
l'écrit Proust à Jacques Copeau, « joue sur les mots »[1], le réel
perdu a parfois été assimilé par certains critiques[2] au passé,
voire à un temps gaspillé dans la fréquentation des salons
mondains et des femmes aimées, où le moi se délitait dans
l'ignorance d'une valeur supérieure qui est celle de l'écriture
artistique et de la connaissance spirituelle. Mais l'écrivain
nous oblige à faire un saut théorique : l'interprétation anec-
dotique de la perte doit être approfondie par une approche
philosophique qui assimile le « réel retrouvé » à une nouvelle
manière de percevoir les relations entre le temps, le monde et
le sujet sentant. « Retrouver » le réel ne renvoie pas qu'au processus d'anamnèse que le narrateur décide de mettre en
œuvre à la fin de la *Recherche* : comme il le précise alors, les
« impressions obscures », contrairement aux « réminiscences », cachent « non une sensation d'autrefois mais une vérité
nouvelle ». Retrouver, « découvrir », c'est donc tout à la fois
dévoiler cela qui fut, et l'inventer, au sens où existent « des
airs qui nous reviendraient sans que nous les eussions jamais
entendus »[3]. Le terme, dans son ambivalence sémantique, est
racinien : on se souvient que Phèdre au labyrinthe, fantasma-

1. *Correspondance de Marcel Proust*, éd. par Ph. Kolb, Paris, Plon, t. XII :
   1913, lettre 110, p. 245.
2. Voir, par exemple, A. Henry, *Proust romancier. Le Tombeau égyptien*, Paris,
   Flammarion, 1983, p. 5 (le « temps perdu », c'est le temps « déjà vécu »),
   ou G. Deleuze, *Proust et les signes*, Paris, PUF, 1986, p. 9 : « Le temps
   perdu n'est pas simplement le temps passé : c'est aussi bien le temps
   qu'on perd, comme dans l'expression "perdre son temps" ».
3. *RTP* IV, p. 456-457.

tiquement initiatrice et guide d'Hippolyte, se serait avec lui « retrouvée ou perdue ». L'alternative n'est qu'apparente, et masque une tautologie : le niveau littéral – trouver l'issue ou s'égarer –, ultime alibi d'une Phèdre qui n'avoue qu'en masquant son aveu, n'est bien entendu pas le plus important. Cette acception sert à couvrir le niveau érotique et passionnel où l'on se retrouve en se perdant – en compagnie d'Hippolyte, grâce à lui. Se retrouver, pour l'héroïne-fétiche de « Marcel », c'est donc la même chose que se perdre : c'est renouer avec un moi qu'on ignorait mais qu'on pressentait être notre moi ultime et superlatif, c'est descendre dans une profondeur où la résurrection s'assimile à une invention de soi. Phèdre, « la Brillante » aveuglée, affirme l'inanité du principe de non-contradiction en matière de psyché : on ne retrouve apparemment que ce qu'on a perdu, que ce qui existait comme moteur de la quête. Pourtant, c'est le mouvement même de cette plongée qui permet de découvrir un soi qui n'avait encore jamais eu lieu d'être, qui n'était qu'une latence, et qui fait du possible un niveau du réel. Phèdre « retrouve » ce qu'elle n'avait encore jamais ni « trouvé » ni « perdu », et qui pourtant était elle-même depuis le jour fatal où Trézène la confronta à Hippolyte.

Les métaphores proustiennes du plongeur, de la sonde, de la remontée, renvoient à un identique courant sémantique :

La façon fortuite, inévitable, dont la sensation avait été rencontrée, contrôlait la vérité du passé qu'elle ressuscitait, des images qu'elle déclenchait, puisque nous sentons son effort pour remonter vers la lumière, que nous sentons la joie du réel retrouvé. Elle est le contrôle aussi de la vérité de tout le tableau fait d'impressions contemporaines qu'elle ramène à sa suite, avec cette infaillible proportion de lumière et d'ombre, de relief et d'omission, de souvenir et d'oubli que la mémoire et l'observation conscientes ignoreront toujours[1].

---

1. *Ibid.,* p. 457-458. Dans *RTP* II, p. 390, une équivalence entre le verbe « descendre » et le verbe « retrouver » est posée pour caractériser le sommeil et ses résurrections.

Le réel n'est pas un simple donné qu'il s'agit rétrospectivement de constater pour le transcrire. Dans la vie même, dans l'actualité de l'instant présent, la réalité s'ouvrait déjà sur des horizons. Ce qu'il s'agit de retrouver, via un approfondissement de la vie qui n'est pas sans rappeler la « mémoire périodique et lente » de Valéry, qui « vient nous rendre à l'improviste nos tendances, nos puissances, et même nos espoirs très anciens »[1], c'est donc, contrairement aux « secs mémentos »[2] de l'art réaliste, une atmosphère globale, une contemporanéité générale et l'indétermination de ses possibles : cela qui n'était pas conscient alors, mais qui structurait pourtant le présent. Car la réalité se définit principalement comme « effort » et transgression temporelle : étant indissociablement « fortuite » et « inévitable », elle ne se donne que comme *tension* – entre passé et présent, entre possible et actualité, entre fantasme et être.

PORTRAIT DE PROUST EN PHÉNOMÉNOLOGUE

L'alliance peut paraître à juste titre incongrue, et il est évident qu'on ne peut employer ce terme de phénoménologue qu'avec d'extrêmes précautions, pour deux raisons différentes.

La première renvoie au statut de Proust romancier : si la philosophie apparaît comme un thème important de son roman, c'est le plus souvent pour être ironiquement dévalorisée[3], dans son versant phénoméniste[4] comme idéaliste, au

---

1. « Le Prince et la Jeune Parque », *Variété V*, Paris, Gallimard, 1944, p. 119.
2. *Ibid.,* Esquisse XXIV, p. 821.
3. L'ironie chez Proust ne correspond certes pas toujours à une visée critique négative : elle relève aussi du blasphème qui s'en prend à des idoles personnelles, ce qui est selon Proust encore une façon, certes perverse, de les adorer.
4. Sur le « phénoménisme pur », voir *RTP* II, p. 173.

profit de l'art en général, plus apte à incarner notre insertion dans le réel et dans le temps. Vincent Descombes a ainsi pu montrer que la philosophie de l'esprit en vogue à l'époque de Proust se trouve mise à mal, consciemment ou non, par les implications proprement romanesques de la *Recherche*. Dès « Contre l'obscurité » effectivement, article qui vise le symbolisme et derrière lui une conception métaphysique[1] de la philosophie, Proust affirme qu'il ne faut pas méconnaître la « loi de la vie qui consiste à réaliser l'universel ou éternel, mais seulement dans des individus »[2]. Cette loi doit être celle de l'œuvre artistique si elle veut restituer la profondeur intime ou ontologique. On comprend que la phénoménologie comme instrument critique ait paru pouvoir pallier les insuffisances et les défauts d'une approche philosophique plus intellectualiste.

La seconde cause de ma prudence est complexe. Proust semble certes anticiper sur les recherches les plus contemporaines de la phénoménologie. Il est ainsi un des premiers écrivains à avoir véritablement centré son œuvre sur le sensible comme dimensionalité et non comme événement brut, et à avoir refusé une hiérarchisation et une classification dogmatique de nos états de conscience, puisque que le fantasme – y compris le langage ou le songe – et la sensation physiologique deviennent chez lui deux parts indissociables du rapport au monde. Il ne peut être cependant question de transformer Proust en un « précurseur » *ex nihilo*. Cette illusion rétrospective a été prévenue par Antoine Compagnon, qui montre justement que « Proust n'est ni réactionnaire, ni futuriste »[3], mais pris entre deux modes différents d'appréhension du monde et de soi qu'il lui faut à la fois intégrer et rejeter, assimiler et découvrir.

Aussi Proust annonce-t-il une direction de la recherche littéraire et philosophique qui prend elle-même sa source

1. *Essais et Articles, CSB*, p. 392.
2. *Ibid.*, p. 394.
3. *Proust entre deux siècles*, Paris, Éd. du Seuil, 1989, p. 299.

dans un XIXᵉ siècle romantique puis impressionniste attentif à la sensation et hanté par les figures inaugurales de Rousseau et de Chateaubriand. Le romancier fait ses études, notamment philosophiques, au moment où règne, en parallèle avec le positivisme, un spiritualisme ambiant duquel il se dégage progressivement, comme l'a compris Jacques Rivière pour qui l'œuvre de Proust « a un pouvoir à la fois d'ébranlement et d'édification » puisque

rien en elle ne menace, n'adjure, ne proclame ; mais tout révise, réforme, déplace, inaugure[1].

La coupure elle-même n'est pas nette entre une certaine pensée philosophique dix-neuviémiste, axée sur un moi souverain conçu comme une puissance constituante de monde, et l'approche phénoménologique du XXᵉ siècle, fondée sur une complicité ontologique plus complexe entre un sujet immanent et un réel qui ne se réduit pas à des objets. On sait par ailleurs que sur le plan plus particulièrement littéraire, la question de la sensation dans son rapport à l'imaginaire devient centrale au cours du XIXᵉ siècle et au début du vingtième, avec Nerval, Baudelaire, Lautréamont, Verlaine, Rimbaud ou Huysmans : la phénoménologie française prend sa source autant en eux qu'en un héritage spécifiquement philosophique. Cependant, si la filiation entre le Romantisme et la phénoménologie contemporaine est patente, cela ne signifie pas qu'il n'y ait des évolutions essentielles. Ainsi, le sujet romantique qui projette son état d'âme dans le paysage perd peu à peu son caractère de modèle, soit parce que les phénoménologues cherchent à restaurer la « sauvagerie » du monde (voire pour certains son irréductible altérité), soit parce que la notion même de sujet clivé devient non pertinente (cette réorientation autorise d'ailleurs en retour une nouvelle analyse de la sensibilité romantique[2]).

1. « L'évolution du roman après le Symbolisme », *Quelques progrès dans l'étude du cœur humain*, *Cahiers Marcel Proust*, n° 13, Paris, Gallimard, 1985, p. 50-51.
2. Voir M. Collot, *La Matière-émotion*, Paris, PUF, 1997, p. 17.

13

Ce bref schéma général ne concerne qu'indirectement mon propos. Importe tout particulièrement pour lui le fait que la phénoménologie naît véritablement à l'époque où Proust commence la *Recherche*, avec les premières publications d'Husserl dont se réclameront, pour le nuancer, Ingarden, Heidegger, Sartre et Merleau-Ponty. Ce nouveau statut de la pensée et du rapport au monde, au vécu ou au sujet qui apparaît au tournant du siècle n'est pas propre aux philosophes : Claudel, Valéry, Colette ou Giraudoux, et, à l'étranger, Hofmannsthal, Rilke ou Henry James, prennent eux aussi et selon des modalités différentes leurs distances avec le symbolisme et l'idéalisme en vogue dans leurs années d'apprentissage, qui situe Proust dans une atmosphère générale de revisitation des grands thèmes et procédés de la littérature du XIXe.

Il n'est pas innocent que le moteur premier de ce travail ait été la concordance de deux lectures parallèles, celle de la *Recherche* et celle du *Visible et l'Invisible*. La *Recherche* fut un des livres de chevet de Maurice Merleau-Ponty et a orienté nombre de ses réflexions – notamment celles sur le rapport entre le sens et le sensible, et sur le style comme oblicité. Certains passages du roman cités par Merleau-Ponty, ou intégrés dans sa réflexion sans qu'il n'ait plus besoin d'y faire référence tant ils étaient devenus une part intime de sa propre pensée, montrent à quel point il trouvait en Proust un répondant au niveau littéraire de sa recherche philosophique[1]. Julia Kristeva rappelle d'ailleurs que la pensée merleau-pontienne prend aussi sa source, de façon critique, dans certains philosophes français de la fin du siècle qui furent étudiés par Proust dans sa jeunesse[2]. Cette concordance de vues entre les deux auteurs (qui n'empêche pas certains discords, notamment sur le rapport à autrui) m'a conduite à aborder la

---

1. Sur ces points, voir *Merleau-Ponty et le Littéraire*, notamment mon avant-propos (en collaboration avec N. Castin), Paris, Presses de l'École normale supérieure, 1997.
2. *Le Temps sensible*, Paris, Gallimard, 1994, p. 331.

Recherche selon une perspective principalement merleau-pontienne[1], qui opère elle-même un départ par rapport à une phénoménologie strictement conçue. Là encore, il n'est pas question de « plaquer » la pensée de Merleau-Ponty sur la pratique romanesque de Proust. Il s'agit bien plutôt de saisir à quel point le romancier, à partir même de son ancrage dix-neuviémiste, irrigue la réflexion contemporaine dans l'importance qu'il accorde au corps sentant et signifiant, dans sa quête aussi d'un langage qui restitue au réel ses points de fuite. Dans cette optique sera analysée l'esthétique proustienne de la surimpression, qui, en entrelaçant plusieurs champs du procès sensoriel dans l'espace d'un texte unique, permet d'exprimer l'ouverture du monde sur plusieurs dimensions temporelles, ontologiques et fantasmatiques.

POINTS DE VUE – IMAGES DU MONDE

La première partie de cet ouvrage étudie d'un point de vue philosophique comment une certaine appréhension du réel conduit le héros de la *Recherche* à des impasses qu'il lui faudra contourner : que ce soit dans les tentatives infructueuses de fusion avec l'objet sensible ou lors de la découverte d'une irrémédiable séparation entre le monde et le moi, le sujet et l'objet sont dans les premiers volumes du roman appréhendés sur un mode frontal de confrontation. Ces deux positions antinomiques sont en fait l'avers et le revers d'une identique conception du réel comme en-soi immuable, qui s'avère contredite par une expérience plus profonde du monde. Inscrire Proust dans le champ de la philosophie idéaliste revient dès lors à méconnaître son dépassement de la conception classique de la sensation comme premier

---

1. Voir aussi M. Carbone, *Ai Confini dell'esprimibile. Merleau-Ponty a partire da Cézanne e da Proust*, Milan, Guerini Studio, 1990.

stade, imparfait, d'accès à la connaissance, et sa reconfiguration de la notion d'essence, qu'il inscrit totalement dans l'immanence. Ce dernier point me donnera l'occasion de revenir sur certaines analyses de Gilles Deleuze, dont l'ouvrage *Proust et les signes*, fondamental à bien des égards, ne reconnaît cependant pas la valeur primordiale que le romancier accorde aux notions de sensible et d'incarnation.

La seconde partie se situe au point de croisement des axes du corps et de l'imaginaire. Au niveau théorique, les apories de l'objectalité comme du subjectivisme pur se trouvent dépassées lorsque le protagoniste reformule son rapport à l'immédiateté sensible grâce à la rencontre d'Elstir qui met au jour la portée ontologique de l'erreur des sens : la virtualité fait partie de la réalité à part entière, comme le suggèrent aussi les « croyances » qui fondent la vocation même du narrateur. Au niveau existentiel, la dichotomie objet/sujet s'efface d'emblée devant l'appréhension, interne, organique, que le héros fait de son propre corps, qui est tout au long du roman rapporté aux horizons du monde.

L'inclusion du latent dans la définition du réel conduit à étudier dans un troisième temps indissociablement thématique et stylistique la structuration de l'apparaître. Celui-ci se découvre tantôt comme un point de fuite, tantôt comme une épaisseur substantielle constamment en passe de cristalliser, évoquant le spectacle d'un monde en genèse où profondeur et surface ne se dissocient plus. Ce caractère vertical de la manifestation se trouve lui-même articulé par une écriture caractérisable par sa profondeur. La surimpression est en effet le cœur du style de Proust : un empiétement généralisé (lexical, syntaxique et rythmique) crée des effets de lecture piégés, des palimpsestes temporels et sensoriels qui définissent le monde comme la subjectivité.

PREMIÈRE PARTIE

De l'essence à la réalité

> Réels sans être actuels, idéaux
> sans être abstraits[1].

Pendant longtemps, le héros de la *Recherche* croit à la possibilité d'atteindre la chose même par un exercice concentré de ses capacités sensorielles. Une série de textes devenus des morceaux d'anthologie, sur les aubépines, sur la mare de Montjouvain après l'ondée, sur les clochers de Martinville, retrace l'expérience d'une relation complexe avec la réalité. Ces passages ponctuent la *Recherche* de temps d'arrêt, de pauses pétrifiées devant un objet sensible que le protagoniste cherche à posséder en s'abstrayant du monde et de lui-même par une *tabula rasa* intentionnelle et la focalisation sur un seul sens (vue, ouïe, etc.). Cette attitude est sous-tendue par la croyance en l'existence d'une essence cachée dans l'objet, et par une conception de la sensation comme moyen primitif et non synesthésique de connaissance, qui demande à être dépassé par une reprise spirituelle. Elle vise en effet moins une jouissance perceptive qu'une connaissance intellectuelle qui croit pouvoir, en s'aidant des informations d'un sens, atteindre l'objet dans sa pureté, sa permanence et sa particularité différentielle. À cette inaltérabilité essentielle semble alors devoir correspondre, en un mime charnel, la posture du héros immobilisé devant la « chose » préalablement dissociée de son contexte mondain. Si c'est bien le plaisir sen-

1. *RTP* IV, p. 451.

17

soriel qui est le moteur initial de ce processus de réduction, il s'avère cependant constamment décevant, le sensible se refusant à cette prise de possession. La tension olfactive vers les aubépines, la contemplation du store bleu dans le train qui mène le héros vers Balbec ou de la mer qui se découpe dans l'encadrement d'une frondaison, sont autant de tentatives infructueuses pour faire surgir l'essence de la chose du chaos vrombissant de son apparaître. Ces textes célèbres ont pourtant été analysés par un courant critique classique comme emblématiques de la conception proustienne du réel et de la sensation, puisqu'ils mettraient en scène le désir d'atteindre un au-delà de l'apparence assimilé à l'en-soi ou l'idée de la chose, supérieurs à sa manifestation éphémère et contingente.

Ces interprétations méconnaissent le caractère proprement romanesque de la *Recherche*, qui est une autobiographie fictive. Elles abordent cette étape ambiguë de l'itinéraire intellectuel du héros des premiers volumes comme la relation de la pensée profonde de l'écrivain, sans la confronter à certaines découvertes ultérieures du narrateur, aux procédés scripturaux du roman en général, ou aux passages témoignant d'une insertion globale du sujet sentant dans un réel ouvert sur des horizons tant ontologiques qu'imaginaires. Aussi voudrais-je montrer que ces textes, souvent magnifiques, fonctionnent comme repoussoirs, marques splendides d'un échec corrélatif d'une illusion sur le statut de la sensation et de la chose. Penser que le sujet peut s'abstraire de soi, de ses désirs, de son langage, se retirer momentanément du monde où se tient pourtant son corps en alerte, correspond en effet à un mythe tenace dans la *Recherche* : celui d'une « sensation pure » qui serait la première étape vers la connaissance d'un objet enfin dégagé des scories de son insertion dans le réel. La sensation devient alors un échelon, imparfait mais utile, vers une connaissance désincarnée, plus générale et plus noble. Les *a priori* ou contradictions qui découlent d'une telle thèse doivent être pourtant relevés, puisqu'ils sous-entendent que la sensation est à dépasser

18

vers un au-delà d'elle-même, qu'elle n'est, comme l'écrit ironiquement Gaëtan Picon, « qu'une amorce, une occasion pour l'esprit de s'enfermer dans son règne »[1], voire plus simplement qu'elle est une forme de connaissance *comparable* – puisque susceptible d'être hiérarchisée sur une échelle de valeur – à une autre plus intellectuelle et plus pure.

Le premier chapitre de cette partie s'attachera, sans tenir compte pour l'instant des présupposés relevés, à analyser la perte de la foi naïve en l'efficacité du sentir, qui semblait tout d'abord autoriser un accès à l'objet ou à son essence. En découle le constat désabusé, si connu que je ne m'y attarderai pas, que le réel, et surtout autrui, ne peuvent que nous échapper, puisque nous sommes enfermés dans notre monde privé. Ce retournement avait déjà été relevé par Jacques Rivière, qui notait chez Proust une tension entre un « penchant réaliste » et une « tendance subjectiviste et sceptique »[2]. L'alternative n'est cependant qu'apparente et ne constitue pas le stade ultime de l'évolution de la réflexion proustienne. Car la pensée que le réel dans sa pureté, accessible ou non, existe hors de nous et celle qui le transforme en un leurre subjectif relèvent d'une identique approche du monde, de type dichotomique. Comme l'a relevé avec force Alain de Lattre, elle revient à concevoir de façon « frontale » les rapports entre l'intérieur et l'extérieur, transformé en « spectacle »[3]. Dans ce face-à-face irréductible et initial du sujet et de l'objet, le réel sombre alors dans l'insaisissable et le moi devient un vase clos[4] d'où le monde est exclu. Du moins en théorie. Car la sensation d'échec ressentie par le héros est précisément due à l'inadéquation de sa ressaisie intellectuelle : à cause d'elle, l'expérience vitale perd en réalité ce qu'elle gagne en pseudo-noblesse.

1. *Lecture de Proust*, Paris, Gallimard (1963), 1995, p. 109.
2. *Op. cit.*, p. 115 à 119.
3. *La Doctrine de la réalité chez Proust.*, t. I, Paris, Corti, 1978, respectivement p. 42 et p. 38.
4. *RTP* IV, p. 448.

Certains critiques se fondent sur cette étape de l'itinéraire du héros, sur quelques formulations proustiennes ambiguës, et sur la formation intellectuelle de l'écrivain pour résoudre l'aporie de la frontalité en annexant, peu ou prou, la *Recherche* à différents courants philosophiques (idéalisme, spiritualisme, subjectivisme) ayant pour point commun d'être fondés sur des clivages binaires (idée-matière, âme-corps, sujet-objet) qu'on retrouve effectivement, à divers titres, dans le roman. Dans une telle optique, le protagoniste prendrait progressivement conscience de l'inaptitude de la sensation à fonder une approche durable et valide de la réalité et de soi, et seul un passage à un niveau supérieur, celui de l'intelligible et du réflexif permettrait de surmonter les insuffisances et les leurres de l'immédiateté sensible. Proust ainsi sauverait et dépasserait conjointement la sensation en en montrant les joies et les limites, et en réinsérant les découvertes de la sensorialité (au mieux, moteur situé en aval de l'art, au pire, perte de temps) dans la sphère réflexive de l'art : « La vraie vie (...) c'est la littérature. »[1] Le point faible d'une telle analyse est qu'elle a tendance à prendre des réflexions d'ordre psychologique pour des prises de position ontologiques, et à ne pas tenir compte de la situation préthétique du personnage au sein du monde qui l'englobe. Elle opère en outre une confusion entre les sens classiques du terme « essence » et son emploi en contexte, où il se trouve relié de façon récurrente à ceux de « vérité » et de « réalité ».

Ces remarques me conduiront à revenir dans un second chapitre sur la position de Gilles Deleuze dans *Proust et les Signes*[2], pour la nuancer. La publication de cet ouvrage en 1964 correspond et contribue à un renouveau fondamental des études littéraires, qui intègrent la sémiotique, le formalisme et le structuralisme dans leur champ, et qui prennent acte des apports majeurs du Nouveau Roman quant à l'importance de l'écriture dans la production du sens.

1. *RTP* IV, p. 474.
2. Éd. citée.

L'ouvrage du philosophe s'en trouve fortement marqué, et son interprétation de la *Recherche* comme itinéraire herméneutique a considérablement et souvent fort heureusement influencé la critique proustienne. Mais ce contexte historique a aussi eu pour effet de conduire Deleuze à surestimer chez Proust la notion de signe et celle de « structure formelle »[1] qui unifierait *a posteriori* le réel, sans tenir compte du refus de l'écrivain de réduire le désordre sensible et son dynamisme temporel[2]. L'édition ultérieure, en 1970, de son ouvrage nuance certes ces analyses par une partie sur la production du signe dans la *Recherche*, qui, transformée en « machine », conserve à tout le moins pour point de départ « l'impression » qui « réunit sur soi le hasard de la rencontre et la nécessité de l'effet »[3]. Il n'en reste pas moins que Deleuze continue à concevoir le corps chez Proust comme un simple « signe » de l'intériorité mentale, et non comme le lieu même où s'effectue le passage du dedans au dehors, un répondant immédiat des sentiments inséparable de l'esprit qui l'habite. En privilégiant de surcroît le signe esthétique qui serait seul révélateur des essences aux détriments des autres signes, censés être trop « matériels », le philosophe en arrive à proposer une définition de l'essence comme « point de vue supérieur » qui ne correspond pas aux visées proustiennes de restitution de l'immanence du sens.

1. *Ibid.,* p. 201.
2. Voir 3ᵉ partie.
3. *Op. cit.,* p. 177.

This is + because takes account of mvt of the fiction, but what about the frame - Combray - TR?

Chapitre I

La crise des dualismes

Ne quittant la lecture de Stuart
Mill que pour celle de Lachelier, au
fur et à mesure qu'elle croyait moins
à la réalité du monde extérieur, elle
mettait plus d'acharnement à chercher à s'y faire, avant de mourir, une
bonne position[1].

Le héros enfant puis adolescent de *Du côté de chez Swann*,
encore naïf, croit en une adéquation de droit entre son désir
et le spectacle du monde. C'est ce que Proust concevait, d'un
point de vue théorique, comme l' « âge des noms », âge de la
croyance en la puissance du sujet à informer le réel, et du
réel à se donner sans qu'aucune médiation soit nécessaire : le
héros croit aux vertus positives du voyage, à une « identité
du signifié (l' » image «) et du référent (le pays) », et à « une
relation naturelle entre le signifié et le signifiant »[2]. C'est
l'époque où l'imaginaire et le légendaire règnent intimement
sur le corps, sans en être distincts ni lui être surajoutés, dans
une prescience de ce que découvrira effectivement le narrateur devenu adulte à la fin du roman (l' « âge des choses » est
un titre rien moins qu'idéaliste). Le problème est que le protagoniste, à ce stade liminaire, croit en une efficacité réelle,
magique, des sens sur le monde.

Des textes (trop) célèbres témoignent d'une tentative
pour atteindre l'essence de la chose par une lutte avec le
contexte dans lequel elle se situe : loin que l'entourage soit

1. *RTP* III, p. 315.
2. G. Genette, « Proust et le langage indirect », *Figures II*, Paris, Éd. du
Seuil, 1969, p. 248.

perçu comme une partie intégrante de l'objet ou comme son horizon d'émergence, il est saisi négativement comme en distrayant, et appréhendé en tant qu'entité indépendante. La possibilité de la perception d'une hypothétique sensation pure est donc dépendante d'un acte intellectuel premier, qui consiste à vider la conscience de ses représentations et de ses attentes en la transformant en intentionalité transparente : l'esprit devient une sorte de cire vierge qui n'a plus qu'à attendre que l'objet, dans sa pureté qualitative, vienne s'inscrire sur elle. Ce lien hiérarchisé établi entre la sensation et le jugement est d'ailleurs bien théorisé à l'époque où Proust faisait ses études. La théorie intellectualiste estime ainsi, comme en témoignent les *Célèbres Leçons et Fragments*[1] de Jules Lagneau, que la perception résulte de la synthèse d'une somme de sensations inconscientes par le jugement, la mémoire ou l'habitude. Mais en séparant l'objet de ses horizons et en refusant au moi sa dimension ontologique d'être total, le héros n'a plus affaire qu'à des succédanés sans profondeur ni réalité.

L'ALTERNATIVE INSOLUBLE : ENTRE SUBJECTIVISME ET OBJECTIVISME[2]

Le héros proustien, si proche parfois de certains personnages d'Hofmannstahl (on pense à Lord Chandos ému par par les « révélations » que lui apportent « un arrosoir, une herse à l'abandon dans un champ, un chien au soleil, un cimetière misérable, un infirme, une petite maison de

1. Paris, PUF, 1964, p. 192, 213-214, 238 et s.
2. Ces deux termes sont employés par J. Pouillon, in *Temps et Roman* (1946), Paris, Gallimard, 1993, p. 181. Il rappelle justement que Proust analyse les « interférences de la réalité subjective et de la réalité objective » (p. 223).

paysans »[1]), relate dans *Du côté de chez Swann* ses tentatives pour accéder à la cause du plaisir qu'il ressent devant « un toit, un reflet de soleil sur une pierre, l'odeur d'un chemin » :

> Ils avaient l'air de cacher au-delà de ce que je voyais, quelque chose qu'ils invitaient à venir prendre (...). Comme je sentais que cela se trouvait en eux, je restais là, immobile, à regarder, à respirer, à tâcher d'aller avec ma pensée au-delà de l'image ou de l'odeur[2].

De là à croire que « cette chose inconnue qui s'enveloppait d'une forme ou d'un parfum » est une essence, il n'y a qu'un pas : c'est celui que semble faire le héros, qui considère l'apparaître comme un simulacre ou « un couvercle » masquant une réalité plus profonde et plus vraie. À ce niveau, l'expérimentation sensorielle a une visée cognitive précise et limitée : il s'agit d'atteindre le cœur de l'objet-vase, plutôt que de saisir la sensation comme telle, qui est un moyen et non une fin. Mais les motivations de l'enfant sont plus complexes et contradictoires. En effet, dans le passage sur le raidillon de Tansonville, il s'agit de s'«unir au rythme» des aubépines, d'«adhérer à leurs fleurs», de se résorber, grâce à un contrôle de la pensée, dans un sentir brut et empathique qui seul autoriserait l'accès à l'essence des fleurs.

Il n'est donc pas facile de cerner les objectifs du héros dans les premiers tomes du roman. Tantôt la concentration sensorielle, loin d'être le but de la quête du héros, n'est qu'un pis-aller, soumis à un « devoir de conscience » et à une « pensée ramassée »[3] qui entend décomposer le rapport du corps au monde pour accéder à une connaissance supérieure et à une élucidation qui serait exprimable en termes positifs. C'est bien ce à quoi s'essayent Swann, lorsqu'il tente de déconstruire la petite phrase de Vinteuil, et le héros, lorsqu'il s'attache à cerner le talent de la Berma en défalquant de son

---

1. « Une lettre », *Lettre de Lord Chandos et autres textes sur la poésie*, Paris, Gallimard, 1992, p. 45.
2. *RTP* I, p. 176-177.
3. *RTP* II, p. 77, passage sur les arbres d'Hudimesnil.

& Tarde ?

jeu le texte de Racine. Dans cette optique cartésienne (au sens large[1]), la conscience est sommée de se retrancher de son insertion dans le monde pour justifier sa propre existence autant que celle du réel. Tantôt au contraire, ce sont la pensée et l'esprit qui sont utilisés comme des moyens permettant à la sensation de se déployer ou de se concentrer pour mieux fusionner avec l'objet. Mais en se surajoutant à la chose, l'acte sensitif la soustrait à une pureté ontologique qui devient encore plus insaisissable que lors de l'impression première, qui fonctionnait comme un appel. Le héros se sert-il de la concentration intellectuelle pour mieux sentir, ou cherche-t-il à épurer la perception pour mieux connaître la chose ? Le caractère insoluble de cette alternative entre « intuition » et « réflexion », repérée par Merleau-Ponty[2], est significatif : il suggère que le sujet et l'objet sont encore perçus comme des entités irrémédiablement séparées, et que l'esprit et la sensation (anciennement « âme » et « corps ») fonctionnent selon les termes d'une opposition, ou à tout le moins d'une hiérarchisation. Le héros passe ainsi d'un extrême à l'autre : si la fusion est un leurre, alors le sujet et l'objet sont à jamais coupés l'un de l'autre et se situent dans des sphères étanches n'admettant aucune communication. Le sujet enfermé dans sa « guérite » mentale, est séparé du monde réel par un « liséré »[3] subjectif, et d'autrui par sa clôture charnelle et spirituelle. Elisabeth Czoniczer[4] rappelle à cet égard que la conception de l'homme comme isolé de la réalité par la perception possède une longue tradition philosophique, revivifiée dans la seconde moitié du XIXe siècle par Taine et Ribot.

De nombreux textes ou motifs du roman illustrent cette oscillation du héros entre osmose illusoire et fracture insup-

---

1. Pour une approche nuancée des rapports entre Proust et Descartes, voir J. Garelli, « De la cire de Descartes à la madeleine de Proust », *Rythmes et mondes*, Grenoble, Jérôme Millon, 1991.
2. In *Le Visible et l'Invisible*, éd. cit., p. 172.
3. *RTP* I, p. 83.
4. Voir *Quelques antécédents de* À *la recherche du temps perdu*, Genève-Paris, Droz et Minard, 1957, p. 60.

portable. Dans ce dernier cas, le morcellement factice de l'objet devrait permettre au regard d'en circonscrire les éléments les plus infimes et d'en atteindre l'essence. Une pratique perceptive constante du héros encore enfant exemplifie ce type d'opération : elle consiste à isoler un objet dans un cadre quelconque, humain (écran formé par les mains), naturel (frondaisons surplombant la mer à Balbec) ou technique (lorgnette). Cet encadrement imposé aux choses a une double fonction : découpe par rapport au contexte situationnel, il permet aussi de se débarrasser du « moi » qui venait surcharger l'objet de ses visées. La perception s'assimile dès lors à une expérience de type scientifique qui place en vis-à-vis un observateur qui se veut objectif, non englué dans le monde ou ses propres fantasmes, et un objet perçu comme un tout autonome, dégagé de son insertion dans un monde superfétatoire. La sensation est donc, à ce stade analytique de la *Recherche* assumé par le héros, appréhendée sous la forme de la réduction, du défalquage et de la fragmentation, comme en témoigne cet exemple parmi d'autres (tels le passage hypnotique sur la fleur de pommier parisienne, l'arrêt devant les arbres d'Hudimesnil ou les décompositions mentales et mnémosiques des visages des jeunes filles) :

Je revenais devant les aubépines comme devant ces chefs-d'œuvre dont on *croit* qu'on saura mieux les voir quand on a cessé un moment de les regarder, mais j'avais beau me faire un écran de mes mains pour n'avoir qu'elles sous les yeux, le sentiment qu'elles éveillaient en moi restait obscur et vague[1].

La sensation, source du plaisir et de l'interrogation du héros, moyen d'accès à la chose, engendre une activité intellectuelle spécifique, qui se vide de ses représentations perçues comme subjectives et surnuméraires. Il s'agit de créer au sein du réel, et en quelque sorte malgré lui, un laboratoire d'où puisse être observé l'objet dans les meilleures conditions possibles. Mais les échecs réitérés du héros le placent

1. *RTP* I, p. 137. Je souligne la modalisation du narrateur.

en face d'une énigme essentielle, celle de la résistance des choses et des êtres à leur réduction au statut d'objet expérimental. En s'immobilisant pour analyser sa sensation et en en changeant les conditions de manifestation, le héros rompt la communication naturelle au monde qu'il cherchait pourtant à porter à son point de perfection. L'évidence du sentir semble pour la pensée ou l'expression un «point aveugle»[1] : l'analyser revient à se placer en dehors d'elle, et le héros, en se voyant embrasser les joues d'Albertine, versant «mou» de l'embrassade pathétique des aubépines[2], en perd du même coup la saveur.

La seconde tentation, celle de l'osmose, confronte le héros à une impossibilité de fait, puisque la conscience, ou à tout le moins la sonorité intime du moi, s'interpose constamment entre le réel et l'observateur pour en empêcher la mise en contact absolue. Le constat d'un rapport schizoïde au monde n'est donc pas réellement contredit par certaines expériences où la sensation pure semble réaliser une fusion entre les deux pôles du sujet et de l'objet[3] : leur caractère dysphorique ou le fait de savoir qu'elles sont illusoires en sanctionne d'autant les effets. L'ivresse ainsi provoque une immersion si totale dans la sensation primaire, qu'elle se vit sous la forme d'une assimilation subjective hyperbolique de la chose, qui finit par perdre sa fondamentale hétérogénéité. Contrairement aux orientations ultra-sensibles du rêve ou du songe éveillé qui témoignent d'une indexation mentale aux données du monde et aux positions du corps, cet accord apparent avec le monde se révèle vain, d'une part parce que le héros prend conscience dès qu'il est dégrisé des mirages engendrés par l'alcool, d'autre part parce que le narrateur nous relate ces expériences sur un mode ironique.

---

1. Merleau-Ponty, *Le Visible et l'Invisible*, éd. cit., p. 55.
2. *RTP* I, p. 143.
3. Il est ici question des passages relatant une osmose due à une sensation pure, déliée de ses horizons temporels, imaginaires ou polysensoriels : l'ouverture de *La Prisonnière* sur les bruits de Paris ne fait donc pas partie de telles expériences, bien au contraire.

Que ce soit en effet au début d'*À l'ombre des jeunes filles en fleurs*, qui relate une expérience apparemment euphorique d'osmose avec le store bleu de la fenêtre du train emmenant le jeune garçon vers Balbec ou plus loin lors de la soirée d'ivresse à Rivebelle[1], l'expérience du « phénoménisme pur »[2] qu'est la griserie induit la perception d'un présent décanté où l'on pourrait croire le héros en communion parfaite, parce qu'immédiate, avec le monde et lui-même. Mais le moi, « collé à la sensation présente, n'ayant pas plus d'extension qu'elle »[3], se trouve à la fois dilué et clivé. La sensation primaire enferme le sujet dans un solipsisme charnel[4] qui le sépare de l'objet au moment où il pense ne faire plus qu'un avec lui. Le corps jouit moins du réel que de ses propres modifications, et se scelle sur lui-même par une capacité illusoire et surpuissante d'incorporation de l'extérieur. À partir du moment où la distance au monde est supprimée, ce n'est pas lui que l'on atteint directement, mais notre « sublime nous-même »[5].

On comprend dès lors le sens de la quête du héros proustien, qui se trouve ici d'accord avec le narrateur : rejoindre le monde sans pour autant se perdre totalement en lui, ou le transformer en fantasme personnel. Car c'est bien cela que réalise l'ivresse : la réalité, les autres semblent répondre à nos sollicitations et devenir partie intégrante de nos projets, perdant alors cette fondamentale distance et cette dimension d'inconnu qui les rendent peut-être inaccessibles, mais qui sont aussi les preuves que nous ne vivons pas dans un pur univers de rêve. L'ivresse provoque une sorte d'erreur des sens imaginaire bien pire que l'illusion optique physique, puisqu'elle nie notre relation à autrui en nous faisant croire

---

1. *RTP* II, p. 172-174. Sur le « phénoménisme » et l' « idéalisme subjectif », voir la note 128 de l'édition Flammarion (*À l'ombre des jeunes filles en fleurs***, 1987, p. 378).
2. *RTP* II, p. 173.
3. *Ibid.* Voir aussi *RTP* III, p. 405.
4. *RTP* II, p. 13 et p. 172.
5. *Ibid.*, p. 173.

qu'elle s'accomplit[1] et qu'elle enferme la conscience (qui oublie que le corps, point aveugle pour le sujet, présente à autrui une visibilité patente) dans l'opacité du sentir. Le héros ainsi ne semble pas remarquer l'indifférence du vieil employé de chemin de fer, ni la gêne de sa grand-mère devant son élocution pâteuse, sa bouche entrouverte et son regard pétrifié. Dans l'ivresse, constamment associée au leitmotiv de la mort à soi (s'y découvre un « moi affreux » « à son dernier jour »[2]), on se perd donc au moment précis où l'on croyait s'être rejoint[3].

L'apparente harmonie de l'ivrogne et du monde ne fait donc qu'élargir le fossé qu'il fallait franchir. Car ce qui disparaît avec l'extériorité, ce sont les horizons de la chose et sa fondamentale indétermination. Ne reste plus qu'une sorte de monoperspective sur le monde et sur soi : la chose, pour n'être plus saisie en fonction de ce qui échappe justement à la perception et qui pourtant contribue à la constitution inconsciente de l'objet[4], se résorbe comme chose totale insérée dans un univers. Le visible devient un point spatial et temporel sans profondeur, un pur présent délié de ses rapports au passé et à l'avenir, le contraire même de la définition merleau-pontienne de la couleur comme « détroit entre des horizons extérieurs et des horizons intérieurs toujours béants »[5]. L'ivresse est « une tension purement subjective des nerfs qui nous isole du passé »[6], enferme « dans le présent »[7] : le monde

1. *Ibid.,* p. 174 : « Cette chose si difficile la veille – à savoir que nous arrivions à lui plaire – nous semble maintenant un million de fois plus aisée sans l'être devenue en rien, car ce n'est qu'à nos propres yeux, à nos propres yeux intérieurs, que nous avons changé. »
2. *RTP* II, p. 469-470.
3. Voir E. Dezon-Jones, « Introduction au *Côté de Guermantes I* », Paris, Flammarion, 1987, p. 39.
4. Comme par exemple sa face cachée mais que je sais présente, le paysage derrière le store, ma grand-mère en face de moi, ou les projets formés par ces femmes que je crois à portée de mon désir...
5. *Le Visible et l'Invisible,* éd. cit., p. 175.
6. *RTP* IV, p. 613.
7. *RTP* II, p. 172 (cf. aussi *RTP* II, p. 469).

n'est plus qu'un nœud resserré sur l'instant. La griserie convainc l'individu d'une puissance usurpée, clôt le monde sur un présent décharné, forme de non-temps qui n'a rien à voir avec le Temps dilaté, superposé et étoffé du dernier tome de la *Recherche*. Aussi n'est-ce que dans le souvenir réinterprété[1] que le passage sur le store bleu acquiert enfin la profondeur temporelle qui lui manquait.

La pensée que le monde existe en soi et celle qu'il n'est qu'une projection de notre conscience ou de nos sens, sont donc l'avers et le revers d'un identique rapport au monde. Si dans le premier cas le réel est gratifié d'un excès ou d'un surplus d'être inaccessible, et si à l'inverse, dans le second, il perd toute actualité propre pour n'être plus qu'une image engendrée par nos schèmes mentaux ou notre conformation physiologique, il n'en reste pas moins que tous deux[2] rendent irréversible le constat d'une coupure entre le monde (ou autrui) et le moi. Cette brève analyse des infructueuses tentations objectales et expérimentales du héros, que d'autres avant moi, parmis lesquels Anne Henry[3] ou Jean-Yves Pouilloux[4], avaient relevées sur un autre plan, visait à cerner quel mode d'appréhension du monde est définitivement récusé par Proust. D'aucuns en déduiront que l'échec de l'accession à l'essence de « l'objet » via la sensation constitue la preuve qu'il convient de dépasser celle-ci pour parvenir à une saisie valide du réel. Je vais tenter de répondre sur leur plan – théorique et historique – à leurs arguments, qui témoignent d'une conception étroite de la sensation proustienne et d'un balancement dichotomique où la vérité du réel se trouve écartelée entre une décevante actualité ontologique et de trop subjectives impressions sensorielles.

1. *RTP* III, p. 181.
2. Pour un va-et-vient tout aussi illusoire entre « déception objective » et « compensation subjective », voir G. Deleuze, *Proust et les signes*, éd. cit., p. 36-50.
3. In *Marcel Proust. Théories pour une esthétique*, Paris, Klincksieck, 1981, p. 258-259, p. 281 ou p. 275-276.
4. *In* « Je ne sais ce que je vois qu'en écrivant », *Merleau-Ponty et le Littéraire*, Paris, Presses de l'École normale supérieure, 1997, p. 93-103.

LES INSUFFISANCES
DE L'INTELLIGIBILITÉ

Certains critiques, remarquant que la tentative de fusion avec l'objet ne conduit qu'à un solipsisme radical, conçoivent la sensation proustienne comme inapte à promouvoir un accès valable à un réel qui finit par se réduire à une image plate et sans consistance[1]. Les textes célèbres où le héros cherche à atteindre l' « essence » ou l' « Idée » celées dans les apparences par une épuration intellectuelle de ses impressions sensorielles, que j'analysais comme de négatives apories, anticiperaient dans leur optique la quête de la « vérité » de type idéaliste (ou spiritualiste selon les cas) que le narrateur théoriserait dans *Le Temps retrouvé*. Cette quête ne pourrait dès lors être menée à bien que par une activité littéraire où le monde sensible et ses manifestations s'intellectualisent. Non sans relever certaines contradictions propres aux formulations théoriques de Proust (plus qu'à sa pratique scripturale), les pages qui suivent ont pour objet de réfuter les arguments courants, fondés sur l'histoire des idées comme sur l'itinéraire intellectuel de l'écrivain, qui intègrent celui-ci dans la sphère de la philosophie française en vogue au tournant du siècle.

Une tradition critique très affirmée analyse en effet la *Recherche* comme l'expression d'un idéalisme de Proust, qui reléguerait la sensation au rang des illusions. Elle entend par là tantôt un subjectivisme déniant toute pertinence à l'objet (c'est le fameux relativisme proustien : le visage d'une passante n'est « qu'un espace vide sur lequel jouerait tout au plus le reflet de nos désirs »[2]), tantôt un néo-platonisme pour

---

1. Ces analyses sont publiées, sous une forme condensée, dans « Proust ou la crise de l'idéalisme », *Marcel Proust 2, « Nouvelles directions de la recherche proustienne. 1 »*, Paris, Minard, 2000.
2. *RTP* IV, p. 622.

lequel le sensible n'est qu'une dévaluation d'idées intelligibles (les « vases clos », la « croyance celtique »[1]), tantôt et
plus rarement une conception romantique pour laquelle le
monde devient conscient de lui-même à travers l'esprit qui
se le représente. À tout le moins conçoit-on traditionnellement la *Recherche* comme relevant d'une démarche spiritualiste[2] qui, sans nier l'existence de la réalité (confondue avec la
« matière »), propose cependant une hiérarchisation qui
place l'esprit au terme de l'entreprise d'approche du réel et
du moi (scindé en corps et esprit). Pour Henri Bonnet ainsi,
le sensible ne serait pour Proust qu'un point de départ à
dépasser, qu'un réceptacle d' « idées en puissance »[3] : « il sent
bien que le sensible ne saurait se suffire à lui-même et on lui
a appris qu'il existait un autre monde supérieur, celui de
l'intelligence »[4]. Comme d'autres commentateurs, Henri
Bonnet, ne nie pas l'importance du sensible dans l'œuvre de
Proust : mais il continue à scinder et à hiérarchiser sensible
et intelligible, et à faire de l'apparence un masque de l'idée.
L'éventuelle conciliation des deux approches du monde
n'est alors qu'un point d'aboutissement, qui ne peut de toute
façon pallier leur foncière incommensurabilité. Cette analyse, pour valable qu'elle soit en ce qui concerne la conception de l'objet et de soi du héros que j'ai déjà abordée, ne
signifie cependant pas, nous le verrons dans les parties qui
suivent, qu'il ne *vive* parallèlement une forme plus totalisante
d'ouverture au monde, qu'il ne puisse changer de point de
vue, ou que le narrateur souscrive à cette approche.

L'essentiel pour mon propos n'est paradoxalement pas le
contenu exact du concept d'idéalisme, que Proust ne
connaissait que par ses années de classe de Philosophie et de
licence. Comme le précise Vincent Descombes, le narrateur

1. Respectivement in *ibid.,* p. 448, et *RTP* I, p. 43-44.
2. Au sens de valorisation en général de l'esprit, plus que comme opposition au rationalisme et à l'intellectualisme.
3. *Le Progrès spirituel dans l'œuvre de Marcel Proust,* Paris, Vrin, t. II, 1949,
p. 237.
4. *Ibid.,* p. 239.

semble *théoriquement* avoir été un idéaliste mais ses propos ne sont pas très éclairants ; car il est

impossible de dire s'il professait l'« idéalisme subjectif » (à savoir : Le monde est ma représentation) ou l'« idéalisme objectif » (à savoir : Le monde est la représentation grâce à laquelle l'esprit universel parvient en moi à la pensée de soi-même)[1].

Plus fondamental est le fait que la survalorisation de l'esprit dans un certain spiritualisme comme les différentes versions de l'idéalisme postulent pareillement une *dichotomie* entre transcendance et immanence, essence et manifestation, objet et sujet, extérieur et intérieur, passé et présent, espace et temps, esprit et corps, ou pour reprendre les termes d'Ernst Robert Curtius, entre « substance "pensante" » et « susbstance "étendue" »[2]. C'est cette polarité que je vais examiner d'un point de vue historico-philosophique, pour passer dans les parties suivantes à un autre type de réfutation, thématique et stylistique.

PROUST HÉRITIER ?

Il y a dans la *Recherche* une tension entre la volonté d'élaborer, par le biais de la métaphore ou de la métonymie, des enchâssements syntaxiques ou des télescopages d'adjectifs, une écriture « compacte »[3], sensuelle, « chargée de réalité »[4], apte à rendre compte de la densité du réel ou de la

---

1. *Proust. Philosophie du roman*, Paris, Éd. de Minuit, 1987, p. 35. Voir aussi J.-Y. Pouilloux, article cité, p. 99.
2. *Marcel Proust*, Éd. de la Revue nouvelle, 1928, p. 79 : « Proust ignore la séparation entre la substance "pensante" et la substance "étendue". Il ne tranche pas le monde en physique et en psychique. »
3. *RTP* IV, p. 449, et *RTP* II, p. 692. Cf. la typographie serrée de Proust et l'impression de sédimentation laissée par ses phrases.
4. *RTP* IV, p. 444.

« réalité telle que nous l'avons sentie »[1], et le désir de retrouver l'instant sensoriel « pur et désincarné »[2], d'atteindre l' « essence des choses »[3]. Les apports de la génétique peuvent expliquer certains emplois de tonalité désuète dans le dernier tome du roman. Comme le rappelle Bernard Brun, les pages qui nous concernent[4], et qui renvoient à une sorte de théorie esthétique de Proust, sont de facture ancienne, comme le suggère en 1919 une lettre célèbre à Paul Souday[5]. Proust, qui consacre tout son temps entre 1908 et 1916 au développement de son roman, n'aurait donc pas eu le temps, lorsqu'il met au net son manuscrit en 1917, de revoir véritablement le dernier tome, qu'il se contente de compléter par des éléments tirés de brouillons antérieurs ou du *Contre Sainte-Beuve*. La première édition du *Temps retrouvé*, en 1927, reflète donc un travail ancien, qui précède d'au moins quatre ans les tomes consacrés à Albertine (sur lesquels Proust travaille en 1921-1922), voire de treize ans pour les états les plus primitifs. La théorie proustienne est donc « datée » par rapport à l'écriture du roman dans son ensemble.

Mais il n'empêche que dans la version de 1917 Proust n'a pas senti le besoin de revoir les pages qui nous intéressent. Il subsiste donc, au niveau philosophico-esthétique, une tension entre idéalisme et désir de rendre compte stylistiquement de l'impression et de la sensation. Cette contradiction apparente est selon moi surtout due à une réminiscence de la philosophie idéaliste de la fin du siècle, qui fut le centre de son enseignement à Condorcet (via Darlu) et à la Sorbonne (via Boutroux, Brochard et Rabier). Si, comme le

---

1. P. 459. Dès le *Carnet de 1908*, Proust écrivait : « Toute ma philosophie revient (...) à justifier, à reconstruire ce qui est » (cité par A. Henry in *Marcel Proust. Théories pour une esthétique*, éd. cit., p. 260).
2. *RTP* IV, p. 447.
3. Voir, par exemple, *ibid.,* p. 450, 451, 454.
4. *RTP* IV, p. 445 (premières réminiscences) à 496 (entrée dans les salons).
5. « Le dernier chapitre du dernier volume a été écrit tout de suite après le premier chapitre du premier volume. Tout "l'entre-deux" a été écrit ensuite » (*RTP* IV, n. 1 de la p. 445, p. 1256).

rappelle Anne Henry[1], la mode de l'idéalisme (et notamment le problème de l'existence du monde extérieur par rapport au moi) commence à passer à partir de 1893, Proust n'en a pas moins baigné dans cette atmosphère durant ses années d'apprentissage. La critique précise[2] par ailleurs que la sensation est vers 1895 au centre des préoccupations philosophiques qui procèdent par induction, par remontée de l'expérience à l'esprit.

Ce courant qui continue donc à prévaloir à la fin du XIXe siècle, conjointement avec un spiritualisme dogmatique qui attendait les réorientations radicales de Bergson, se caractérise par une minimisation du rôle de la sensation et par une survalorisation du rôle de l'esprit dans la représentation que nous nous faisons du monde, très perceptibles dans les pages théoriques du *Temps retrouvé*. Elisabeth Czoniczer[3] a noté la revivification de cet idéalisme pour lequel nos sensations ne nous donnent qu'un accès indirect à un monde dont l'existence elle-même finit par être mise en doute, voire considérée comme une hallucination. Elle cite ainsi un des rares opposants à ce relativisme forcené, Camille Mélinand, qui en 1898 écrit :

C'est, à l'heure qu'il est, une doctrine à peu près classique, que le témoignage des sens est trompeur ; que la réalité ne ressemble en rien au monde que nous révèlent nos sens ; que les phénomènes sensibles, couleur, son, résistance, saveur, odeur, etc., sont non pas réels et indépendants de nous, mais *internes* (...). Ce dogme est enseigné à peu près dans tous les lycées de France. Que dis-je, c'est presque un brevet de philosophie que de s'intituler *idéaliste*, et nos jeunes philosophes prennent conscience de leur valeur en démontrant à leurs parents ébahis que « le monde extérieur n'existe pas »[4].

1. *Marcel Proust. Théories pour une esthétique*, éd. cit., p. 43.
2. *Ibid.,* p. 100.
3. « Le témoignage des sens et les deux réalités », *op. cit.,* p. 59 et s.
4. *In* « Un Préjugé contre les sens », *La Revue des deux mondes*, vol. 149, 1898, p. 435 (cité par E. Czoniczer, *op. cit.,* p. 66). Voir aussi Barrès qui, dans *Les Déracinés* (1897), fait le procès de cette philosophie qui empêche toute prise sur le réel.

Dans son courant dominant, la philosophie de l'époque, de Lachelier à Rabier, de Ravaisson à Boutroux, commence effectivement par faire un sort à la sensation pour aboutir à une exaltation de l'esprit et de valeurs universelles, voire à la notion de Dieu. Pour ne prendre qu'un exemple, c'est ainsi que se termine *La Philosophie en France au XIXe siècle*[1] de Ravaisson : la matière n'est que le dernier degré et comme l'ombre de l'existence, alors que l'infini et l'absolu (notions problématiques que n'interroge pas le philosophe) consistent dans la liberté spirituelle et dans l'action de la Providence. On pourrait presque dire que l'idéalisme de l'époque se fonde sur un enchaînement de notions du genre de celui-ci : pensée = absolu = vérité = nécessité = existence, donc pensée = existence. Merleau-Ponty rappelle plaisamment que pour les spiritualistes d'alors, la « *nature humaine* avait pour attributs la vérité et la justice, comme d'autres espèces ont pour elles la nageoire ou l'aile »[2]...

Le narrateur du *Temps retrouvé* est quant à lui tiraillé entre deux attitudes, balancement qui est fondé historiquement sur le grand clivage, propre à la fin du XIXe siècle, entre matérialisme d'un côté et spiritualisme de l'autre[3]. Tantôt le sensible – celui du corps tout comme celui du monde – est le fondement originel et ultime de son esthétique et de sa stylistique, le « travail de l'artiste » consistant à « apercevoir sous de la matière, sous de l'expérience, sous des mots quelque chose de différent »[4] (les trois vocables « matière », « expérience » et « mots » sont reliés sans solution de continuité). Tantôt le narrateur résume sa vie en en tirant une « leçon d'idéalisme »[5] : « seule la perception grossière et

---

1. (1867), Paris, Hachette, 1885.
2. « L'homme et l'adversité », *Signes*, Paris, Gallimard, 1960, p. 286-287.
3. Dès *Jean Santeuil*, Beulier l'idéaliste s'oppose M. de Traves, sceptique et matérialiste (voir A. Contini, *La Biblioteca di Proust*, Bologne, Nuova Alfa Editoriale, 1988, p. 48 et H. Bonnet, *Alphonse Darlu, le Maître de philosophie de Marcel Proust*, Paris, Nizet, 1961, p. 74).
4. *RTP* IV, p. 474.
5. *Ibid.*, p. 489.

erronée place tout dans l'objet, quand tout est dans l'esprit »[1]. Résonnent ici certaines formulations des *Leçons de philosophie* de Rabier, pour lequel « nous nous trompons toujours, au point de vue absolu, lorsque nous nous figurons la saveur dans l'objet »[2], qui annoncent l'affirmation de Proust selon laquelle « nous appelons douceur d'un fruit une certaine sensation qui n'est que dans notre palais »[3], et de probables analyses de son professeur de philosophie à Condorcet, Alphonse Darlu. Celui-ci fut, on le sait, un initiateur pour Proust[4], comme en témoigne la dédicace de *Les Plaisirs et les Jours* (1896), adressée au « grand philosophe dont la parole inspirée (...) a, en moi comme en tant d'autres, engendré la pensée ». En 1894, par ailleurs, dans une lettre à Horace de Landau, Proust se définissait certes encore comme un « bon idéaliste »[5] : mais l'expression incluait déjà une bonne dose de désinvolture. Dès lors, une note du *Carnet de 1908* qui explicite les rapports de Proust à ce qu'André Ferré appelle un « positivisme (...) spiritualiste »[6] est particulièrement intéressante : « Aucun homme n'a jamais eu d'influence sur moi (que Darlu et je l'ai reconnue mauvaise). »[7] On peut naître à la philosophie grâce un professeur et s'en détacher d'un point de vue conceptuel

1. *Ibid.,* p. 491.
2. E. Rabier, *Leçons de philosophie*, Paris, Hachette, 1884, t. I, n. 1, p. 436.
3. *RTP* IV, p. 77.
4. Voir J.-Y. Tadié, « La classe de philosophie », *Marcel Proust*, Gallimard, 1996, p. 104-112, et U. Link-Heer, « Proust und die Philosophen des 19. Jahrhunderts », *Marcel Proust und die Philosophie*, Insel Verlag Frankfurt am Main und Leipzig, Achte Publikation der *Marcel Proust Gesellschaft*, 1997, p. 14.
5. Lettre citée par A. Contini, *op. cit*, p. 100, qui repère elle aussi un tournant dans la pensée philosophique de Proust après *Jean Santeuil*.
6. « Disciple de Darlu (1888-1889) », *Les Années de collège de Marcel Proust*, Paris, Gallimard, 1959, p. 221 : « Sa position dans l'effort de connaissance et d'explication du monde et de l'homme est celle d'un réaliste ; mais la première réalité qu'il rencontre dans sa recherche des faits et de leurs causes est celle de l'esprit, de l'activité et des exigences de son propre esprit. »
7. *Carnet de 1908*, f° 40 v°, cité par J.-Y. Tadié, *Marcel Proust*, éd. cit., p. 101.

dix ans plus tard (ou avant, si la formule de 1894 peut effectivement s'entendre dans un sens ironique) : la citation tire un trait sur le contenu de l'enseignement de Darlu, tout en rendant un hommage à ses capacités maïeutiques. Cette phrase, dont on minimise trop souvent la fin de la parenthèse, explique pourquoi de nombreux commentateurs ont voulu faire de l'écrivain de la *Recherche* le spiritualiste qu'il n'était plus depuis longtemps. Même si, dans *La Bible d'Amiens* (1904), une dédicace à Darlu fait du professeur celui à qui va la « première admiration qu'aucune autre depuis n'a jamais égalée », il convient de noter qu'admiration ne signifie pas accord. Comme l'écrit Anne Henry, qui explique que Darlu n'a pas profondément influencé Proust au niveau philosophique, le caractère « moralisateur »[1] de l'enseignement du professeur ne correspondait en outre pas aux visées proustiennes de restitution des ambivalences de l'être humain. Contrairement donc à ce que pense André Ferré, pour lequel cette « position » philosophique de Proust lui serait « si consubstantielle, qu'il serait sans doute hasardeux d'affirmer qu'il la tient de Darlu, c'est-à-dire que sans Darlu, il ne l'eût pas faite sienne »[2], Proust n'a été spiritualiste que momentanément. C'est ce que suggère son devoir d'écolier sur « la spiritualité de l'âme » remis à Darlu, à la terminologie mal maîtrisée et de facture très scolaire, où l'on sent sans nul doute l'influence du professeur mais aussi la soumission du « bon élève »[3]. En effet, son article sur Chardin, inédit écrit vraisemblablement six ou sept ans plus tard et que commente de façon pertinente Jean Roudaut,

---

1. *Marcel Proust. Théories pour une esthétique*, éd. cit., p. 81 et 78. Pour certains rapprochements entre Proust et Darlu, voir A. Ferré, *op. cit.,* p. 235 et J.-Y. Tadié, *Marcel Proust*, éd. cit., p. 107.
2. *Op. cit.,* p. 223.
3. Sur ce devoir, transcrit par A. Ferré in *op. cit.,* p. 224-229, voir J.-Y. Tadié, *Marcel Proust*, éd. cit., p. 106-107 et A. Contini, pour laquelle l'écolier tente une conciliation entre Ravaisson et Lachelier (*op. cit.,* p. 99).

témoigne d'une attention au « monde extérieur »[1] bien peu idéaliste : la référence à Chardin et non plus à Watteau

convertit Proust à l'existence, le convainc de son appartenance au monde de la réalité, lui qui ne rêve que de fuir. Préférer Chardin est faire un choix ontologique[2].

Jean Roudaut rappelle ce faisant une phrase de Proust qui corrobore mes analyses :

Je viens d'écrire une petite étude de philosophie de l'art (...) où j'essaye de montrer comment les grands peintres nous initient à la connaissance et à l'amour du monde extérieur, comment ils sont ceux « par qui nos yeux sont déclos » et ouverts en effet sur le monde[3].

Un des rares articles de Darlu, qui reprend une conférence prononcée en 1919, montre que le philosophe n'avait pas changé de vue depuis l'époque où il enseignait à Condorcet. Faisant un historique des théories philosophiques récentes, il note ainsi qu'il

y a encore aujourd'hui des Platoniciens sur les bords de la Seine (...). Ce sont les hommes qui cherchent, au-delà de la réalité sensible, une vérité plus pure, plus stable que celle que fournissent les faits[4].

Puis il opère une classique distinction entre « deux sortes de facultés de connaître », « la perception et la conscience », qui sont « deux ouvertures qui donnent, l'une sur le monde extérieur, l'autre sur le monde intérieur » et qui engendrent « des systèmes opposés », l'un matérialiste, l'autre spiritualiste, ce dernier invitant « à chercher dans la vie intérieure les valeurs supérieures ».

On retrouve effectivement dans *Le Temps retrouvé* un refus

1. A. Darlu, « La tradition philosophique », *Revue de métaphysique et de morale*, t. 27, n° 3, juillet 1920, p. 350.
2. P. 28, in *L'Arc*, n° 47, décembre 1971 : « "Par qui nos yeux sont déclos" ou la vie profonde des "natures mortes" », p. 27-31.
3. Lettre de 1895 à Pierre Mainguet, directeur de la *Revue hebdomadaire*.
4. Art. cit.

du réalisme simpliste et des notations de type platonicien sur lesquelles on reviendra un peu plus loin, qui peuvent sembler proches des théorisations de Darlu. Une énorme différence sépare cependant les deux penseurs. Certes Proust affirme qu'il

n'est pas possible qu'une sculpture, une musique qui donne une émotion qu'on sent plus élevée, plus vraie, plus pure, ne *corresponde* à une certaine réalité spirituelle, ou la vie n'aurait aucun sens[1].

Mais la séparation entre vie intérieure et vie extérieure, entre esprit et corps n'est plus tranchée, non parce que le monde extérieur ne serait qu'une représentation de la conscience, mais parce qu'un constant échange s'effectue de l'un à l'autre, sans qu'on puisse discerner quel terme est le plus originel ou le plus primitif d'un point de vue archéologique. Pour ne prendre qu'un exemple avant de développer plus avant cette affirmation dans les parties qui suivent, Swann est certes « bourré » des idées personnelles que chacun possède sur son compte, mais sa vie et le discours d'autrui remettent constamment en cause cette « enveloppe corporelle »[2] initiale. Si l'objet extérieur ne se confond pas avec nos désirs, nos fantasmes ou nos préjugés, cela signifie bien qu'il possède une existence propre qui, pour sembler inaccessible, n'en est pas moins véritable. Le thème de la première rencontre, qui est toujours, d'une certaine façon, pertinente et définitive puisqu'elle donne accès, de façon non thématisée, à la personnalité profonde des autres[3], est dans le roman tellement récurrent qu'il semble simpliste de vouloir transformer autrui en une pure projection de sentiments personnels. Cette violence est le signe que si ma conception d'autrui dépend effectivement du regard relatif que je porte sur lui à tel moment de mon existence, son corps, son existence, sou-

---

1. *RTP* III, p. 876. Je souligne : correspondance ne signifie pas précession.
2. *RTP* I, p. 19.
3. Voir mon article « Proust ou le corps expressif malgré lui », *Littérature*, septembre-octobre 2000.

vent douloureux pour moi, n'en sont pas moins des étants à part entière, et comme tels incontournables. On sait de plus que Proust écrivait dans une lettre à Jacques Rivière[1] que *Du côté de chez Swann* et sa conclusion relativiste ne sont pas le mot ultime de sa pensée, mais bien son contraire : Alain de Lattre le relevait, le réel est réfractaire à la pure idéation. Cette résistance est une des raisons pour lesquelles Proust abandonne l'idée d'un traité de philosophie classique[2] au profit d'un questionnement généralisé[3] et d'une incarnation romanesque qui permettent une approche plus concrète du « cœur du monde ». Car « ce n'est pas par une méthode philosophique, c'est par une sorte de puissance instinctive que *Macbeth* est, à sa manière, une philosophie »[4].

Proust part donc de Darlu pour aboutir à une position philosophico-esthétique beaucoup plus moderne et complexe, qui explique l'extrême contemporanéité de l'écrivain. Même si le philosophe ne nie pas l'importance du « fait » et de l' « expérience »[5], qu'il envisage dans une optique moins sensible que scientifique, religieuse ou esthétique, c'est leur transformation arbitraire et proprement injustifiable en pure « idée » qui, après le passage de la phénoménologie husserlienne ou merleau-pontienne, semble simpliste. Certes, d'une certaine façon, Proust serait d'accord avec Darlu lorsqu'il affirme que « l'idée enveloppe toute réalité »[6], puisqu'il y a interaction entre l'esprit, le corps et le réel ; il refuserait en revanche que « toute réalité s'y [réduise] »[7], la réalité rentrant toujours d'une façon ou d'une autre par la fenêtre...

Il serait donc erroné de croire que pour Proust seuls le

1. Lettre du 6 février 1914, *Correspondance*, éd. de Ph. Kolb, Paris, Plon, t. XIII, 1985, p. 99.
2. « Faut-il en faire un roman, une étude philosophique, suis-je romancier ? » (*Carnet de 1908*, p. 61).
3. Voir V. Roloff, « Die Philosophen des 20. Jahrhunderts und Proust », *Marcel Proust und die Philosophie*, éd. cit., p. 17-18.
4. « Contre l'obscurité », *CSB*, p. 392.
5. Art. cit, p. 350.
6. A. Darlu, *ibid.*, p. 352.
7. *Ibid.*

sujet et la conscience spirituelle importent, le monde étant indifférent puisque malléable à merci par la représentation que nous nous en faisons : le procédé de la focalisation interne n'a pas pour fonction de faire sombrer le réel dans un pur relativisme[1] dont se moque le narrateur à plusieurs reprises, mais de mettre en relief ce fait primordial qu'il n'y a pas de lien au monde qui soit désincarné. Le spiritualisme de l'époque, pour lequel le monde n'est souvent qu'une projection de la conscience, se trouve dépassé de plusieurs côtés à la fois. En effet, en se heurtant à la volonté propre d'autrui, à la massive présence des choses, à la souffrance corporelle de la maladie ou de l'agonie, bref à l'expérience de la vie en général, le narrateur acquiert la certitude que la réalité n'est pas qu'une simple représentation.

La contradiction relevée au début de cette partie entre une écriture accordée à la présence sensible et une écriture attentive à l'essentiel n'est donc qu'apparente : ce que récuse Proust, c'est précisément une approche de la sensation telle qu'elle lui a été enseignée par le manuel de Rabier (étudié pendant sa licence de philosophie en 1894-1895), ce « quelque chose d'inerte » analogue à des « figures immobiles dans un tableau »[2] (celui de la conscience) qu'on peut analyser ou mesurer. Cette conception simpliste de la sensation, dont on a vu qu'elle pouvait effectivement être celle du héros lorsqu'il se situait en position d'expérimentateur, incite un critique comme Jacques J. Zéphyr à affirmer que pour Proust, « le présent et le réel ne nous livrent que la surface des êtres et des choses et nous fixent nous-mêmes à notre propre superficie ». De ce constat découlerait sa volonté de retrouver le réel dans le souvenir, qui est « la plus pure réalité spirituelle »[3], qui « dépasse infiniment la sensa-

1. Sur les raisons psychologiques et/ou romanesques du relativisme chez Proust, voir J.-Y. Tadié, *Proust et le roman*, « Points de vue et perspectives », ainsi que p. 111-112.
2. *Op. cit.,* p. 144.
3. In *La Personnalité humaine dans l'œuvre de Marcel Proust*, éd. cit., p. 215.

tion et surtout n'est pas de même nature qu'elle »[1]. Cette option, qui reprend les termes de l'expérience de la madeleine, n'est pas totalement erronée. Elle ne se fonde cependant que sur les analyses du héros ou certaines positions théoriques du narrateur, sans tenir compte de la transversalité qui s'institue entre le spirituel et le sentir dans de nombreux autres textes rendant compte d'une insertion plus globale du moi dans le monde qu'il habite, et qui ne se contentent pas de clore la sensation sur elle-même.

Ce qui se fait jour avec Proust est le passage d'une théorie psychologique de la sensation à une approche ontologique et mondaine du sentir. Toute son entreprise consiste à cerner ce lien indissoluble entre un sujet et un objet que la philosophie dominante à l'époque où Proust faisait ses études écartelait. Dès lors, seule la création d'une écriture de la relation sera à même de rendre compte de cette imbrication non fusionnelle entre le sentant et le sensible.

L'opposition entre esprit et sensation n'existe que pour une philosophie qui fait de l'expérience sensible un moment de pure sensorialité, et non un acte mettant en jeu le sujet dans son ensemble. La célèbre phrase qui donne pour fonction à l'écrivain de « convertir en un équivalent spirituel » « ce [qu'il a] senti »[2] ne signifie pas que l'écriture doive tourner le dos à la sensation ou lui apporter la noblesse spirituelle qui lui manquerait fondamentalement. Nous verrons que la sensation n'est pas qu'un point de départ du travail de l'esprit : l'expérience sensible relevant déjà elle-même du spirituel, l'écriture apparaît dès lors comme un approfondissement du travail sensoriel. La question de la sensation première est à cet égard significative, puisqu'elle doit être (ré)apprise et ne relève pas d'un donné ou d'un état de fait. La pente naturelle de l'humain est de relier ses sensations à ce qu'il sait déjà (du monde, de lui-même, des autres) : l'originel est en avant de nous et non en arrière, n'est pas un

1. *Ibid.*, p. 225.
2. *RTP* IV, p. 457.

44

moment contemplatif mais le lieu d'un labeur spécifique, celui de l'artiste.

Cette analyse s'est volontairement centrée sur les thèses des philosophes français en vogue à l'époque de la jeunesse de Proust puisque leur influence a été souvent trop accentuée. Elle a donc laissé de côté l'apport des auteurs allemands et anglo-saxons, dans la mesure où de nombreux critiques en ont déjà largement traité. Une remise en cause de l'inscription de Proust dans le courant spiritualiste aurait en outre sans doute gagné à comparer les conceptions de l'écrivain et celles de Ruskin ou de Bergson. Mais d'une part ce travail a déjà été largement abordé, d'autre part il m'entraînerait trop loin de mon sujet propre. Précisons enfin que de nombreuses contradictions perceptibles dans *Le Temps retrouvé* sont levées par la pratique d'écriture de Proust : comme le note Vincent Descombes, « la philosophie à laquelle il est fait allusion *dans* le roman n'est pas la philosophie du roman une fois écrit »[1]. L'idéalisme chez Proust n'est donc envisageable que sous l'angle de sa crise, provoquée par une approche novatrice d'un réel caractérisé par une immanence qui, nous le verrons en deuxième et troisième parties, ne se confond pas avec une pure actualité.

L'ESSENCE DANS *LE TEMPS RETROUVÉ* : UN IDÉALISME OBSOLÈTE

Les pages qui suivent ont pour objet de cerner ce que Proust entend par le terme « essence », employé de façon récurrente notamment dans *Le Temps retrouvé*, qui semble ainsi définir la réalité selon une optique idéaliste. Elles repèrent dans les hésitations mêmes de certaines formules de

---

1. *Op. cit.,* p. 47.

Proust la marque d'un difficile mais effectif dégagement d'une conception obsolète de l'essence, et de la réalité en général. Proust semble de ce point de vue annoncer, au niveau littéraire, l'avènement de la phénoménologie telle que Merleau-Ponty la définit quelques trois décennies plus tard : « une philosophie qui replace les essences dans l'existence »[1].

Retrouver le réel, telle est la tâche que s'impose *in fine* le narrateur. Certains critiques caractérisent ce réel comme étant celui du hors temps et de l'essence, conformément à certaines formules du *Temps retrouvé*. Cette éviction de la temporalité s'assimile alors à une négation du roman dans son ensemble, qu'on envisage comme une simple propédeutique, ou une errance qui doit être dépassée. C'est oublier que le cheminement du héros a autant d'importance que l'aboutissement qu'on lui suppose, puisqu'il constitue la matière même du roman.

Pour répondre sur leur terrain aux interprétations idéalistes de l'essence proustienne, il convient de revenir sur les pages qui précèdent le « Bal de Têtes », à partir du moment où le héros, déçu par son incapacité non plus seulement à écrire, mais plus encore à sentir[2], se trouve assailli par une série de réminiscences qui lui font découvrir les fins ultimes et les moyens de la littérature. En effet, si la sensation y est centrale en ce qu'elle provoque la saisie de « l'essence des choses », une lecture trop axée sur la lettre du texte qui s'énonce comme « leçon d'idéalisme » risque fort de ne voir en Proust qu'un émule talentueux du néo-platonisme ambiant au tournant du siècle (concomitant avec un réexamen d'Aristote).

1. Avant-propos à la *Phénoménologie de la Perception*, Paris, Gallimard, 1945, p. I.
2. Voir *RTP* IV, p. 433-434 et p. 444, où sont reliées incapacité à sentir et absence de vocation littéraire, et le chap. II de cette partie.

Un des paradoxes fondateurs de la *Recherche* est qu'elle promeut le hors-temps de l'essence comme fin de la littérature tout en inscrivant constamment le temps, passé, présent ou futur, dans son champ d'investigation : l'essence des choses n'est accessible que dans l'extra-temporalité, mais il faut pour l'atteindre toute la pyramide du temps qui la précède et l'étaye de son avoir-été. L'essence proustienne est ainsi une dialectique entre le hors-temps et la présence ; pour se manifester, elle a besoin du temps même qu'elle récuse. Elle est une incarnation différée ou à venir, le passé devenant, dans le présent, le moteur du futur : « J'avais un tel appétit de vivre maintenant que venait de renaître en moi (...) un véritable moment du passé. »[1] « Véritable » parce que, comme le précise le narrateur quelques pages plus loin, ce n'est « pas seulement un écho, un double de la sensation passée » qu'il vient d'éprouver, « mais cette sensation elle-même »[2], avec le moi d'antan qui l'éprouvait et son cortège de projets. Le sujet ne peut se tourner vers son avenir que lorsqu'il a reconquis, de façon active et créatrice[3], son passé comme présent. Comme l'écrit Ghislaine Florival,

un passé, dont l'actualité n'avait pas été reconnue en son temps, surgit à la lumière de la temporalité présente. Ainsi s'obtient en fin de compte la réversibilité du temps[4].

« L'essentiel » est donc ce qui est « commun à la fois au passé et au présent »[5]. Jean-Yves Pouilloux le rappelle[6], il importe à ce stade de se méfier d'une terminologie qui ne

1. *RTP* IV, p. 450.
2. *Ibid.,* p. 453.
3. Voir G. Deleuze, *op. cit.,* p. 144, et A. de Lattre, *op. cit.,* t. II, 1984, p. 235-236.
4. *Le Désir chez Proust. À la recherche du sens,* Louvain-Paris, Nauwelaerts, 1971, p. 122. Sur l'essence, voir p. 152-161.
5. *RTP* IV, p. 450.
6. *In* « Proust, toujours », *Critique,* n° 548-549, janvier-février 1993, p. 92.

conserve pas toujours ses significations traditionnelles, non sans incohérences apparentes de la part de Proust. C'est là la preuve qu'il se trouvait confronté à une question nodale qu'il lui fallait résoudre avec ses moyens propres, le signe qu'il importe de tenir compte du caractère évolutif et initiatique de la *Recherche*, où le substantialisme est abandonné au profit d'une quête de « la présence des choses »[1], et la marque d'un emploi volontairement métaphorique de certains termes philosophiques.

La sensation que Proust redéfinit comme lieu de l'imbrication entre l'extérieur et l'intérieur et comme moyen d'accès à la profondeur invisible de la chose engendre un renouvellement de la question de l'essence, qui annonce nettement les problématiques du XXe siècle[2]. Le signifié de l'essence dans la *Recherche* n'a en effet, profondément, plus grand-chose à voir avec celui élaboré par la philosophie classique, et dépasse largement les tendances substantialiste et nominaliste que l'on peut encore relever au fil du roman[3]. L'essence proustienne n'est plus un concept réduisant la chose à une structure universelle abstraite ou ce qui vient informer une matière et donner naissance à une substance stable servant de support à la manifestation des accidents ou des attributs. Elle est au contraire l'instabilité même (Proust parlerait d'intermittence) et a partie liée avec le caractère éphémère des modifications du monde. L'essence chez Proust ne s'oppose plus à l'accident, puisque que l'écrivain érige au rang de réalité vraie les apparences et l'illusion. La mer ainsi, sans sa couleur vert émeraude et ses mythiques palpitations[4], n'est plus la mer – en tout cas, elle n'est plus cette mer « là », qui provoque dans le sujet telle sensation ou tel sentiment. Le critère philosophique de la suppression des

---

1. J.-Y. Pouilloux, « Je ne sais ce que je vois qu'en écrivant », *Merleau-Ponty et le littéraire*, éd. cit., p. 98.
2. Sur l'invisible, sur les rapports entre Hegel, Husserl et Proust, voir G. Florival, *op. cit.,* p. 15 à 18.
3. Voir A. Contini, *op. cit.,* p. 101 et p. 108.
4. *RTP* II, p. 65 (cf. 3e partie, chap. I).

prédicats n'a plus cours, qui permettait d'accéder à la chose en soi, invariante, à la mer sans cet éclairage, cette couleur, cette brise : le but de Proust est de réinsérer le réel dans l'immanence et de supprimer la démarcation entre accidents et essence. Loin d'être une pure idéalité, l'essence est donc soumise aux impératifs de la temporalité. Anne Henry précisait à ce propos que l'Idée chez Proust est une « essence qualitative toujours incarnée »[1], analogue selon elle à l'Idée chez Schopenhauer, qui désigne, « à l'opposé d'une essence intellectuelle, les principes de production d'un univers mouvant »[2].

Mais certains passages tel celui sur la « croyance celtique » qui appréhende la chose comme le réceptacle d'une âme enclose ne définiraient-ils pas l'essence comme une substance, existant égale à elle-même au sein des choses ? Certainement pas, puisqu'il faut le miracle de la réunion imprévisible de *deux* sensations *contingentes* pour que l'essence soit possible : « commun », dans la citation que j'ai mentionnée, ne signifie pas que l'analogie existait avant qu'un sujet l'institue... L'essence proustienne se caractérise au contraire par son dynamisme : c'est bien ce que suggère la lettre de l'épiphanie initiale (le pavé de la cour des Guermantes), qui est titubation entre passé et présent, tension toujours prête à s'évanouir. De même, la réminiscence finale met en scène une lutte en instance de se résoudre, impossible à « tenir » – au sens musical du terme.

On peut ainsi décrypter l'essence proustienne à la lumière du second terme de l'alternative entre idéalisme et phénoménologie. Si la croyance celtique est peut-être un signe, comme le pensent Anne Henry et Luc Fraisse, de l'appartenance de Proust à une pensée de type schopenhauerien ou schellingien, où le monde éclaté chercherait à être proféré pour être réuni à l'essence et à l'unité (encore que la saisie de la différence soit peut-être aussi vitale pour Proust que celle

1. *Marcel Proust. Théories pour une esthétique*, éd. cit., p. 277.
2. *Ibid.,* p. 89.

de l'Identité), elle renvoie surtout à une des métaphores fondatrices de tout un pan de la critique esthétique[1] et de la poésie du XXᵉ siècle : les choses nous interpellent, nous renvoient un regard, convoquent en quelque sorte notre parole. On pense à Hofmannsthal, à Valéry, pour qui « tel objet (...) nous arrête tout à coup, et nous sollicite d'une réponse »[2], à Ponge, qui considère Proust et Claudel comme « les plus grands écrivains de la langue française »[3] du siècle, ou à Philippe Jaccottet, pour qui l'écume

est une (...) inscription fugitive sur la page de la terre, qu'il faut saisir, que l'on voudrait comprendre. Sans que l'on sache pourquoi, elle semble prête à livrer un secret ; sinon, comment nous aurait-elle arrêtés ?[4].

Contrairement à l'essence héritée de la pensée platonicienne, l'essence proustienne n'a pas pour fonction de faire passer de la sphère du sensible à celle de l'intelligible – qui serait le véritable être, le lieu où nous vivons n'étant qu'un leurre ou une ombre déformée, projetée sur les parois de la caverne corporelle. L'essence chez Proust est au contraire le résultat d'un approfondissement de ce réel dans lequel nous nous mouvons et dans lequel nous nous oublions. Comme l'écrit Hans Robert Jauss,

Proust n'est pas retombé avec la *Recherche* dans une esthétique platonicienne dont, déjà, au temps de ses études ruskiniennes, il s'était libéré. Re-souvenir reste dans la *Recherche* entièrement dans l'immanence d'une expérience qui exige le « déjà vu », la distance temporelle vécue entre la première perception perdue et celle de la

1. Cf., par exemple, G. Didi-Huberman : « Ce que nous voyons, ce qui nous regarde », *Cahiers du Musée national d'art moderne*, nº 37, automne 1991.
2. « L'homme et la coquille », *Variété V*, Paris, Gallimard, 1944, p. 15.
3. *Ponge inventeur et classique*, Colloque de Cerisy (1975), Paris, Union générale d'édition, 1977, p. 430.
4. « Travaux au lieu dit l'Étang », *Paysages avec figures absentes*, Paris, Gallimard, 1976, p. 59. Voir aussi p. 63 : « La phrase qui semble, de là-bas, m'être soufflée. »

re-connaissance ultérieure. C'est pourquoi le *Temps retrouvé* ne fait qu'apparement allusion à une patrie transcendante et à une existence supratemporelle[1].

Le critique ainsi ne peut faire fi du phénomène d'incarnation et de temporalisation qui permet de remonter jusqu'à l'essence, ou plus exactement de la créer. Car le but du narrateur n'est pas seulement de dévaloriser notre façon quotidienne et anesthésiante de vivre, ou de mettre à mal ces catégories de la perception que nous ne créons pas puisqu'elles nous sont données par l'habitude ou le langage des autres, mais de circonscrire le lien mouvant qui s'établit entre le sensoriel et le spirituel. Le constat proustien peut sembler par moments identique à celui de Platon : nous vivons dans un monde illusoire où notre moi profond se désagrège ou se fige. Mais alors que la pensée platonicienne scinde en deux son approche du monde et du temps[2], l'univers actuel n'étant qu'un reflet déformant des Idées inaltérables qu'il faut dès lors atteindre par une négation de l'éphémère leurre sensible, la pratique proustienne de recherche des essences recquiert à l'inverse un approfondissement de la réalité vécue, car c'est à l'endroit où le moi s'est noyé qu'il pourra être repêché. On peut comprendre alors que le livre intérieur de notre vie soit

le seul que nous ait dicté la réalité, le seul dont l' « impression » ait été faite en nous par la réalité même. De quelque idée laissée en nous par la vie qu'il s'agisse, sa figure matérielle, trace de l'impression qu'elle nous a faite, est encore le gage de sa vérité nécessaire. Seule l'impression (...) est un critérium de vérité (...)[3].

Une telle affirmation explique que Georges Bataille décèle en Proust un écrivain de l'*immanence* pour qui « la vie spirituelle est (...) pleinement retirée des cieux et des arriè-

1. *In* « Marcel Proust et ses lecteurs allemands », *Bulletin de la Société des Amis de Marcel Proust*, n° 22, 1972, p. 1375-1376.
2. Voir W. Benjamin, « Zum Bilde Prousts », *Schriften II*, Frankfurt am Main, Suhrkamp Verlag, 1955, p. 144.
3. *RTP* IV, p. 458.

res-mondes »[1]. Cette question de l'immanence est en effet d'autant plus fondamentale que le temps et sa dynamique (projets, changements, souvenirs, oubli, évolution, croisements) viennent en complexifier les enjeux et les implications.

Un vacillement entre être et non-être

Le champ lexical de l'empiétement et de l'analogie qui sera pointé un peu plus loin suggère que ce qui importe dans l'essence proustienne n'est pas son contenu, qui n'existe pas *a priori*, mais son caractère de lien, sa façon, temporelle, de se réaliser (« l'essence générale » est ainsi définie comme une superposition de deux sensations « sur plusieurs époques à la fois »[2]). Quels sont alors les termes de cette jonction ? Ce sont l'absence et la présence, le passé et le présent qui, dans leur tension, permettent l'avènement d'une autre réalité : Jacques Garelli parle ainsi avec justesse, en reprenant une terminologie husserlienne, d'une jonction entre rétention et protention[3]. Rappelons à cet égard que ce qui fascine Proust dans la réminiscence est « l'infaillible proportion de lumière et d'ombre, de relief et d'omission, de souvenir et d'oubli » qui caractérise le « réel retrouvé »[4]. Il y a dès lors un paradoxe propre à la création artistique selon Proust qui rejoint le travail de la mémoire tel qu'il s'effectue par exemple dans la cure analytique : il s'agit dans les deux cas de mettre au jour cela qui a été mais que nous ignorions avoir été. Le « réel retrouvé » est un réel qui n'a pas encore été vécu comme tel – comme valide –, et qui pourtant a été puisqu'on peut s'en souvenir : la « figure de ce qu'on a senti »[5] est un devenir de

1. « Marcel Proust », *L'Arc*, n° 47, décembre 1971, p. 3.
2. *RTP* IV, p. 497.
3. Voir « De la cire de Descartes à la Madeleine de Proust », *Rythmes et mondes*, éd. cit.
4. *RTP* IV, p. 458.
5. *Ibid.*, p. 475.

la sensation, n'existe qu'une fois intellectualisée et dessinée par un travail de reprise ; mais ce travail ne peut se faire que parce que précisément on a *déjà* senti. Le réel et l'imaginaire finissent par se superposer, et, comme le relève Maurice Blanchot, dans une certaine acception du temps proustien,

tel incident insignifiant, qui a eu lieu à une certain moment, jadis, donc, oublié, et non seulement oublié, inaperçu, voici que le cours du temps le ramène, et non pas comme un souvenir, mais comme un fait réel, qui a lieu à nouveau (...)[1].

L'essence des choses se confond dès lors avec leur inscription dans le Temps, qui est dialectique ou conjonction *quasi* inconcevable et proprement fantastique entre la mort et la vie, le passé et le présent, que Proust nomme extra-temporalité. C'est ce que suggère une des dernières phrases de la *Recherche*, qui est moins un lamento sentimental qu'un résumé de toute la conception proustienne du Temps, « Profonde Albertine que je voyais dormir *et* qui était morte »[2], où la conjonction « et » ne signifie pas « mais pourtant », mais bien « et en même temps ». L'essence est alors ce qu'un sujet particulier construit à partir d'une communauté de sensations et de savoirs, ce fait positif et pourtant incroyable qu'un même être, qu'un même instant peuvent non seulement à la fois être et n'être plus, mais plus, durer dans ce vacillement pour l'éternité grâce à l'entreprise de fixation d'une écriture qui est littéralement d'outre-tombe. Plusieurs réflexions du héros annonçaient, obsessionnellement, cette ultime réflexion sur le paradoxe du souvenir qui, comme le rêve[3] et sans doute l'existence en général, s'avère un entrecroisement « de la survivance et du néant »[4], un mélange de vérité (sur le plan de l'être) et de mensonge (sur le plan du fait) :

Ce qui me causait de l'étonnement, ce n'était pas (...) qu'Albertine si vivante en moi pût n'exister plus sur la terre, pût

---

1. *Ibid.,* p. 20.
2. *RTP* IV, p. 624 (je souligne).
3. *Ibid.,* p. 120 : « Le "souvenir qu'Albertine était morte se combinait sans la détruire à la sensation qu'elle était vivante". »
4. *RTP* III, p. 156.

être morte, mais qu'Albertine, qui n'existait plus sur la terre, qui était morte, fût restée si vivante en moi[1].

Le dynamisme de la jointure analogique, lutte et/ou accouplement[2], propre à la découverte de l'essence, se confond donc avec l'essence elle-même : fait et essence ne sont plus dissociables, parce que, comme le rappelle Merleau-Ponty,

il serait naïf de chercher la solidité dans un ciel des idées ou dans un *fond* du sens : elle n'est ni au-dessus, ni au-dessous des apparences, elle est l'attache qui relie secrètement une expérience à ses variantes[3].

ph ✗

Ce dynamisme particulièrement repérable dans les expériences de réminiscence provoque la réconciliation entre deux domaines du « moi » séparés par la tradition philosophique : la sensation et l'imagination[4] (Rabier distingue clairement ces deux facultés dans l'ordonnance de sa table des matières). Cette jonction entre « l'idée d'existence » et « les rêves de l'imagination »[5] restaure l'unité d'un moi jadis clivé entre sensation – ancrée dans le présent –, intelligence – tournée vers le passé *via* la mémoire habituelle – et volonté – orientée vers l'avenir[6]. Ce « vrai moi »[7] n'est en outre plus le sujet stable de la philosophie spiritualiste ou rationaliste d'un Renouvier, d'un Rabier, d'un Lachelier ou d'un Darlu. Il est le lieu d'une ubiquité à la fois temporelle, spatiale et psychologique, qui hésite à opérer tel choix qui a déjà été fait

1. *RTP* IV, p. 114-115.
2. *Ibid.,* p. 453.
3. *Le Visible et l'Invisible,* éd. cit., p. 155.
4. Voir G. Florival, *op. cit.,* p. 58, et A. Henry, *Marcel Proust. Théories pour une esthétique,* éd. cit., p. 132-140, sur l'unification de l'*Einbildungskraft* (l'imaginaire créateur) et de la *Phantasie* (la faculté d'association) kantiennes.
5. *RTP* IV, p. 451.
6. Voir, *ibid.,* la phrase qui commence par « Il languit dans l'observation du présent où les sens... » et se poursuit par « ... dans l'attente d'un avenir que la volonté construit. »
7. *Ibid.*

trente ans auparavant ou qui hume une brise marine dans la bibliothèque hautement symbolique d'un hôtel parisien. Le thème de la réminiscence est certes à la mode à la fin du XIXᵉ siècle. Bergson, Rabier[1], le psychologue Pierre Janet en traitent largement, dans des analyses parfois très proches de ceux de Proust :

Le souvenir d'un acte est lié à la sensibilité qui a servi à les accomplir ; il disparaît avec elle, reste subconscient tant que cette sensibilité n'est pas rattachée à la perception normale, réapparaît quand cette sensibilité est elle-même rétablie[2].

Cependant, les termes « résurrection » et « ressuscité »[3] employés alors par Proust pour caractériser le moi sont autant de pistes permettant de montrer que l'enjeu de ces pages n'est pas simplement le motif de la mémoire, mais, par-delà lui, la définition du sujet comme instance constitutive du mouvement temporel.

De la permanence à l'empiétement

Reste qu'on ne peut faire totalement l'économie de cette tension, chez Proust, entre une conception classique de l'essence comme « permanente et habituellement cachée »[4], et une approche plus dialectique qui fait de l'essence le résultat précaire et éphémère d'un *acte* de liaison où idéel et réel ne s'opposent plus. Au-delà du contenu même du texte proustien, le champ lexical qui parcourt ces pages théoriques du *Temps retrouvé* est doublement ambigu. À l'encontre des thèses développées dès 1896 dans « Contre l'obscurité »[5], où Proust s'attaquait à la sécheresse du symbolisme, incapable

1. « Conservation et restauration de la connaissance. Mémoire », *op. cit.*, p. 150-168.
2. P. Janet, *L'Automatisme psychologique*, cité par D. Parodi, *La Philosophie contemporaine en France, Essai de classification des doctrines*, Paris, Félix Alcan, 1925, p. 95.
3. *Ibid.*, p. 453 et p. 454.
4. *RTP* IV, p. 451.
5. In *La Revue blanche*. Repris dans *CSB*, p. 390-395.

de rendre compte de l'incarnation des choses, ce lexique renvoie d'une part à celui du spiritualisme et du symbolisme dix-neuviémistes[1] (ainsi de cette fameuse phrase sur les sensations à « interpréter comme les signes d'autant de lois et d'idées » ou de ces « vérités écrites à l'aide de figures »[2]). Il évoque d'autre part celui de l'idéalisme néo-platonicien, comme le suggèrent les expressions « céleste nourriture »[3] ou « contemplation »[4], la redondance du mot « essence » lorsqu'il est mis en rapport avec une notion de préexistence, la pensée que « nos plus belles idées » sont « comme des airs de musique qui nous reviendraient sans que nous les eussions jamais entendus »[5] (sinon dans un ciel intelligible ou un monde invisible), le recours aux « mille vases clos »[6] qui renvoient en une boucle à la « croyance celtique » de *Du Côté de chez Swann*, ou plus loin dans le volume la conception du corps comme « forteresse » qui « enferme l'esprit »[7] qui peut rappeler l'âme rivée au corps par des clous dont parle le *Phédon*. Le vocabulaire platonicien employé par Proust ne doit pourtant pas faire illusion :

Chaque personne qui nous fait souffrir peut être rattachée par nous à une divinité dont elle n'est qu'un reflet fragmentaire et le dernier degré, divinité (Idée) dont la contemplation nous donne aussitôt de la joie au lieu de la peine que nous avions[8].

L' « Idée » ici suggérée n'appartient pas à un Ciel intelligible, puisqu'elle n'a pas d'existence hors de l'homme et de

1. Valery Larbaud, dans sa préface à *L'Esthétique de Marcel Proust*, d'E. Fiser, parle d'un « art poétique symboliste » (Alexis Redier Éditeur, Paris, 1933, p. 11).
2. P. 457.
3. P. 451.
4. P. 454 : « Cette contemplation de l'essence des choses. »
5. P. 457. On retrouve bien sûr ici la réminiscence de type platonicien telle qu'elle se trouve décrite dans le *Phèdre*.
6. P. 448.
7. *RTP* IV, p. 613. Le corps, chez Proust, est un lieu nodal, tantôt valorisé parce qu'il nous met instinctivement en contact avec le réel, qu'il permet la résurrection de nos *moi* d'antan, ou qu'il incarne le signe, tantôt dévalorisé comme un obstacle, notamment à l'intersubjectivité.
8. P. 477.

sa faculté à généraliser et découvrir des lois. Le réemploi par Proust de cette terminologie platonicienne relève plus du plaisir allusif que de l'accord conceptuel, comme le montre la fin de la phrase, qui préconise de « peupler joyeusement notre vie de divinités » – on est loin de l'Idée de Bien... Ramon Fernandez met en relief ainsi dès 1943 un « antiplatonisme » de Proust, en précisant qu'au lieu que

la *doxa* platonicienne nous montre la réalité absolue de l'idée délayée et appauvrie dans le monde sensible, c'est au contraire en « approfondissant » l'expérience que Proust retrouvera, *non pas du tout l'idée dans sa pureté et son intelligibilité*, mais une *idée* adéquate au réel, nouvelle, exactement conforme *à la réalité particulière* considérée[1].

L'idéalisme proustien, comme le notait de façon pertinente Noël Martin-Deslias, relève plutôt de l'analyse psychologique et se rapproche d'un « existentialisme concret »[2]. Mais le critique, quoique plus nuancé que d'autres sur ce point, confond trop souvent la démarche proustienne avec un subjectivisme pur « à mi-chemin du concret et de l'abstrait »[3] (alors que ces notions perdent chez Proust leur portée traditionnelle), où « les choses ne sont que par l'existence qu'elles nous empruntent »[4]. C'est oublier que dans la *Recherche*, femmes, aubépines et fleurs de pommier résistent de tout leur « être-là » au désir d'inféodation du sujet. On verra que l'ouverture au monde ne se confond pas chez Proust avec une simple « projection de [la] conscience »[5], et que l'on ne peut conserver purement et simplement la distinction entre objet et sujet, perceptible dans le plan même du livre de Martin-Deslias, où trois chapitres traitent du « monde intérieur », du « monde extérieur » et du « monde de l'art et de l'absolu », selon une classification cou-

1. *Proust,* Paris, Éd. de la Nouvelle Revue critique, 1943, p. 97-98.
2. *Idéalisme de Marcel Proust* (1947), Paris, Nagel, 1952, p. 184 et 181.
3. *Ibid.,* p. 183.
4. *Ibid.,* p. 77-78.
5. *Ibid.,* p. 91.

rante chez les auteurs qui analysent la *Recherche* comme une œuvre d'obédience spiritualiste[1].

Il n'empêche que le critique a pressenti l'importance dans l'œuvre proustienne des notions fondamentales de « chevauchement, mélange et combinaison »[2]. En effet, le champ lexical traditionnel que j'ai relevé est accompagné, puis progressivement submergé par un vocabulaire jusqu'alors inentendu, qui rend compte d'une philosophie (au sens général de conception de l'homme, du monde et de l'art) plus originale et novatrice. S'attachant à l'empiétement, à la perméabilité, au trébuchement, au prolongement, au raccord[3], à l'ubiquité[4], au glissement[5], au tissage, à la communication[6] entre passé et présent, imaginaire et sensation, moi et monde, cette terminologie a trouvé en Merleau-Ponty un écho fondamental. Proust n'est ainsi ni un idéaliste passéiste, ni un pur phénoménologue. Les ambiguïtés lexicales mentionnées témoignent de la dimension frontalière de sa pensée, qui se tient, comme le relevait Antoine Compagnon, à cheval « entre deux siècles » :

On ne peut pas faire l'économie d'une étude de l'œuvre dans son présent, non pour la reconduire à un sens historique comme à une référence stable et seule vraie, mais pour apprécier sa défaillance dans son présent, sa discordance entre ce qui, en elle, appartient au passé et ce qu'elle annonce de l'avenir[7].

Proust cherche en effet, selon les moyens conceptuels dont il disposait à son époque, à sortir des apories de la pensée philosophique et littéraire de son temps. C'est ce tra-

1. Voir E. Fiser, *op. cit.,* et H. Bonnet, *op. cit.*
2. *Op. cit.,* p. 78 ; voir aussi p. 87.
3. P. 450, 453, 455, 454, dans l'ordre des occurrences citées.
4. P. 452 : « Il y avait eu en moi, irradiant une petite zone autour de moi, une sensation (...) qui était commune à cet endroit où je me trouvais et aussi à un autre endroit » (voir aussi p. 455).
5. Cf. les « vitres qui se continuaient » de la salle à manger de Balbec, p. 452-453.
6. P. 467 et p. 607 pour le tissage ; p. 463 pour la communication.
7. *Op. cit.,* p. 14 et p. 16. Voir aussi G. Florival, *op. cit.,* p. 18 et p. 29.

vail de surgissement, cette expérience de départ encore
« engainés » dans une rhétorique surranée[1] qui se lisent dans
les textes du *Temps retrouvé.*

Relativisme psychologique et certitude ontologique

Il n'est pas innocent qu'au fil des pages dites théoriques
du *Temps retrouvé,* les mots « vie », « réalité », « vérité »,
« nécessité », « rapport », « profondeur » puis « Temps »
envahissent jusqu'à la saturation[2] l'espace jusqu'alors dévolu
à la notion d' « essence ». Le terme, à partir de la page 455 de
l'édition de la Pléiade, n'est plus le centre de la réflexion du
narrateur : il se raréfie peu à peu et est employé dans un sens
plus vague que précédemment, pour désigner la *nature* d'une
chose, sa *spécificité* ou sa *caractéristique principale*[3]. Surtout, *oui*
l'essence qui était le lieu d'une « contemplation »[4] et semblait
caractérisée par son statisme[5], devient l'objet d'une activité
du sujet, qui doit la « dégager »[6] en réunissant les qualités
communes à deux sensations ou deux termes. L'objet de la
création artistique est alors confondu avec le « réel » dans
son lien à la « vie », à la « vérité » et à la « nécessité ».
Ce vacillement terminologique a son importance. Les
mots « vie » et « réel » permettent en effet d'opérer un reflux
vers une connotation concrète absente du terme d'essence.
Non qu'à cette dernière se substitue un retour à l'apparence

---

1. Voir F. Leriche, *La Question de la représentation dans la littérature moderne :
   Huysmans-Proust, la réponse du texte aux mises en cause esthétiques,* thèse de
   doctorat, Université Paris VII, 1989-1990, p. 255 (à propos du *CSB*), et
   p. 407.
2. Voir E. Brunet, *Le vocabulaire de Proust,* Genève-Paris, Slatkine-
   Champion, 1983. Par exemple, « vérité » et ses dérivés apparaissent
   treize fois de la p. 456 à la p. 458, « réalité » et ses dérivés quatre fois
   p. 458 et p. 468.
3. Voir les p. 462, 482, 483 et 553.
4. P. 454.
5. « Les choses gardaient l'essence » du passé, p. 464.
6. P. 468.

ou à la vie telles que l'entend le réalisme tant décrié par Proust. Mais il importe de resituer en contexte certaines formules traitant du caractère illusoire du réel. Des expressions, dont de nombreux critiques se sont emparés comme d'un étendard faisant flotter la foi idéaliste de Proust, telles que « la leçon d'idéalisme » prouvant que « la matière est indifférente et que tout peut y être mis par la pensée », le « caractère purement mental de la réalité », « ce ne sont pas les êtres qui existent réellement et sont par conséquent susceptibles d'expression, mais les idées »[1], sont absolument à replacer en contexte sous peine de faire dire à Proust ce qu'il ne dit pas. Vincent Descombes note avec raison que la « leçon d'idéalisme » si célèbre « n'a rien de métaphysique. Elle coïncide avec l'observation d'un moraliste sévère »[2] qui constate que la réalité effective compte peu dans la cristallisation de l'amour. Effectivement, ces formules interviennent toutes dans des passages traitant non plus du rapport au monde et au réel en général *via* notre sensibilité personnelle et charnelle, mais *de notre relation à autrui,* comme en témoigne l'abondance des noms de personnages qui surgissent alors et qui frisent la fatrasie[3], et *de l'origine et des modalités de nos sentiments* (amour[4], jalousie, etc.). La célèbre formule « Seule la perception grossière et erronée place tout dans l'objet, quand tout est dans l'esprit » est ainsi complétée :

j'avais vu les *personnes* varier d'aspect selon l'idée que moi ou d'autres s'en faisaient, une seule être plusieurs selon les personnes qui la voyaient (divers Swann du début par exemple (...))[5].

1. Dans l'ordre des citations, p. 489, 491, 493, 487.
2. *Op. cit,* p. 37.
3. Voir p. 493 : « Le prince d'Agrigente avait-il finit par épouser Mlle X... ? Ou plutôt n'était-ce pas le frère de Mlle X... qui avait dû épouser la sœur du prince d'Agrigente ? »
4. Voir p. 146 : « Certains philosophes disent que le monde extérieur n'existe pas et que c'est en nous-même que nous développons notre vie. Quoi qu'il en soit, l'amour (...) est un exemple frappant du peu qu'est la réalité pour nous. »
5. P. 491. Je souligne.

Ce passage qualifié d'idéaliste trouve en outre son acmé dans le passage burlesque (et confinant au délire paranoïaque) qui décrit les affres que peut provoquer un banal *Annuaire des châteaux*[1], dont la prose n'égale certainement pas celle de *La Critique de la raison pratique*. Même l'idéalisme *moral*, représenté par Kant et son impératif catégorique, est critiqué par Proust, qui ne peut que s'accorder avec Brichot pour lequel « nous ignorons déplorablement la nature du Bien »[2].

On a donc affaire à une *analyse psychologique* qui prend acte du caractère relatif, voire monadique de notre lien aux autres. Le terme idéalisme, lorsqu'il est revendiqué par Proust, ne désigne pas une théorie philosophique : il sert à caractériser l'indétermination de notre approche d'autrui. Ce qui se laisse décrypter chez Proust, c'est l'importance de la divergence des horizons de chacun par rapport à ceux des autres, voire par rapport à nous-mêmes dans le temps. L'esquisse XXXIX[3] transcrite par les éditeurs de la Pléiade est à cet égard révélatrice : la « preuve » de « l'idéalisme » réside dans le fait qu'un papier peut dénoter selon ses lecteurs la culpabilité ou l'innocence, comme c'est le cas pendant l'affaire Dreyfus ; les exemples proposés pour illustrer la formule « la réalité est purement spirituelle » sont que la bille d'agate, « le nom, la personne de Gilberte » sont devenus « rien pour moi » contrairement à avant. Bref, nos jugements, nos sentiments sur chacun, sur nous-mêmes, sur les événements, sont affaire d'*interprétation* le plus souvent passionnelle et arbitraire, ne serait-ce que parce qu'ils sont inscrits dans l'histoire et le temps, comme le montre le Bal de Têtes qui met en scène des personnages de « nouveaux » prenant Bloch pour un homme du monde et Swann pour un déclassé. Relevons d'ailleurs que dans l'esquisse XXXVII, Proust va jusqu'à critiquer l'idée d'un relativisme généralisé,

1. P. 496.
2. *RTP* III, p. 786.
3. *RTP* IV, p. 868.

même en psychologie, en précisant que l'écrivain qui dégage des lois psychologiques à partir des gestes et des propos des autres, « ne montre pas que la vérité qui était en lui mais la vérité qui était en eux »[1].

Proust récuse en réalité, de façon souvent ironique, toute tentation qui consisterait à ne faire du monde qu'une projection illusoire de l'individu, ne serait-ce que parce que nous avons un corps qui nous rappelle, dans nos moments qui se veulent les plus platoniciens ou les plus schopenhaueriens, qu'il est temps de manger ou que la mort s'approche à grands pas – « l'idéalisme, même subjectif, n'empêche pas de grands philosophes de rester gourmands ou de se présenter avec ténacité à l'Académie »[2]. Aussi n'est-ce pas un hasard si les idéalistes sont constamment dévalorisés dans la *Recherche*, de Madame de Cambremer née Legrandin, qui m'a donné l'occasion d'un exergue savoureux, au « philosophe idéaliste » comparé au... « potin » pour sa « dextérité magique » à retourner l'apparence et à nous présenter « un coin insoupçonné du revers de l'étoffe »[3], en passant par le « philosophe norvégien » qui, « en tant que métaphysicien (...) pensait toujours ce qu'il voulait dire pendant qu'il le disait, ce qui (...) est une cause de lenteur »[4] !

Quant à l'amour et la jalousie, ils ont beau ne pas être concernés par « l'objectivisme »[5], ils n'en doivent pas moins faire « leur entrée dans notre vie derrière quelque petit corps féminin ». Qu'importe, rétorquera-t-on : celui-ci n'a « en lui-même n'a pas d'importance ». Et

se dire qu'il n'en a aucune devrait sans doute nous empêcher d'en trop souffrir. Mais les médecins qui connaissent les raisons générales d'une affection morbide n'en souffrent pas moins que leurs

---

1. P. 864.
2. *RTP* II, p. 501.
3. *RTP* III, p. 435.
4. *Ibid.*, p. 321.
5. Réponse de Proust à un article de Paul Souday, en 1920 (*RTP* IV, n. 2 de la p. 610, p. 1310-1311).

malades, s'ils en raisonnent mieux. La raison ne les calme pas car l'esprit s'abstrait de la douleur mais n'arrive pas à entraîner le corps avec lui[1].

Se penchant sur le caractère subjectif de notre rapport aux événements, historiques ou personnels, Proust précise même que ce qu'il a remarqué

de subjectif dans la haine comme dans la vue elle-même n'empêchait pas que *l'objet pût posséder des qualités ou des défauts réels et ne faisait nullement s'évanouir la réalité en un pur relativisme.*[2]

Ailleurs, le narrateur récuse par avance son intégration dans la sphère du roman subjectif, en montrant que

cette longue plainte de l'âme qui croit vivre enfermée en elle-même n'est un monologue qu'en apparence, puisque les échos de la réalité la font dévier (...)[3].

On comprend alors que la sensibilité joue un rôle prépondérant dans la *Recherche*. Loin de n'être qu'un leurre ou même un simple point de départ permettant d'accéder à des essences supra-sensorielles, elle est, au même titre que l'intelligence avec laquelle elle est en dialogue constant et en « émulation incessante » puisqu' « aucune des deux n'épuise la réalité dans un seul acte », « l'élan originel qui est comme le battement, l'acte même de la vie »[4]. Ce n'est donc pas parce que l'on récuse l'idée d'un idéalisme de Proust qu'il faut verser sa pensée au compte d'un empirisme caricatural. Ce qui importe est bien au contraire le fait que le concept est inséparable de son incarnation : l'avantage (ou le défaut) du corps dans cette relation étant qu'il n'est pas toujours relié à l'esprit, comme le montre le fait que notre « œil, organisme indépendant bien qu'associé, si une poussière passe, cligne sans que l'intelligence le commande », ou que notre « intestin, parasite enfoui, s'infecte sans que l'intelligence l'apprenne »[5].

1. *RTP* IV, Esquisse XXXVIII, p. 865.
2. *Ibid.,* p. 492. Je souligne.
3. *Ibid.,* p. 82.
4. *Ibid.,* Esquisse XXXVI, p. 862.
5. *Ibid.,* p. 516.

Chapitre II

Deleuze et les signes

> Les mots ne sont pas de purs
> signes pour le poète[1].

Les analyses qui précèdent, qui suggèrent que Proust reconfigure voire dépasse bon nombre de dualismes courants à son époque, conduisent à revenir sur la façon dont Gilles Deleuze aborde la *Recherche*. En effet, sa théorie sur le signe proustien n'est pas exempte de contradictions qui sont sans doute la rançon de son incontestable fécondité. Les pages qui suivent partent d'un constat : Deleuze est, dans certains passages de *Proust et les Signes*, doublement passé à côté de Proust, puisqu'il impose au romancier un régime de pensée et un type de réflexion que lui-même, en tant que philosophe, cherche à dépasser. Alors que les autres (Nietzsche, Leibniz, Francis Bacon...) sont très souvent pour Deleuze l'occasion d'une exploration de ses propres rhizomes, le lecteur a parfois l'impression que Deleuze n'a pas su lire Proust à l'aune de ses propres exigences de rénovation conceptuelle. Une lecture de philosophe[2] consisterait à replacer le commentaire de Deleuze dans son propre cheminement philosophique[3]. Le parti pris ici, quelque peu injuste,

---

1. « Contre l'obscurité » (1896), *CSB*, p. 392.
2. Sur la différence entre lecture de philosophe et lecture philosophique, voir D. Maingueneau, « *À la recherche du temps perdu* comme philosophie ? Deleuze lecteur de Proust », in *Fondements, évolutions et persistance des théories du roman*, Paris-Caen, Minard, 1998, p. 263-271.
3. Voir les jalons posés par M. Ferraris et D. de Agostini, *in* « Proust, Deleuze et la répétition. Notes sur les niveaux narratifs d'*À la recherche du temps perdu* », *Littérature*, déc. 1978, p. 66-69.

est inverse ; *Proust et les Signes* sera considéré comme une analyse plus ou moins pertinente de la *Recherche*, indépendamment de son rôle dans la construction ramifiée – « compliquée » – de la philosophie deleuzienne. En outre, les études citées mettent dans l'ensemble l'accent sur les points de convergence, nombreux, entre Proust et Deleuze ; aussi m'a-t-il semblé plus utile d'en cerner les discords.

Les contradictions que je mentionnais tiennent en partie à un refus de Deleuze de marquer nettement sa filiation, tantôt husserlienne – et ce malgré son parcours personnel, qui l'inscrit en marge de la phénoménologie –, tantôt, et peut-être malgré ses dires, platonisante. Il écrit certes de très belles pages sur « l'opposition d'Athènes et de Jérusalem »[1] chez Proust, concordantes avec certaines analyses d'Erich Auerbach[2], et apporte des nuances explicites au platonisme de Proust. Ce qu'il a fallu pourtant récuser est sa tendance à réduire Proust à un expérimentateur exclusif « des réminiscences et des essences »[3], au détriment du personnage en proie à une jouissance (au sens juridique autant que charnel) plus diffuse, mais non moins réelle, du monde sensible, et surtout son emploi implicite, dans des pages où Platon n'est plus convoqué, d'une terminologie idéaliste qui va jusqu'à contredire certaines formules que je pourrais dans un autre contexte reprendre à mon compte (ainsi lorsqu'il définit le « point de vue » comme « la naissance du monde »[4]). Cette ambivalence de l'ouvrage se retrouve lorsque le philosophe essaie de concilier deux conceptions opposées du sens, l'une immanente, l'autre transcendante : à la mise en relief, particulièrement juste, de l'enroulement du sens et du signe chez Proust correspond une tentative concomitante, injustifiable dans l'optique du romancier, pour résorber la matérialité de

---

1. *Proust et les Signes*, éd. cit., p. 127-131.
2. Voir « La cicatrice d'Ulysse », *Mimesis. La Représentation de la réalité dans la littérature occidentale* (1946), Paris, Gallimard, 1968, p. 11-34.
3. *Op. cit*, p. 131.
4. *Ibid.*, p. 133.

ce dernier. Cette oscillation explique que Deleuze envisage l'essence proustienne sur deux plans différents conçus comme hiérarchiquement incommensurables. Au niveau sensible, l'essence aurait partie liée avec une concrétude imparfaite, et se trouverait enfermée dans un présent auquel Deleuze ne restitue ni sa validité existentielle, ni son ouverture sur le champ mouvant des horizons du sujet. Au niveau linguistique, elle serait certes impliquée dans le processus signifiant, mais subsumée par une idéalité difficile à situer[1].

Dans la mesure où les autres champs de l'existence lui semblent dévalorisés par Proust, Deleuze traite de l'essence dans la *Recherche* presque exclusivement dans la relation qu'elle entretient avec l'art. Son refus de dissocier héros et narrateur le mène sur ce plan à méconnaître l'ambivalence fondamentale de nombreux passages où le héros affirme être déçu par des expériences dont le narrateur s'attache à restituer la validité. Cette propension du philosophe à valoriser l'essence esthétique au détriment des autres essences, déjà repérée par Mauro Carbone[2], m'a menée à me placer tout d'abord sur son terrain de prédilection, afin de nuancer de l'intérieur certaines de ses affirmations (« si je ne l'avais pas [connu], toutes ces idées ne se seraient pas développées »[3]). Le jeu de l'actrice, signe de l'art s'il en est, et allégorie de la problématique des rapports entre style et signification, présente sur scène, symbole d'un champ visuel hyperbolisé, une transparence volontaire entre le corps et l'idée. Partant d'une analyse des célèbres représentations de la Berma qui initient le héros à l'indissociabilité du sens et du sensible, je m'attacherai ensuite à récuser le fondement de la théorie de Deleuze : l'essence comme « Point de vue supérieur » (supérieur notamment à la matérialité du signe). Ces

1. Elle est parfois justement caractérisée, comme « *qualité commune* à deux objets différents ».
2. Voir « Il tempo mitico delle idee. Merleau-Ponty e Deleuze lettori di Proust », *in* « Merleau-Ponty. L'héritage contemporain », *Chiasmi international*, Paris, Vrin, 1999, p. 213-231 (résumé en français, p. 230).
3. *RTP* IV, p. 495.

nuances apportées à l'ouvrage de Deleuze sont donc à relier aux deux parties qui suivent, où je montrerai que la concrétude sensible ne peut être chez Proust opposée au spirituel, pour la bonne raison qu'elle est avant tout décrite comme ouverture sur des horizons non seulement élémentaires (au sens bachelardien), mais aussi imaginaires. Le sensible, qui n'est pas sur ce plan à opposer à l'art (comme si ce dernier n'était pas avant tout incarnation et *aisthesis*), fait immédiatement sens, et sens vers l'acte qui le constitue précisément comme manifestation ouverte et dynamique : comme le montrera la dernière partie, la couleur signifie le procès de son avènement, le silence de Doncières implique l'écho de ses fanfares. La *Recherche*, « univers de signes ? Non. Plénitude repliée de différences »[1].

LA SENSIBILITÉ DU SIGNE ARTISTIQUE

L'interprétation musicale et théâtrale est dans la *Recherche*, avec les personnages de Morel et de la Berma, ou les musiciens anonymes qui dans *Du Côté de chez Swann* jouent la sonate de Vinteuil, un moment essentiel pour saisir à quel point le corps a, chez Proust, partie liée avec la signifiance, et celle-ci avec la matière. Ce que perçoit l'auditeur ou le spectateur, ce sont des attitudes, des intonations, des sons qui sont d'emblée des significations, et qui ne renvoient pas à une intelligibilité extérieure selon laquelle peu importe en définitive le support du signe du moment qu'on accède à son sens. Cette insistance sur le statut charnel du signe, que Gilles Deleuze a été le premier à relever mais de façon ambiguë, est fondamentale. Ce faisant, Proust établit que sens et sensible ne sont pas séparés, ayant une origine commune, celle

1. J. Kristeva, *op. cit.,* p. 314.

du corps : comme l'a prouvé Anne Henry[1], le corps de l'actrice n'est pas le représentant d'une idée pure, mais son lieu propre et son ancrage. Les analyses qui suivent visent à montrer comment le héros passe d'une conception dichotomique et désincarnée du signe esthétique à la saisie de son immanence.

De la Berma comme image...

On se souvient que dans la première représentation de *Phèdre*, le héros attend de la Berma une révélation sur l'essence de son talent, qu'il croit tout d'abord pouvoir obtenir en soustrayant du jeu de l'actrice le texte écrit par Racine. Le champ lexical de la superposition employé par le héros, que le narrateur se refuse à assumer, comme le montrent la conjugaison au conditionnel des verbes et les modalisations « il me semblait que » et « m'apparaissaient », suggère que le jeu n'est qu'une broderie, un ajout, une couverture à fresque, bref un ensemble de « trouvailles »[2]. Cherchant à figer une intonation ou un geste de l'actrice pour en recueillir « une raison de l'admirer », le héros passe son temps à vivre le fugitif sur un mode négatif :

> Je dis à ma grand-mère que je ne voyais pas bien, elle me passa sa lorgnette. Seulement, quand on croit à la réalité des choses, user d'un moyen artificiel pour se les faire montrer n'équivaut pas tout à fait à se sentir près d'elles. Je pensais que ce n'était plus la Berma que je voyais, mais son image dans le verre grossissant[3].

Le héros oppose ici la vision directe, qui est censée donner l'objet en soi, à condition de le distinguer suffisamment pour pouvoir le figer et l'immobiliser, à la vision assistée, technicisée, qui rapproche l'objet mais l'éloigne psychologi-

1. In *Marcel Proust. Théories pour une esthétique*, éd. cit., p. 288 à 292.
2. *RTP* I, p. 433.
3. *Ibid.*, p. 441.

quement puisque l'instrument d'optique transforme la chose en icône, en double dépourvu de chair.

À ce stade de la *Recherche*, le regard direct est donc valorisé pour être opposé à la lorgnette perçue comme un artifice qui déréalise la chose. D'une part, elle isole du contexte, en transformant l'objet en pure image, sans lien à un contour autre que celui du verre : réalisation négative du motif de la fenêtre et de l'encadrement, la lorgnette n'appartient pas de droit à l'univers qu'elle montre, mais opère une découpe arbitraire, surnuméraire dans l'étoffe du monde. D'autre part, le verre placé entre l'œil et la chose intervient comme une vitre qui isole, une cloison d'autant plus infranchissable qu'elle est transparente – de la couleur de la visibilité. Avec la lorgnette se trouve donc dépassé un seuil perceptif : alors que le rideau qui enserre la scène a le mérite d'encadrer l'actrice pour mieux la faire voir, la lorgnette isole dans un cercle sans horizon ni panorama, enferme l'être « *dans* le verre grossissant ». Merleau-Ponty, dans *La Phénoménologie de la Perception*, analyse les conséquences de « l'attitude analytique » de celui qui sépare « la région fixée du reste du champ » et interrompt « la vie totale du spectacle », croyant ainsi parvenir à la « véritable » réalité de la chose : le sensible se perd alors pour devenir « le résultat d'une vision seconde ou critique qui cherche à se connaître dans sa particularité »[1]. Proust l'avait compris, cette attitude engendre une dissociation du moi ; c'est pourquoi l'enfant de la *Recherche* tente de revenir à la vision directe. Elle n'est pas pour autant une solution :

> Je reposai la lorgnette ; mais peut-être l'image que recevait mon œil, diminuée par l'éloignement, n'était pas plus exacte ; laquelle des deux Berma était la vraie ?[2]

Le problème qui se pose alors au héros (comme en témoigne, dans la citation précédente, l'expression « je pen-

---

1. Éd. cit., p. 261-262.
2. *RTP* I, p. 441.

sais », qui marque une distance de la part du narrateur) est celui de l'adéquation de l'*image* reçue à la réalité de l'objet, de la conformité entre la chose et une perception qui tente vainement d'être brute. Mais la tentative d'accéder à la distance parfaite est vouée à l'échec et ne conduit qu'à constater, comme dans les exercices de sensation pure déjà abordés, une séparation irrémédiable entre l'objet et le sujet. Ce dernier cherche une osmose, mais n'aboutit qu'au constat d'un éloignement : il n'y a pas du monde au sujet de distance qui soit objectivable ou mesurable, sans doute parce que l'écart par rapport au « il y a » ne se formule pas ainsi.

... à la Berma comme incarnation du sens

La seconde représentation[1] de *Phèdre*, située après la rencontre avec Elstir qui fonde l'art sur une relation globale avec le sensible[2], reformule les données de la première expérience théâtrale du héros en lui faisant prendre conscience du lien qui s'institue entre la chair et le sens. On peut noter que Proust a inversé les sentiments qui animaient le héros de Gœthe voyant le spectacle de marionnettes :

Si, la première fois, j'avais eu la joie de la surprise et de l'étonnement, le plaisir de l'attention et de la recherche fut grand la seconde fois[3].

Dans la *Recherche* au contraire, la vigilance mine la première représentation, quand la jouissance caractérise la seconde. Le héros ne se demande plus alors s'il se trouve ou non à la bonne distance de l'actrice. S'impose à lui une « évidence »[4] sensorielle qui est que Phèdre est dans son essence parfaitement incarnée par la Berma, ou plus exacte-

---

1. *RTP* II, p. 343-352.
2. Voir 2ᵉ partie.
3. *Les années d'apprentissage de Wilhelm Meister*, Paris, Aubier-Montaigne, trad. par J. Ancelet-Hustache, 1983, p. 49.
4. *RTP* II, p. 347.

ment que la Berma est Phèdre : elle est un mixte indissociable de parole racinienne et d'incarnation particularisante qui confère paradoxalement au rôle un caractère universel en donnant l'impression qu'il ne peut être interprété autrement. La bonne actrice porte en effet à son paroxysme la problématique de l'expressivité charnelle :

Ce talent que je cherchais à apercevoir en dehors du rôle, il ne faisait qu'un avec lui. Tel pour un grand musicien (...) ce jeu est devenu si transparent, si rempli de ce qu'il interprète que lui-même on ne le voit plus[1].

L'essence de Phèdre n'est pas une signification indépendante du jeu de l'actrice puisqu'elle sourd de son souffle, de ses gestes, de sa façon de porter son costume : le corps ici est un « médium »[2] qui ne mène à rien d'autre que lui. Aussi n'est-ce pas une inadvertance de la part du narrateur s'il finit par appeler la Berma « Phèdre » : parlant des « intentions » que les autres acteurs appliquent sur leur jeu, il écrit en se référant à l'actrice que « Phèdre se les était intériorisées »[3]. Il n'y a plus de distinction possible, même nominale, entre la personnalité de la Berma et celle de son rôle : le texte de Racine, s'il préexiste au jeu, n'en est pas moins accompli par lui ; son sens (le mélange de paganisme et de jansénisme) jaillit d'une chair qui n'est pas un ajout au texte racinien, mais la seule et paradoxale façon d'accéder à son intelligibilité.

« Paradoxale » en effet, puisque qu'une ambivalence fonde cette imbrication du sens et du sensible. Si le support influe sur le sens de l'idée, celle-ci en retour oriente le style de l'incarnation. Il y a bien, comme le dit Proust, « imbibation », mais cette « assimilation » ne se résorbe pas dans une pure identité, le propre du *moment* éphémère de la représentation étant précisément qu'il est le lieu d'un constant échange entre le corps et l'esprit. S'ensuit une série de para-

---

1. *Ibid.*
2. Cf. *RTP* I, p. 346, où la petite phrase de Vinteuil « agitait comme celui d'un médium le corps vraiment possédé du violoniste ».
3. *RTP* II, p. 347.

doxes au centre de la notion d'interprétation théâtrale. L'actrice joue un rôle qui semble lui avoir été assigné par le texte de Racine, puisque sans lui elle n'aurait jamais pu faire advenir Phèdre. C'est là une évidence. Cette interprétation pourtant ne préexiste pas à son jeu effectif, qui réalise à chaque représentation une Phèdre nouvelle, perfectionnée au fil du temps. Car si la Phèdre de Racine est indispensable au jeu de la Berma, il n'en reste pas moins que sans l'actrice cette Phèdre-*là* n'aurait jamais existé. Enfin, et c'est là le cœur du paradoxe, ce n'est pas une Phèdre particulière parmi d'autres possibles qui est incarnée par l'actrice, mais l'essence même de Phèdre : la Berma *est la* Phèdre que l'on attendait et que pourtant personne ne pouvait déduire du texte racinien, pas même la Berma lorsqu'elle réfléchit au sens de son rôle avant de se mettre à jouer.

On saisit à quel point la représentation théâtrale explicite notre lien au sensible, entièrement constitué d'arbitraire, de contingence et de hasard, et qui nous donne pourtant accès à l'être véritable – l'être proustien n'a rien à voir avec l'en-soi des philosophes. Significativement, le narrateur ne se propose pas d'interpréter le jeu de la Berma au sens où il pourrait expliquer *ce que* l'actrice *veut* dire en jouant de telle façon. Le héros découvre en effet, lors de la seconde représentation, la pauvreté du discours analytique face au *fait* ou à l'événement sensible que constitue la représentation théâtrale. Ainsi s'explique que ce soit à Swann et à Bergotte que revienne la tâche d'une expression du sens du jeu de la Berma (mélange de jansénisme et de paganisme, relation à l'archaïque et à l'océan[1]). La délégation de cette interprétation à d'autres personnages que le héros montre son caractère accessoire et factice : l'herméneutique est glose plus que saisie de la spécificité du jeu de l'actrice. Aussi convient-il de ne pas suivre Deleuze lorsqu'il affirme :

Peut-être fallait-il entendre autrement la Berma. Ces signes que nous n'avons pas su goûter ni interpréter tant que nous les rat-

1. *RTP* I, p. 550-552.

tachions à la personne de la Berma, peut-être devons nous chercher leur sens ailleurs : dans des associations qui ne sont ni dans Phèdre ni dans la Berma. Ainsi Bergotte apprend au héros que tel geste de la Berma évoque celui d'une statuette archaïque[1].

Au contraire, la personne de la Berma au moment où elle incarne Phèdre est incontournable et ne peut absolument pas être subsumée par des «associations» extérieures. L'essentiel de la représentation n'est pas « ailleurs » ; il s'agit bien plutôt, grâce à elle, de cerner ce qu'est un signe vivant, un sens à l'état naissant. Dès lors, la vérité du signe se confond avec cette émergence : la leçon des deux textes sur la Berma est que le sens ne peut être dissocié ni de son support, ni de l'instant de son jaillissement. La perfection a bien à voir avec la fugacité et le mouvement :

Ce charme répandu au vol sur un vers, ces gestes instables perpétuellement transformés, ces tableaux successifs, c'était le résultat fugitif, le but momentané, le mobile chef-d'œuvre que l'art théâtral se proposait[2].

L'expressivité charnelle est donc le pendant d'une compréhension intime du sens d'un rôle et d'une assimilation corporelle de la signification que seuls de grands artistes parviennent à réaliser. La comparaison avec les autres acteurs, sur laquelle je reviendrai, est à cet égard significative : leur voix,

rebelle, extérieure à leur diction, restait irréductiblement leur voix naturelle, avec ses défauts ou ses charmes matériels (...) et étalait ainsi un ensemble de phénomènes acoustiques ou sociaux que n'avait pas altéré le sentiment des vers récités. (...) [Les] membres insoumis (...) continuaient (...) à mettre en lumière, au lieu des nuances raciniennes, des connexités musculaires (...)[3].

Ce qui se joue dans ces lignes, c'est la capacité du corps à perdre son opacité tout en restant charnel et en conservant

1. *Op. cit.,* p. 47.
2. *RTP* II, p. 352.
3. *RTP* I, p. 346.

sa matérialité, puisque c'est cette dernière qui permet l'institution et la révélation du sens (on pense à Jouvet, qui critiquera le cinéma parce que le tournage, fractionné en de multiples prises, ne laisse pas à l'acteur le temps d'incarner complètement le rôle qu'il doit jouer : il y a toujours un doigt, une épaule, une partie du corps qui restent ceux de la personne et qui n'ont pas intériorisé le rôle). Le théâtre et le personnage de la Berma permettent à Proust de mettre en scène un corps en gloire, une chair totalement spirituelle qui met fin à la classique distinction philosophique entre le corps et l'esprit, de façon plus radicale que ne le pense Deleuze. La voix de la Berma ainsi,

en laquelle ne subsistait plus un seul déchet de matière inerte et réfractaire à l'esprit, ne laissait pas discerner autour d'elle cet excédent de larmes qu'on voyait couler, parce qu'elles n'avaient pu s'y imbiber, sur la voix de marbre d'Aricie ou d'Ismène (...). [1]

Proust annonce une fois encore une réflexion particulièrement moderne sur la spécificité du jeu d'un grand artiste. Selon Jouvet, ainsi, les larmes sont un « truc » d'expressivité et n'ont pas besoin de couler pour être perceptibles : la voix et les postures de l'acteur doivent parvenir par elles-mêmes à les suggérer, parce que *« le spectateur éprouve toujours ce qu'éprouve l'acteur »*[2].

Le corps de l'actrice est le lieu d'une transparence entre l'idée et la matière, d'une fusion entre les deux pôles du signe que l'on sépare pour les commodités de l'analyse, mais dont Proust, de façon très contemporaine[3], marque l'interdépendance : le signifiant (le corps, les mots...) et le signifié (ce

1. *RTP* II, p. 347.
2. Jouvet conseillait ainsi une élève qui devait jouer Elvire implorant Don Juan : « "Que je vous demande avec larmes" : tu feras cela comme tu voudras, tu n'as pas besoin de pleurer, mais que, dans l'intérieur de toi-même, il y ait vraiment des larmes » (in *Elvire Jouvet 40*, 1re leçon, spectacle de Brigitte Jacques conçu à partir de leçons de Jouvet, Éd. Beba, 1986).
3. Voir T. Todorov, *Dictionnaire encyclopédique des sciences du langage*, Paris, Éd. du Seuil, 1972, p. 132. Voir aussi G. Florival, *op. cit.,* p. 158, qui définit l'expérience esthétique comme « unité vécue du sens et du signe ».

qu'exprime ce corps, et qui pourtant ne se situe pas en dehors de lui, ni ne lui préexiste, sauf peut-être dans le texte racinien, comme potentialité ou virtualité qui aurait pu ne jamais être réalisée).

En jouant, la Berma offre donc le paradoxe étrange d'une dépersonnalisation qui est le comble de la personnalisation et de l'interprétation : l'actrice n'est plus ni la Berma, ni la Phèdre de Racine, mais un mixte des deux, le lien incontournable entre l'autre et le même. Il importe de préciser que cette osmose entre le corps et le sens ne doit pas être confondue avec une absence de maîtrise (c'est précisément parce que celle-ci est totale qu'elle passe inaperçue) : il n'y a pas perte de soi dans le rôle, c'est bien plutôt le rôle qui est devenu un soi éphémère de la Berma. Ainsi le narrateur note-t-il que la Berma s'est progressivement insérée dans ce rôle à force de travail, que son « attitude en scène », elle l'avait « lentement constituée » et qu'elle la « modifierait encore ». On peut ici convoquer Diderot et son *Paradoxe sur le comédien*, qui met en relief le contrôle de l'impulsivité et la distanciation nécessaires à toute interprétation de talent. Il s'agit cependant, avec la Berma, d'une maîtrise inconsciente qui ne passe pas par un raisonnement, mais par l'écoute (ou la création) en soi d'une personnalité inédite. Le rôle est bien une effloraison de sens inséparable de l'intériorité corporelle dans laquelle il germe.

Voix et corps sont donc spirituels autant que charnels. L'impossibilité de séparer le sens et le sensible est la conclusion reportée du premier épisode, dans lequel il s'agissait de dissocier et de « défalquer » : le héros pensait que connaissant le texte racinien par cœur, il lui suffirait de repérer quelles intonations, quels gestes, quel jeu lui seraient ajoutés, pour saisir à vif le talent de la Berma. Mais le corps est bien au contraire le *véritable lieu* de la signification :

Mon esprit n'avait pas réussi à arracher à la diction et aux attitudes, à appréhender dans l'avare simplicité de leurs surfaces unies, ces trouvailles, ces effets qui n'en dépassaient pas tant ils s'y étaient profondément résorbés[1].

1. *RTP* II, p. 347.

Nous verrons dans la troisième partie que toute surface est dans la *Recherche* soutenue par une profondeur qui lui est consubstantielle. C'est ce que suggère déjà ici l'étroite mise en relation du champ lexical sursaturé de la superficialité et de celui de la résorption.

L'imbibation du corps par l'expression et l'indistinction entre les effets de sens et leurs moyens charnels contrastent avec l'expressivité telle que la conçoivent les mauvais acteurs (et le héros lors du premier épisode) : un ajout au texte primitif. Leur corps est ainsi un outil inadapté, puisqu'ils tentent d'exprimer malgré lui. La physiologie dès lors prend le dessus sur la chair, et une des définitions proustiennes du corps (son opacité) se trouve réactivée :

> Mais les membres insoumis laissaient se pavaner entre l'épaule et le coude un biceps qui ne savait rien du rôle ; (...) et la draperie qu'ils soulevaient retombait selon une verticale où ne le disputait aux lois de la chute des corps qu'une souplesse insipide et textile[1].

Cette distinction entre chair et corps innerve certaines analyses de Merleau-Ponty qui, dès la *Phénoménologie de la Perception*, développe une conception très proustienne du signe et du sens. C'est en effet à partir des interprétations de la sonate de Vinteuil et de *Phèdre* que Merleau-Ponty analyse la question de l'expression. Le corps de l'actrice, ses habits mêmes ne peuvent être conçus comme de simples accessoires d'une signification les dépassant :

> L'actrice devient invisible et c'est Phèdre qui apparaît. La signification dévore les signes, et Phèdre a si bien pris possession de la Berma que son extase en Phèdre nous paraît être le comble du naturel et de la facilité. L'expression esthétique confère à ce qu'elle exprime l'existence en soi, l'installe dans la nature comme une chose perçue accessible à tous, ou inversement arrache les signes eux-mêmes – la personne du comédien, les couleurs et la toile du peintre – à leur existence empirique et les ravit dans un

---

1. *Ibid.*, p. 346.

autre monde. Personne ne contestera qu'ici l'opération expressive réalise ou effectue la signification et ne se borne pas à la traduire[1].

L'insistance sur l'interpénétration fondamentale du sens et du corps permet de souligner la dimension immatérielle de celui-ci sans toutefois renoncer à son évidence charnelle, et de montrer que l'idée n'appartient pas à un arrière-monde de type platonicien mais émerge du sensible. Il n'y a donc précession et supériorité ni de l'intelligible ni du sensible, mais constant *accompagnement*.

CRITIQUE DE L'ESSENCE ET DU SIGNE PROUSTIENS SELON DELEUZE

Mon interprétation des célèbres représentations de la Berma, qui définissent l'expressivité comme traversée du sensible par la signification (dès la représentation et avant même sa reprise par le narrateur), met au jour le caractère immanent de l'essence proustienne. Elle entre alors en contradiction avec certaines thèses élaborées par Deleuze, dont on aura cependant reconnu la stimulante influence dans les analyses qui précèdent, notamment lorsque je définis le jeu de la Berma comme indissociation du signe et du sens. Ma critique portera sur deux axes que je développerai conjointement et que je sépare ici pour la clarté du propos. Le premier délimite certains paradoxes propres à la structuration conceptuelle de l'ouvrage du philosophe, qui me semble affirmer certaines thèses incompatibles entre elles ou qu'il exemplifie contradictoirement : si je suis d'accord avec lui pour relever l'enveloppement du sens et du signe chez

1. *Phénoménologie de la perception*, éd. cit., p. 213.

Proust et analyser l'essence comme « explication » de cet enveloppement, je ne le suivrai pas lorsqu'il affirme dans le même temps que le signe proustien s'en trouve dématérialisé et que l'essence s'avère supérieure, voire extérieure au dépli signifiant. Nous verrons que Deleuze n'est pas limpide sur ce point, concevant l'essence, qu'il refuse de relier à l'activité d'un sujet qu'il tente de faire disparaître du roman pour mettre en relief un mécanisme d'autoproduction, tantôt comme un effet, tantôt comme une idéalité préexistante.

Le second axe est formé par mon désaccord quant à certaines théories explicites du philosophe. Il affirme ainsi, à propos du signe esthétique (et uniquement pour celui-ci), l'imbrication du sens et du signe, mais pas celle du signifié et du signifiant : la Berma n'est pour lui que « porteuse de signes »[1], et son « corps transparent » se contente de « [réfracter] une essence, une Idée »[2] ; mais c'est oublier que l'idéalité proustienne ne se confond pas avec l'abstraction[3]. Affirmer que le signe esthétique émet un sens tout spirituel oblige à passer outre son incarnation et à annuler la situation de sa réception, que le narrateur s'attache toujours à restituer (rappelons la découverte de tableaux inconnus d'Elstir chez les Guermantes, qui attendent le héros pour commencer à dîner, ou l'insertion du septuor de Vinteuil dans la réception mondaine chez les Verdurin[4]).

Penser de plus que cette imbrication ne vaut que pour le signe esthétique revient en fait à confondre le sensible, analysé simplement comme une propédeutique maladroite à l'art, avec une *matière* qui n'émettrait que des signes imparfaits puisque non spirituels. Or, les parties qui suivent montreront que le sensible proustien transcende dès sa rencontre avec un sujet la simple délimitation de ses contours. En

1. *Proust et les signes*, p. 49.
2. *Ibid.,* p. 52.
3. *RTP* IV, p. 451 : « Réels sans être actuels, idéaux sans être abstraits. »
4. *RTP* III, p. 753 et s.

effet, il ouvre autant sur des horizons ontologiques (la surface laissant filtrer la profondeur de la chose ; les catégorisations linguistiques qui sont récusées au profit d'une manifestation plus globale) que personnels : le sensible est toujours perçu, et cela n'est pas une tare, par un sujet situé qui innerve le monde, consciemment ou non, de ses projets, de ses refoulements, de ses désirs – y compris celui d'une *tabula rasa* radicale. Affirmer que l'essence outrepasse la matérialité du signe, c'est omettre qu'il n'y a pas dans la *Recherche* de matière pure (sauf cas désespéré, lorsque la disparition de la croyance met en cause la notion même de réalité). L'art ne se contente pas de racheter l'imperfection sensible ou de la mener à son terme, puisque le sensible a lui-même un niveau d'intelligibilité et n'est jamais événement brut.

On comprend alors que je ne souscrive pas à la thèse du signe sensible comme échec de la jointure entre sens et « support », pour deux raisons. D'une part, nous le verrons en troisième partie, parce que le sensible émet un sens constant qui n'est autre que le mouvement même de sa manifestation ou de sa genèse : que le narrateur s'attache ensuite à le formuler par des signes scripturaux n'empêche pas que la perception de ce sens n'ait déjà eu lieu dans la sensation. Même lorsque les signes sensibles ne sont pas correctement compris ou reformulés conceptuellement par le héros, ce dernier les interprète souvent avec une prescience dont le narrateur se rend compte *a posteriori*. Ainsi, l'impression que la duchesse de Guermantes semblait le regarder, dans l'église de Combray, avec une insistance tout érotique, n'était peut-être pas inexacte. De même, si le héros n'ose pas voir le reflet de son propre désir dans le signe énigmatique de Gilberte, il comprend d'emblée l'arrière-plan de ce geste (sa grossièreté) ; il y a donc erreur sur sa dénotation (appel libidinal), non sur ses connotations (infraction aux *us* sociaux des jeunes filles de l'époque). Enfin, et pour donner un dernier exemple parmi d'autres, la princesse Sherbatoff n'est certes pas une tenancière de maison close sur le retour : l'impression première du héros n'en est pas pour autant totalement invalidée, puisque ce personnage se révèlera effectivement empreint de bêtise et de vulgarité. Certaines brèches charnelles (regards, rougeurs, attitudes, silences, lapsus...) ouvrent ainsi un accès direct à l'« inconnu » des autres : la révélation de l'essence, l'imbrication du sens et du support matériel ne valent donc pas que pour le signe esthétique ou la réminiscence, mais se laissent aussi pressentir dans l'instant même de la perception. Enfin, je montrerai qu'au niveau du monde sensible en tant que tel, le héros découvre la validité de l'illusion optique (signe duplice s'il en est).

Si je récuse d'autre part la thèse d'une incomplétude du signe sensible, qui s'opposerait à la plénitude du signe esthétique, c'est tout simplement parce que le sensible, pour être signifiant ou d'emblée tramé d'un réseau symbolique ou spirituel, n'en fonctionne pas pour autant obligatoirement comme *signe* en appelant à une interprétation. Un passage[1] tel que celui qui décrit les vapeurs sur la mer exprime le procès de leur avènement sensible, et rien d'autre. Quant au second épisode de la Berma, assimilable pour sa part à ce que Deleuze nomme un signe esthétique, il vise simplement à restituer le comment de l'indissociation du sens et de la représentation, et non à interpréter ce jeu d'un point de vue littéraire ou historique. Deleuze disqualifie le sensible parce qu'il analyse la *Recherche* selon les termes d'un apprentissage herméneutique auquel le signe esthétique dématérialisé donne ses critères de validité. Mais il y a dans la découverte de la vanité des signes mondains une vérité de la mondanité ; dans l'origine subjective du signe amoureux, une vérité de l'amour proustien, qui ne peut accéder à l'inconnu d'autrui, et qui peut-être ne le veut pas sous peine de disparaître précisément comme amour – puisqu'aimer, chez Proust, c'est souffrir par ce qui est résolument autre.

Si on conçoit à l'inverse le roman comme formulation de la rencontre originaire avec le monde (rencontre qui est son

1. Voir 3ᵉ partie, chap. I.

« essence »), la dévalorisation du sensible et la prééminence du spirituel tombent d'elles-mêmes. Car il n'est pas certain que le procès herméneutique relevé par le philosophe soit constamment au centre de la réflexion et de l'écriture de Proust : il y a aussi, et de façon concomitante dans la *Recherche,* une évidence du sens qui ne requiert pas d'interprétation (c'est le cas lors de la seconde représentation de *Phèdre*), dans la mesure où celle-ci ne fait que développer une glose superfétatoire qui manque sa cible puisqu'elle coupe le sens de son incarnation. Deleuze précise d'ailleurs bien que l'attirance du héros pour les signes sensibles a pour origine la violence de leur rencontre et l'arbitraire de leur manifestation, et que cette contingence est garante d'une vérité qu'ils recèlent. Mais le philosophe semble parfois, non sans hésitations, situer cette vérité du sens dans un au-delà idéal de l'objet sensible même.

C'est une telle posture qu'il va falloir réexaminer. Car ce que démontre l'épisode du jeu de la Berma, c'est que le sens de son rôle ne peut être expliqué. Certes, la sonate et le septuor de Vinteuil sont longuement revisités par le narrateur de la *Recherche.* Mais l'interprétation qui est donnée d'eux relève elle-même de l'art et n'a rien à voir avec un sens conceptuel ou immatériel quelconque : au contraire, le septuor est caractérisé par sa flamboyance écarlate, la sonate par sa virginale et blanche clarté. On peut d'ailleurs se demander si le refus de Proust de référer à une œuvre existante (de Saint-Saëns, de Fauré, de Debussy, etc.) n'a pas pour fonction implicite de suggérer qu'une œuvre véritable « perd » à être interprétée. En ce qui concerne la Berma, alors que le héros cherchait dans *À l'ombre des jeunes filles en fleurs* à dégager le sens de son jeu en lui appliquant « les idées de "beauté", "largeur de style", "pathétique" »[1], le narrateur de *Le Côté de Guermantes* s'attache simplement à montrer qu'il y a indicibilité du sens qui ne peut être que ressenti, indissociation de la signification

---

1. *RTP* II, p. 349.

et de la représentation. L'entreprise herméneutique qui s'élabore effectivement s'applique non à retranscrire le *sens* du rôle de Phèdre, mais la *façon* dont ce sens est incarné par la Berma et les enjeux qui découlent d'une telle approche de l'interprétation théâtrale. C'est bien la possibilité ou non d'élaborer une herméneutique valable qu'examine ce texte. Le jeu de la Berma, en effet, ne peut être dissocié de « l'impression despotique (...) toute matérielle [qu'elle procure], et dans laquelle aucun espace vide n'est laissé pour la "largeur de l'interprétation" »[1] ou tout autre cliché laudatif. La fusion entre le regard et l'objet, recherchée lors de la première représentation de l'actrice, l'abolition de l'écart entre le mot et la chose, entre le lu et le vécu, non seulement sont impossibles, mais ne sont pas souhaitables. En effet, se trouverait alors nié ce qui fonde la valeur et l'existence même du lisible, du sens et de la sensation : l'interstice, le jeu, la distance, la surprise, autant d'espaces immatériels où un rapport original et inédit au monde s'avère possible.

Nous sentons dans un monde, nous pensons, nous nommons dans un autre, nous pouvons entre les deux établir une concordance mais non combler l'intervalle. C'est bien un peu cet intervalle, cette faille, que j'avais eu à franchir quand, le premier jour où j'étais allé voir jouer la Berma, l'ayant écoutée de toutes mes oreilles, j'avais eu quelque peine à rejoindre mes idées de « noblesse d'interprétation », d' « originalité » (...). Je comprenais maintenant que c'était justement cela : admirer[2].

Le questionnement sans réponse verbale possible, le malaise sensoriel (« un son aigu, une intonation bizarrement interrogative »[3]), l'impression que le réel (en l'occurrence le jeu de la Berma) est irréductible au langage rationalisant ne sont pas l'expression d'un échec herméneutique du héros mais la preuve d'une réussite de la performance de l'actrice. Aussi la réflexion du narrateur comme celle du héros ne

1. *Ibid.*
2. *Ibid.*, p. 349-350.
3. *Ibid.*, p. 349.

s'attache-t-elle plus à cerner ce que dit ou exprime la Berma – tâche réservée, nous l'avons vu, à un moi antérieur, ou à d'autres personnages comme Swann, Elstir ou Bergotte –, mais à diagnostiquer pourquoi cette interprétation théâtrale ne peut être verbalisée : la seule herméneutique est celle de l'impossibilité de l'herméneutique. Il y a toujours un écart ou un intervalle entre l'impression sensible et le langage réflexif, cette rémanence prouvant que le corps totalement signifiant de la Berma ne peut être dépassé vers un sens prétendu plus pur et moins matériel. Comme l'écrit Merleau-Ponty à propos du projet de Proust, qui est de faire exister les idées à la manière des choses :

> La signification musicale de la sonate est inséparable des sons qui la portent : avant que nous l'ayons entendue, aucune analyse ne nous permet de la deviner ; une fois terminée l'exécution, nous ne pourrons plus, dans nos analyses intellectuelles de la musique, que nous reporter au moment de l'expérience ; pendant l'exécution, les sons ne sont pas seulement les « signes » de la sonate, mais elle est là à travers eux, elle descend en eux[1].

En concevant la démarche du héros de la *Recherche* comme un itinéraire herméneutique qui transforme le monde en un réservoir de signes, Deleuze ne rend pas compte d'un fait patent à la lecture du roman : cette joie évidente devant un réel épais, touffu, prégnant de sons et d'odeurs, traversé par une diversité tactile ou des éblouissements visuels – en accord avec Deleuze sur des bien des points, Jean-Claude Dumoncel n'en rappelle pas moins que « la sémiotique de Proust est (...) incompréhensible si on ne la subsume pas sous son ontologie »[2]. Prendre la profondeur sensorielle pour la simple manifestation d'un ailleurs ou

---

1. *Phénoménologie de la perception*, éd. cit., p. 213. Voir aussi J.-F. Revel, *Sur Proust*, Paris, Julliard, 1960, p. 61 : le très grand pianiste « n'*interprète* pas – même magistralement – cette sonate, mais cesse d'exister devant elle, et par son intermédiaire la sonate parle pour son propre compte. Ainsi en est-il parfois de Proust devant la réalité ».
2. *Le symbole d'Hécate, philosophie deleuzienne et roman proustien*, HYX, 1996, p. 94.

84

pour un pur prétexte à la virtuosité productrice me semble dénier à la poétique proustienne la faculté de rendre compte d'une présence mondaine qui ne se confond certes pas avec une représentation simpliste de type mimétique.

L'essence, un « Point de vue [trop] supérieur » ?

En distinguant de façon trop systématique signe, sens et essence, Deleuze, tout particulièrement au début de son livre qui disqualifie le sensible pour valoriser l'activité artistique, en vient à situer l'essence dans un au-delà du procès signifiant qui peut prêter à confusion. Non qu'il se laisse constamment prendre au piège de certaines formulations ambiguës de Proust. Le philosophe précise clairement que « les essences sont à la fois la chose à traduire et la traduction même, le signe et le sens »[1], que « le sens lui-même se confond avec ce développement du signe, comme le signe se confondait avec l'enroulement du sens »[2], ou que

la biologie aurait raison, si elle savait que les corps en eux-mêmes sont déjà langage. Les linguistes auraient raison, s'ils savaient que le langage est toujours celui des corps[3].

Deleuze s'accorde donc bien à première vue avec la découverte du héros que le signifiant ne peut être distingué du signifié. La traduction intelligible du signe sensible manque en effet son objet :

Les significations explicites et conventionnelles ne sont jamais profondes ; seul est profond le sens tel qu'il est enveloppé, tel qu'il est impliqué dans un signe extérieur. (...) Chercher la vérité, c'est interpréter, déchiffrer, expliquer. Mais cette « explication » se confond avec le développement du signe en lui-même[4].

1. *Op. cit.,* p. 124.
2. *Ibid.,* p. 110.
3. *Ibid.,* p. 112.
4. *Ibid.,* p. 24-25. Même dans cette citation se laisse percevoir une dichotomie discrète entre sens et signe, qualifié d' « extérieur ».

En introduisant cependant dans son approche du signe et du sens proustiens un « troisième terme qui domine les deux autres »[1], l'Essence, et en faisant un absolu, le critique, tout en relevant des différences majeures entre l'intelligibilité platonicienne et l'essentialisme proustien, en reste à une conception dichotomique voire idéaliste de la *Recherche*. Anne Henry estime ainsi que Deleuze plaque sur le roman proustien, selon moi plus implicitement qu'explicitement, une grille platonicienne impliquant une hiérarchie ontologique entre les manifestations de la vie[2]. Or je viens de montrer que l'essence (de Phèdre en l'occurrence) n'outrepasse ni l'incarnation du sens *ni sa perception* : si Deleuze a saisi le premier point, il ne mentionne pas le second. Quant à dire – ce que ne fait certes pas le philosophe – qu'elle serait précisément ce mélange du sens et du signe, cela n'apporte pas grand chose, sinon une formulation historiquement ambiguë et qu'il vaut mieux éviter.

Non que Deleuze fasse naïvement de l'essence un concept opérant de toute éternité dans une Intelligibilité de type platonicien. Son approche de l'essence chez Proust moins comme une entité statique que comme un mouvement de transcendance (au sens de dépassement d'un hypothétique donné pur) peut sur ce plan rejoindre mon propre déchiffrage de l'essence comme avènement, jointure ou dynamisme. La différenciation qu'opère Deleuze entre Proust et Platon n'est cependant pas assez radicale[3]. Sa définition de l'essence comme « Point de vue supérieur »[4] qui dépasse à la fois le subjectivisme défini comme enfermement monadique où se jouent les associations arbitraires et contingentes d'idées et de sensations, et l'objectivisme qui consiste à placer uniquement dans l'objet la source du sens, est certes valide. Mais d'une

1. *Ibid.*, p. 110.
2. *Marcel Proust. Théories pour une esthétique*, éd. cit., n. 33, p. 374. Voir aussi J. Kristeva, *op. cit.*, p. 317.
3. Sur les ressemblances et les différences entre Platon et Proust, voir p. 122-124 et p. 131-136.
4. *Ibid.*, p. 183. Voir aussi p. 193-199.

part elle ne résout la dichotomie entre sujet et objet qu'en en maintenant les termes, et passe ainsi à côté de leur redéfinition globale par Proust. D'autre part, et pour opérer une critique interne à la position choisie par Deleuze, elle reste énigmatique quant à ce qui les subsume : point de vue de qui ou de quoi, supérieur à quoi, sinon à un « sujet »[1] que Proust tente précisément de temporaliser et de réintégrer dans le monde ? Pourquoi l'écrivain renoncerait-il à l'idée d'une conscience pure et transparente qui puisse opérer un survol des choses, pour ensuite revenir à celle d'une transcendance (au sens d'un au-delà du sensible) qui a montré ses limites ?

On ne peut donc pas faire magiquement disparaître le sujet du spectacle qu'il contemple pour ériger l'essence en transcendance pure, indépendante du corps conscient qui vise le monde. Car la terminologie de type husserlien qui hante le discours de Deleuze ne rend compte qu'imparfaitement du mouvement d'incarnation et d'arbitraire qui définit l'essence proustienne (qu'elle soit sensible ou esthétique). D'autant que si pour Husserl l'essence correspond à l'ensemble des points de vue que l'on peut avoir sur un objet, comme le remarque Merleau-Ponty, elle reste toujours un point de fuite pour la pensée, s'avérant indéterminable en dernière instance : parce que les horizons de la chose mènent vers d'autres horizons, à l'infini, et parce que la pensée elle-même méconnaît, dans son activité réflexive, « notre familiarité »[2] avec le monde. Comme le rappelle encore Merleau-Ponty à propos de l'*épochè* husserlienne, « le plus grand enseignement de la réduction est l'impossibilité d'une réduction complète », parce que nous ne sommes pas l' « esprit absolu » : « Nos réflexions prennent place dans le *flux temporel* qu'elles cherchent à capter (puisqu'elles *sich einströmen* comme dit Husserl). »[3] On a là effectivement une

---

1. *Ibid.,* p. 194.
2. Merleau-Ponty, Avant-propos à la *Phénoménologie de la perception*, éd. cit., p. VIII.
3. *Ibid.,* p. VII-IX.

approche possible de la position du narrateur selon Proust, qui tente de laisser à la vie narrée son indétermination existentielle. Il rejoint alors Husserl pour qui, selon Merleau-Ponty, les essences « doivent ramener avec elles tous les rapports vivants de l'expérience, comme le filet ramène du fond de la mer les poissons et les algues palpitants » :

> Chercher l'essence du monde, ce n'est pas chercher ce qu'il est en idée, une fois que nous l'avons réduit en thème de discours, c'est chercher ce qu'il est en fait pour nous avant toute thématisation[1].

Une telle perspective rappelle effectivement la tentative de Proust que l'on examinera en seconde partie, qui consiste à restaurer la validité de l'erreur des sens et l'implication du corps ou du fantasme dans l'avènement de l'apparaître.

La récusation par Deleuze d'une obédience idéaliste de Proust n'est en réalité pas clairement affirmée. Il prend ainsi à la lettre

> les textes où Proust traite les essences comme des Idées platoniciennes et leur confère une réalité indépendante. Même Vinteuil a « dévoilé » la phrase plus qu'il ne l'a créée[2].

J'ai déjà montré l'ambivalence de certaines affirmations de Proust, qui me semblent relater une expérience moins classique que ce que leur terminologie suggère. Quant au mot « dévoiler », il signifie selon moi non pas que la phrase existe en tant que telle avant sa création, mais qu'elle indique le rapport particulier que Vinteuil entretient avec le monde. Sur le rapport de Proust et de Platon, certaines incohérences subsistent donc, qui ne tiennent pas toutes à la démarche progressive de *Proust et les signes*, qui vise à restituer l'itinéraire du héros. Ainsi, après avoir placé, comme on le verra, l'essence dans un à-côté du monde sensible, Deleuze la réintroduit, de façon plus juste mais sans la relier à l'activité d'un

1. *Ibid.*, p. X.
2. *Op. cit.*, p. 55.

sujet, comme « "effet" du multiple et de ses parties décousues » (mais pour qui ?) et non « comme [principe] »[1]. L'œuvre proustienne, « compartiment de la pensée deleuzienne »[2], engendrerait une essentialité mécanique de type artistique, interprétation qui correspond historiquement à la naissance de la vogue formaliste en France, et à la proclamation de l'autonomie productrice de l'écriture. Pourtant, en concevant la matérialité dans la *Recherche* comme un étant sans horizons et en persistant à définir l'Essence proustienne comme hétérogène à l'imbrication du moi et du monde ou à la jonction (la tension) entre deux impressions singulières émanant d'un sujet en proie à une réminiscence, Deleuze retombe dans une métaphysique qui ne tient pas compte de la redéfinition proustienne du réel comme empiétement de différents champs que la pensée classique avait clos sur eux-mêmes (sujet-objet, matière-esprit, immanence-transcendance, erreur-vérité...). Refuser à l'essence son inscription dans l'immanence pour la traiter comme « point de vue individuant supérieur aux individus mêmes, en rupture avec leurs chaînes d'associations »[3] pose en outre un problème théorique. À quel titre peut-on transformer la caractérisation par Proust de la *position* de l'église du village, effectivement fondamentale dans la configuration de Combray, en « Essence » cloisonnée, apparaissant « *à côté* [des chaînes d'associations des individus], incarnée dans une partie close, *adjacente* à ce qu'elle domine, *contiguë* à ce qu'elle fait voir » ? Si je m'accorde avec la fin de cette citation, qui rend bien compte de la dialectique entre insertion et séparation qui caractérise l'Église par rapport au reste du village, cette transposition par le philosophe d'une figuration narrative en Essence n'est pas forcément adaptée au projet de Proust, puisque celui-ci a renoncé à une étude philosophique pour incarner ses idées. Il me semble de plus que la notion

1. *Ibid.,* p. 195-196.
2. J.-Y. Tadié, *Lectures de Proust,* A. Colin, 1971, p. 180.
3. *Op. cit.,* p. 194. *Ibid.* pour la citation suivante.

d'interdépendance – qui n'empêche pas une différenciation possible, telle celle qui s'institue entre un fond et une forme – serait plus à même de caractériser la relation entre l'Église et le paysage champêtre que celle du cloisonnement. Je montrerai en effet en seconde partie que, quand il ne devient pas le reflet microcosmique du monde qui l'englobe, le morceau proustien « déborde » constamment de son cadre et dévoile toujours un empiétement interne, là précisément où on ne l'attendait pas, entre une ville et un océan, une pierre et une vapeur, la mer et le ciel[1]. Quant à l'exemple, tiré de la description d'une toile d'Elstir, que cite Deleuze[2] pour étayer son analyse d'une Essence assimilée à un « point de vue » supérieur aux individus, il doit absolument être réintégré dans son contexte. En effet, le morcellement du paysage y est précisément le fait d'un « personnage »[3] – d'un individu – totalement inséré dans le spectacle qu'il contemple, puisqu'il se trouve soumis aux « éclipses de la perspective ». C'est donc bien le sujet situé qui conduit le paysage à être ce qu'il est, et le cloisonnement relatif qui en naît n'a de sens que par rapport à ce regard immanent à la formalisation du monde. Cette relativité du paysage est clairement notée par Proust : la continuité du spectacle est en effet « visible pour le promeneur mais non pour nous »[4] – la discontinuité est donc l'effet d'un point de vue précis. Qu'Elstir ait représenté un « petit personnage humain en habits démodés perdu dans ces solitudes » n'est pas un hasard : au-delà de la pratique classique qui utilise le corps humain comme étalon de la démesure et de la sublimité de la nature, il s'agit plus symboliquement d'indexer la virtualité d'un autre regard sur le paysage, d'un autre point de vue *possible*. Le saut terminologique

---

1. *RTP* II, p. 195.
2. P. 195 de son ouvrage, et p. 195 de *RTP* II : de « un fleuve qui passe sous les ponts d'une ville était pris d'un point de vue tel qu'il apparaissait entièrement disloqué » jusque « le long du fleuve écrasé et décousu ».
3. *RTP* II, p. 196.
4. *Ibid.*

qu'effectue Deleuze, qui absolutise la formule courante
«point de vue *de*» en «point de vue» tout court, recouvre
donc à mon avis un saut conceptuel qui pose problème, et
que Vincent Descombes avait, dans une autre perspective,
très justement relevé[1].

L'opposition deleuzienne entre le matériel et le spirituel

Le point majeur sur lequel porte mon désaccord est que
l'essence semble pour Deleuze, par sa dimension d'immatérialité, appartenir à un autre monde que le monde sensible
et perçu, qu'elle viendrait tirer de la fange mondaine vers
l'universalité intelligible :

L'essence elle-même reste irréductible à l'objet qui porte le
signe, mais aussi au sujet qui l'éprouve. [2]

On pourrait croire, d'après cette citation, que l'essence
naît de la jointure entre cet «objet» et ce «sujet». Effectivement, de façon plus explicite, une formule précédente
affirme que

l'Essence est précisément cette unité du signe et du sens, telle
qu'elle est révélée dans l'œuvre d'art[3]

— elle est alors la résultante du lien indissociable entre
signifiant et signifié. C'est ce que j'appelle pour ma part soit
la sensorialité du signe, soit l'incarnation du sens : l'essence
signe ainsi la conjonction des deux sphères[4]. Mais Deleuze
n'est pas clair sur ce point, tantôt affirmant que l'essence est

---

1. Cf. «L'optique des esprits», *op. cit.,* p. 49 et s.
2. *Op. cit.,* p. 83. Si l'Église de Combray est irréductible à sa description
comme axe du paysage, qu'est-elle alors ?
3. *Ibid.,* p. 53.
4. Cf. Merleau-Ponty, *Le Visible et l'Invisible,* éd. cit., p. 158 : «Dans une
philosophie qui prend en considération le monde opérant», «il n'y a
plus d'essences au-dessus de nous, objets positifs, offerts à un œil spirituel, mais il y a une essence au-dessous de nous, nervure commune du
signifiant et du signifié, adhérence et réversibilité de l'un à l'autre (...) ».

l'effet de cette unité (ce à quoi je peux souscrire), tantôt suggérant qu'elle lui préexiste. L'analyse du passage sur la Berma (qui est pourtant un signe valorisé par le philosophe, puisque esthétique) laisse ainsi pressentir que pour Deleuze, l'essence proustienne existe indépendamment de l'événement signifiant :

> La Berma, porteuse de signes, rend ceux-ci tellement immatériels, qu'ils s'ouvrent entièrement sur ces essences, et s'en remplissent. (...) C'est l'essence qui constitue la véritable unité du signe et du sens ; c'est elle qui constitue le signe en tant qu'irréductible à l'objet qui l'émet ; c'est elle qui constitue le sens en tant qu'irréductible au sujet qui le saisit[1].

Deleuze prend à ce stade de son analyse le problème à l'envers : au lieu de saisir le fait signifiant (ici l'interprétation de la Berma) comme création d'un sens inédit, il le décrit comme une vacuité se remplissant de l'extérieur d'une essence mal définie, et sans doute transcendantale, qui ne serait ni interne au sujet, ni possédée par l'objet, ni située à l'intersection des deux. Dès lors le signe accéderait, grâce aux vertus idéelles d'une essence dont l'acte et le lieu de naissance ne sont pas précisés, à une signifiance qui échapperait enfin à la matérialité et au contingent tout en restant individualisante. En dévalorisant systématiquement ce qu'il appelle le matériel et en le séparant de cet horizon d'invisible que j'ai pointé, Deleuze passe à côté de la définition proustienne du signe comme un mélange indépassable – et parfois conflictuel – de sens et de sensible, de matériel et d'immatériel. Or, il n'est pas indifférent que ces deux derniers mots reviennent constamment dans les pages sur la Berma sans se faire concurrence, étant présentés comme complémentaires bien plus qu'antagonistes. En attestent des expressions comme « la voix de la Berma, en laquelle ne subsistait plus un seul déchet de matière inerte et réfractaire à l'esprit » ; « ces blancs voiles (...) semblaient de la matière vivante et avoir été filés par la souf-

---

1. *Op. cit.,* p. 49-50.

france mi-païenne, mi-janséniste, autour de laquelle ils se contractaient » ; « ce corps d'une idée qu'est un vers » ou « la matière imbibée de flamme »[1]. On relève d'ailleurs une comparaison et une correction significatives dans une esquisse du *Temps retrouvé*, qui suggèrent le caractère quasiment interchangeable du matériel et de l'intelligible :

> Je promène de nouveau ma pensée dans mon cerveau *comme une sonde* (...) ma pensée s'est heurtée à quelque chose qui l'arrêtait, à un peu *de matière, je veux dire de pensée* encore inconnue en moi, encore obscure sous son voile d'inconscient[2].

La chair du langage, la corporéité générale de la parole et du sens sont, contrairement à ce qu'affirme Deleuze, l'un des thèmes essentiels de la *Recherche*. Qu'on se souvienne ainsi de la sensuelle tirade d'Albertine sur les bienfaits de la glace, où l'oralité se définit tout à la fois comme profération, dégustation et dévoration, ou des remarques du narrateur sur la voix de Bergotte : « il avait (...) un organe bizarre ; rien n'altère autant les qualités matérielles de la voix que de contenir de la pensée »[3]. L'interprétation de Deleuze consistant à assimiler la conception proustienne de l'art à une théorie du signe pur et immatériel ne prend pas en compte le fait que l'écriture de Proust cherche non pas à dématérialiser le signe pour l'annoblir, mais bien au contraire à faire surgir la signification, qui trouve elle-même son fondement dans la rencontre incontournable avec le sensible, de l'intérieur de la matérialité linguistique (du phonème au texte complet, en passant par le mot et la métaphore). Certes le signe, selon sa définition dans *Le Temps retrouvé*, est l'aboutissement de l'opération de conversion de la sensation en un « équivalent spirituel »[4].

1. *RTP* II, p. 347 à 351.
2. *RTP* IV, Esquisse XXIV, p. 823 (je souligne). Voir aussi p. 824 : « C'était toujours sous des images que je pressentais la vérité précieuse, sur une figure de fleur, de forêt, de château, de poignard, d'oiseau, quelquefois une simple figure géométrique... »
3. *RTP* I, p. 540.
4. *RTP* IV, p. 457.

Mais cette formule ne signifie pas qu'il soit immatériel : bien au contraire, le seul moyen de cette conversion, c'est « une œuvre d'art » apte à incarner la vérité de l'impression et la contingence qui l'accompagne – « clochers, herbes folles » ne peuvent être contournés et éludés comme le ferait un ouvrage de philosophie[1].

Les formulations de Deleuze doivent donc être soumises à révision :

> À la fin de la *Recherche*, l'interprète comprend (...) que le sens matériel n'est rien sans une essence idéale qu'il incarne. (...) le monde de l'Art est le monde ultime des signes ; et ces signes, comme *dématérialisés*, trouvent leur sens dans une essence idéale[2].

Le critique confond ici le *lien* de la matière à l'intelligibilité avec sa dématérialisation. De plus, si précession il doit y avoir (et ce n'est pas évident), elle s'effectue en sens inverse. En effet, l' « essence idéale » (vérité, loi générale, saisie de l'imbrication entre le moi et le monde, constat d'une profondeur spirituelle du sensible...) ne précède pas l'émergence du signe, elle en découle et est un *moment*, celui où une chair, où des mots *font* sens, plus qu'une signification pure ou un fait. L'essence habite le signe et en fait partie, de telle sorte que tout ce que nous disons d'elle par ailleurs reste lettre morte. Ce qui fascine ainsi le héros dans l'épisode de la Berma n'est pas que l'actrice soit une simple « porteuse de signes » qu'elle rendrait « immatériels » : c'est bien plutôt l'étrange paradoxe de l'immersion du spirituel dans la matière et de la spiritualisation simultanée de la chair qui provoque son admiration. Le sens émane du corps et ne se contente pas de se servir de lui comme d'un support imparfait. Le héros prend conscience qu'il n'y a pas de distance entre l'expressivité charnelle de la Berma et la signification du texte récité, et que

---

1. En 1920, dans une amusante enquête de *L'Intransigeant*, [Si vous étiez obligé d'exercer un métier manuel...], Proust écrit, en une boutade significative : « Je prendrais comme profession manuelle, précisément celle que j'exerce actuellement : écrivain. »
2. *Op. cit.*, p. 21.

seul le sentir peut dès lors nous faire saisir ce qui se joue sur la scène (ce qui explique, je l'ai dit, que le narrateur n'interprète pas le jeu de la Berma en termes de contenu). Il n'y a littéralement rien à en dire de plus que ce qu'en montre la représentation, sauf à le transformer soi-même en œuvre d'art, à repétrir dans la pâte linguistique le sens du jeu. Cette reformulation ne redouble d'ailleurs pas le jeu de l'actrice, la toile du peintre ou la sonate du musicien, mais engendre elle-même un nouveau sens.

Contrairement à l'affirmation par Deleuze d'une dématérialisation du signe esthétique, la voix de la Berma devient ainsi de l'idée incarnée au moment précis où, en retour, ses intentions se font qualité sensible. Ce système d'échanges se trouve marqué par le champ lexical de la transformation («assouplie», «s'y était changée») et par un vocabulaire uniforme et volontairement général (adjectifs indéfinis «quelque» et «une», adjectifs et noms visant à connoter plus qu'à dénoter: «qualité», «étrange», «appropriée»). Cette indétermination terminologique indique que le narrateur se refuse à qualifier la voix de la Berma pour éviter précisément de «traduire» son jeu:

La voix de la Berma, en laquelle ne subsistait plus un seul déchet de matière inerte et réfractaire à l'esprit (...) avait été délicatement assouplie en ses moindres cellules (...) ; (...) une intention discernable et consciente s'y était changée en quelque qualité du timbre, d'une limpidité étrange, appropriée et froide[1].

Son corps dans son ensemble se transforme en une «matière imbibée de flamme»[2], provoquant une impression «toute matérielle»[3] et pourtant éminemment spirituelle. Loin qu'il faille chercher à dissocier le corps et l'esprit, c'est à comprendre leur imbrication qu'il s'agit de s'attacher. La métaphore, récurrente chez Proust, du minéral transparent,

1. *RTP* II, p. 347-348.
2. *Ibid.*
3. *Ibid.,* p. 349.

cette matière qui tient à la fois du visible et de l'invisible, et que l'on verra à l'œuvre dans la description de la profondeur translucide de la mer ou dans celle du corps se faisant cristal vibratile, permet d'exprimer comment le corps est pénétré d'un rayon spirituel que l'on ne peut recueillir en lui-même[1]. Car cette roche n'est pas une simple gangue qui enfermerait l'intelligible, bien qu'il puisse paraître son «prisonnier», mais la condition même pour que le rayon existe et se diffuse : imaginer le cœur d'une agate sans l'agate elle-même relève en effet de la fantasmagorie. Les verbes qui clôturent la longue description du jeu de la Berma – «assimilée», «traverse», «répandues», «vivifié», «se diffuse», «imbibé», «engainé» (terme que l'on retrouvera dans *Le Temps retrouvé* à une place centrale) – témoignent de cette volonté de renoncer à la dichotomie classique du sensible et de l'intelligible. À cet égard, la définition du vers poétique est l'exact doublet de la description du corps glorieux de l'actrice, comme le suggère leur enchaînement dans la logique d'une seule et unique phrase. De même que la chair de la Berma n'a plus rien à voir avec le physiologique et devient la matière même du sens, de même le vers, avec ses rythmes, le compte de ses syllabes, ses reprises sonores et rimiques, est le «corps d'une idée»[2], une superposition de deux systèmes interdépendants et indissociables, «l'un de pensée, l'autre de métrique»[3].

Deleuze succombe donc à une forme d'idéalisme en faisant de l'art chez Proust le lieu spécifique de l'immatériel. Selon le critique, en effet, *« seuls les signes de l'art sont immatériels »* et donc porteurs d'une valeur supérieure[4]. Tous les autres signes (sensibles, amoureux, mnémosiques, mondains...) seraient négativement soumis à un «processus

---

1. Voir le long texte de *RTP* II, p. 348, qui commence par «Les bras de la Berma» et se termine par «la matière imbibée de flamme où il est engainé». C'est de ce passage que sont tirées les citations qui suivent.
2. *RTP* II, p. 348.
3. *Ibid.,* p. 351.
4. *Op. cit.,* p. 51.

d'analogie »[1] les liant indéfectiblement à cette matière que le philosophe cherche à contourner. C'est oublier que Proust s'attache depuis toujours à déceler le sens à l'intérieur même du sensible : dans « Contre l'obscurité », l'écrivain précise ainsi que les mystères de la nature (la vie, la mort) ne sont pas vulgaires, même s'ils sont exprimés par le « vigoureux et expressif langage des désirs et des muscles, de la souffrance, de la chair pourrissante ou fleurie »[2]. Il est donc inexact d'affirmer que seul

l'Art nous donne la véritable unité : unité d'un signe immatériel et d'un sens tout spirituel. L'Essence est précisément cette unité du signe et du sens, telle qu'elle est révélée dans l'œuvre d'art. (...) Voilà ce qui donne à la [petite] phrase son existence réelle, indépendamment des instruments et des sons, qui la reproduisent ou l'incarnent plus qu'ils ne la composent. La supériorité de l'art sur la vie consiste en ceci : tous les signes que nous rencontrons dans la vie sont encore des signes matériels, et leur sens, étant toujours en autre chose, n'est pas tout entier spirituel[3].

L'emploi de majuscules pour désigner des entités comme l' « Essence », l' « Art », l' « Un », le « Verbe », l' « Univers », la « Mémoire », le « Point de vue » ou la « Différence » peut certes mettre l'accent sur des problématiques proprement deleuziennes ; dans le contexte de la *Recherche*, il demeure énigmatique. Ce « A » qui vient réifier l'art, cet « E » qui est appliqué à la notion d'essence témoignent d'un rapprochement paradoxal chez le philosophe du pli entre le phénomène artistique et un absolu de type divin ou une abstraction métaphysique que Proust, penché sur les « matériaux » de la vie, récuserait. Les majuscules ont en outre pour effet de dispenser d'une explication en rapprochant le mot d'un principe ineffable – sans doute parce que, dans l'optique de Deleuze, l'essence elle-même « n'est rien de positif, ni de

1. *Ibid.*, p. 53.
2. 1896, *CSB*, p. 394-395.
3. *Op. cit.*, p. 53.

définissable, parce que c'est une différence »[1]. Il n'empêche qu'on s'interroge sur ce qu'entend le philosophe par la paradoxale indépendance de l'instrument et de ce qu'il exprime, du signifiant et du signifié (alors qu'il affirme ailleurs leur enroulement), quand Proust lui-même s'attache à mettre l'accent sur l'expressivité fondamentale de la matière et à insérer chaque écoute de la phrase de Vinteuil dans un contexte où les auditeurs comme les musiciens tiennent une place fondamentale (la mèche de Morel comme les amours de Swann habitent la musique de Vinteuil[2]). Que le corps ou l'objet devienne spirituel ne signifie absolument pas qu'il n'aie plus rien à voir avec la matière : ce à quoi l'on a alors affaire, c'est moins à une matière « spiritualisée » ou à des « milieux physiques » « dématérialisés » qui se contenteraient de « réfracter l'essence »[3], qu'à une matière traversée de sens mais qui ne s'annihile pas comme telle.

Il convient donc de ne pas suivre Deleuze sur tous ces points, et notamment lorsqu'il analyse négativement l'analogie qui déclenche les épisodes de réminiscences non encore revisitées par la vocation artistique (madeleine, arbres d'Hudimesnil...). Pour le philosophe, l'impression sensible ancrée sur un objet (la madeleine) ne fait signe que vers un autre objet matériel et donc imparfait (Combray) :

> Les qualités sensibles ou les impressions, même bien interprétées, ne sont pas encore en elles-mêmes des signes suffisants. (...) [Car] *ce sont des signes matériels*. Non pas simplement par leur origine sensible. Mais leur sens, tel qu'il est développé, signifie Combray, des jeunes filles, Venise ou Balbec. Ce n'est pas seulement leur origine, c'est leur explication, c'est leur développement qui reste matériel. (...) À la fin de la *Recherche*, l'interprète comprend ce qui lui avait échappé dans le cas de la madeleine ou même des clochers : que le sens matériel n'est rien sans une essence idéale qu'il incarne[4].

---

1. C. Enaudeau, « Impliqué, compliqué. À travers Merleau-Ponty et Deleuze », *Europe*, n° 849-850, janvier-février 2000, p. 275. Sur le rôle de la différence dans la *Recherche*, voir 3ᵉ partie.
2. *RTP* III, p. 756.
3. *Op. cit.*, p. 61.
4. *Ibid.*, p. 20-21.

Une telle optique prend le risque de tirer un trait définitif sur la *Recherche* dans son ensemble, pour conférer au *Temps retrouvé* (et encore, dans ses deux dernières parties, pages dites théoriques et Bal de Têtes) une valorisation un peu rapide. En deux ou trois phrases qui expédient le « développement » et l' « explication » dans la sphère de l'inessentiel, Deleuze fait disparaître l'intérêt même de la *narration* que le roman s'attache à construire pendant quelques milliers de pages. Celles-ci n'ont pas qu'une valeur rétrospective, puisqu'elles mettent au jour l'insertion vitale dans un présent habité par les dimensions du passé et de l'avenir, fussent-elles parfois illusoires, et qu'elles restituent une incarnation personnelle qui rend le roman irréductible à ce que Proust nomme une « étude philosophique ». L' « Art » ainsi ne se contente pas de dépasser le stade du matériel, en reliant le vécu à une « essence idéale » : il réintègre bien plutôt l'existence et l'immanence dans la définition de l'essence (Deleuze s'insurgerait, pour qui, *a contrario*, « l'essence se distingue de l'existence, y compris de sa propre existence »[1]). Sur ce plan, Proust ouvre la voie à tout un pan de la création poétique contemporaine, ici représentée par Yves Bonnefoy :

La philosophie ne peut pénétrer l'expérience poétique, qui est de percevoir ce qui est comme une présence, et non une essence, comme une eccéité, eût dit la pensée scolastique, et non une quiddité[2].

Ce que Deleuze appelle l'âme de l'objet et qu'il semble parfois situer dans un arrière-monde, renvoie selon moi à son horizon d'invisibilité, à cette dimension temporelle, imaginaire ou ontologique, qui n'est pas le contraire de sa présence actuelle mais sa façon de s'offrir à la sensation ou à la mémoire. Certes, le Combray retrouvé par la mémoire olfactive n'est pas le Combray qui fut vécu, comme le précisent très justement Deleuze ou Alain de Lattre[3]. L' « essence » de

1. *Ibid.*, p. 55-56.
2. « Poésie et philosophie », *L'Acte créateur*, Paris, PUF, 1997, p. 11.
3. *Op. cit.*, t. III, p. 242-243 et p. 166 et s.

Combray, c'est en fait Combray avec tous ses horizons déployés, un Combray tenant à la fois d'un passé et d'un présent auxquels il ne se réduit pas ; c'est l'*opération de jonction* qu'un sujet concret opère entre deux *horizons* (l'horizon vécu, l'horizon fantasmé) de son expérience, au sens où Merleau-Ponty écrit que l'essence « est l'attache qui relie secrètement une expérience à ses variantes »[1]. Comme le montre Pierre Piret dans son article « L'essence infuse »[2] – qui prend le parti de mettre en relief la cohérence globale de la thèse de Deleuze –, l'essence de Combray est adhérente au tilleul desséché qui a symboliquement supporté le poids du temps : elle s'« explique » au moment même où les feuilles, immergées dans l'eau vitale et sensible, se trouvent ressuscitées par et pour un sujet[3].

Objet, sens et signe

Il convient, pour clore ces pages sur la théorie deleuzienne du signe chez Proust, de revenir sur la distinction qu'opère le philosophe entre l'objet et le signe, au niveau de l'expérience sensible première comme à celui des fins de l'art. Affirmer en effet que « le sens est impliqué dans le signe » et qu'« il est comme une chose enroulée dans une autre »[4] est à la fois vrai et faux.

Vrai, car le sens ne se sépare pas chez Proust de son incarnation. Comme l'écrit Merleau-Ponty au cours de son analyse du sensible proustien,

l'idée est ce niveau, cette dimension, non pas donc un invisible de fait, comme un objet caché derrière un autre, et non pas un invisible absolu, qui n'aurait rien à faire avec le visible, mais l'invisible *de* ce monde, celui qui l'habite, le soutient et le rend visible, sa possibilité intérieure et propre, l'Être de cet étant[5].

1. *Le Visible et l'Invisible*, éd. cit., p. 155.
2. In *Poétique*, n° 114, avril 1998, p. 209-219.
3. *Ibid.*, p. 218.
4. *Proust et les signes*, éd. cit., p. 109.
5. *Le Visible et l'Invisible*, éd. cit., p. 198.

Pour Deleuze, ainsi,

les signes sensible renvoyaient *déjà* à une essence idéale qui s'incarnait dans leur sens matériel. Mais sans l'Art nous n'aurions pu le comprendre[1].

Au-delà du fait que la formulation du philosophe laisse une fois de plus entendre que l'essence peut être extérieure au procès perceptif et descendre dans les objets-signes, l'art ne fait pas qu'amener le sensible à la compréhension. Bien plutôt, il *accomplit* ce qui avait déjà lieu dans l'expérience sensorielle, et notamment celle de la profondeur : tout simplement parce que sensation et esthétique, comme le suggère l'étymologie de cette dernière, ne sont pas deux perspectives étanches sur le monde. L'œuvre d'art n'est donc pas « un monde spécifique absolument différent des autres » ; c'est au contraire parce qu'elle possède des liens structurels avec le réel, et plus particulièrement le sensible, qu'elle « constitue et reconstitue toujours le commencement du monde »[2].

Affirmer que le sens est « une autre » chose que le signe qui le porte semble en revanche faux pour plusieurs raisons. Pourtant, Deleuze précise lui-même, à propos de l'art, que « le signe et le sens, l'essence et la matière transmuée se confondent ou s'unissent dans une adéquation parfaite »[3]. Mais le philosophe passe le plus souvent à côté du fait que le monde des essences ne préexiste pas au jeu de la Berma et qu'il ne vaut en outre comme effet que dans la mesure où il se trouve perçu. Or, c'est précisément la manière de jouer de l'actrice qui crée indissociablement le signe et le sens, quand les mauvais acteurs, en ne concevant leur corps que comme un outil ou un support, bref comme un « objet », manquent leur cible et restent indéfectiblement des personnes privées. L'actrice ne fait pas, contrairement à ce qu'affirme le philosophe, que « porter » des signes, elle promeut un style d'être,

---

1. *Proust et les signes*, éd. cit., p. 21.
2. *Ibid.*, p. 133.
3. *Ibid.*, p. 64.

un rapport au monde particulier qui fait de Phèdre sa création particulière *et* l'expression aboutie du rôle imaginé par Racine (puisque pour Proust, l'extrême particulier est une forme de l'universel).

Certes, comme l'écrit justement Deleuze, « il y a peu de choses qui ne soient décevantes la première fois où nous les voyons » (l'exemple de la Berma en est un parmi d'autres innombrables). Mais les raisons qu'il donne à cette déception peuvent laisser perplexe :

> Car la première fois, c'est la fois de l'inexpérience, nous ne sommes pas encore capables de distinguer le signe et l'objet, l'objet s'interpose et brouille les signes[1].

Deleuze fusionne ici deux modalités de l'expérience primordiale : la première, effectivement décevante, où le héros s'attend à quelque chose et où la réalité vient contredire ou infirmer ses projections imaginaires ; la seconde, pleinement positive, où le réel le surprend au moment où il ne s'y attendait pas et où l'opacité même de l'objet en arrive à faire sens. Pour ne donner que deux exemples, la divine surprise régit toutes les rencontres originaires de la *Recherche*, qu'elles soient amoureuses (choc de la vision de Gilberte puis d'Albertine) ou artistiques (visite de l'atelier d'Elstir que le héros effectuait malgré lui ; découverte du septuor) ; quant au caractère énigmatique d'Albertine, il rend compte d'une certaine manière de sa fondamentale sournoiserie. Notons à ce propos que Deleuze ne tient pas compte du fait que l'objet, en masquant le sens, exhibe ce faisant une certaine façon – indirecte, inconsciente, refoulée – de concevoir la découverte de la vérité.

Dans un passage très pertinent de *Lecture de Proust*[2], Gaëtan Picon relève ces deux pentes du rapport à la réalité dans la *Recherche*. Certes, « si la réalité déçoit, c'est qu'elle est inégale à l'image projetée » ; mais cette déception n'est pas

---

1. *Ibid.*, p. 46.
2. Les citations qui suivent sont tirées des p. 126 à 128 (éd. cit.).

seulement due au fait que la joie spirituelle n'est possible que grâce au travail de l'imagination ou de la mémoire, qui explique par exemple que les jours vécus à Doncières semblent rétrospectivement avoir été heureux, ou qu'Oriane reste parée d'une poéticité qui n'est pas la sienne dans la réalité. En effet, les Verdurin, qui pendant longtemps ne sont qu'imaginés, ne sont jamais perçus de façon positive : « c'est donc que l'esprit ne fait pas complètement ce qu'il veut de la réalité ». Si l'on compare le cas des Verdurin avec l'épisode de Doncières,

il faut bien expliquer l'inégalité de l'apport par l'inégalité du support. Les choses se prêtent plus ou moins à la transfiguration féérique (...). C'est donc qu'il y a une valeur de la réalité en tant que telle.

D'autre part, c'est parfois le « projet de l'esprit » lui-même qui s'avère ne pas être au niveau de l'expérience réelle. Dans la séquence de la Berma, ainsi,

la réalité éblouit ; elle est un choc que l'on ne peut soutenir. Et loin de la rejeter comme négligeable, de revenir aux constructions de l'imagination, l'esprit se désole de ne pouvoir la saisir (...). Loin que la sensation soit toujours une moindre pensée, une imagination inférieure, elle est parfois un défi à la pensée.

Le propre de la première rencontre, ce qui la fonde comme *événement* crucial et non décevant, est qu'elle est précisément fulgurance, extrême de l'instantanéité, trait du monde décoché dans la clôture stérilisante de la monade. Et c'est précisément parce que l'objet ne se résorbe pas en signe dématérialisé que ces instants sont vécus sur le mode de la plénitude. De même, certains moments qui ne relèvent pas à proprement parler d'une première fois, mais qui développent une perception originaire, comme c'est le cas lorsque le héros contemple la mer de ses fenêtres du Grand-Hôtel, se dore les pieds dans la tâche de soleil qui s'effeuille dans sa chambre, ou respire le chausson fourré d'odeurs du salon de Tante Léonie, ne relèvent absolument pas d'une herméneutique mais d'une jouissance sensorielle évidente, qui peut être accrue par le fait qu'elle a aussi affaire avec l'imagination, le rêve ou la polysensorialité, le but de Proust étant de restituer la globalité de l'instant sensible.

Selon Deleuze, cependant, une expérience ultérieure à cette « première fois » qu'il caractérise rapidement de décevante[1] ne suffit pas à dévoiler son sens, puisque le stade de l'objectivisme n'est pas dépassé.

La première de nos croyances, c'est d'attribuer à l'objet les signes dont il est porteur. (...). Nous pensons que « l'objet » lui-même a le secret du signe qu'il émet. Nous nous penchons sur l'objet, nous revenons à l'objet pour déchiffrer le signe[2].

Pour Deleuze, cette croyance s'avère inepte. Dans l'optique de Proust, qui insiste bien sur le fait que la Berma (l'objet) incarne *effectivement* le signe, elle est plus exactement simpliste. Car contrairement à ce qu'écrit le philosophe, le héros de la *Recherche* ne renonce pas à la « croyance à une réalité extérieure »[3] (c'est au contraire parce que le narrateur prend conscience de la valeur jusqu'alors imperçue des « matériaux » de sa vie qu'il décide d'écrire) mais à celle à une réalité en soi, qui se tiendrait immuable et de toute éternité devant l'individu.

Toujours est-il que l'itinéraire du héros exige qu'il passe à un autre stade d'approche du monde, celui de la « compensation subjective »[4] qui tente de pallier les déficiences de la croyance objectale[5], et qui se révélera tout aussi décevant, par l'arbitraire des associations subjectives qu'il impose au signe. Nonobstant les nuances qui viennent d'être d'apportées quant aux conclusions à tirer du rejet de l'objectivisme

1. Voir *op. cit.,* p. 46.
2. *Ibid.,* p. 37.
3. *Ibid.,* p. 43.
4. *Ibid.,* p. 46.
5. *Ibid.,* p. 37 à 43.

dans la *Recherche*, le premier chapitre de cette étude a montré que le repérage par Deleuze des deux penchants du rapport de Proust au réel est particulièrement juste, notamment en ce qui concerne les premiers tomes du roman. Ils conduisent effectivement à des impasses, selon moi dans la mesure précise où ils sont perçus comme antagonistes. Affirmer en revanche que la déception n'est dépassée qu'à partir du moment où l'objet se résorbe totalement dans son statut de signe revient une nouvelle fois à prendre le problème à l'envers. La question est en effet plus complexe, d'une part parce que la forme ou la matière particulière de l'objet (le son du violon ou du piano, l'usage de l'aquarelle ou de l'huile, de tel mot plutôt que de tel autre) induit un sens ; d'autre part parce que selon moi, et on l'a vu dans le cas de la Berma, la première expérience chez Proust est décevante précisément *parce que* le héros tente de « distinguer le signe et l'objet ». Mais ce dernier résiste à une telle distinction et, dans cette résistance, vient effectivement « brouiller », comme l'écrit Deleuze pour des raisons différentes, la compréhension du sens. À mon avis, cependant, et contrairement aux conclusions du philosophe, cette première expérience ne trouve pas sa résolution dans l'art conçu comme travail d'une dissociation du signe et de l'objet enfin réussie, où l'objet disparaîtrait pour faire advenir un pur signe émetteur d'essences. Certes, le corps des mauvais acteurs, ce « biceps » et ces « connexités musculaires » si comiquement relevés par Proust, témoigne que dans leur cas l'objet prédomine sur le sens. Mais que la physiologie particulière de la grande actrice se résorbe dans la signification ne signifie pas que son corps s'évanouisse comme tel. Au contraire, la révélation qu'apporte la Berma au héros est que ce corps est indissociable du sens qu'il porte :

> Les bras de la Berma que les vers eux-mêmes, de la même émission par laquelle ils faisaient sortir sa voix de ses lèvres, semblaient soulever sur sa poitrine ; son attitude en scène (...) ; ces blancs voiles eux-mêmes, qui (...), semblaient de la matière vivante ; tout cela (...) n'était, autour de ce corps d'une idée qu'est

105

un vers (...) que des enveloppes supplémentaires qui au lieu de la cacher ne rendaient que plus splendidement l'âme qui se les était assimilées (...)[1].

L'acte expressif transforme donc le corps en signe, *mais en conservant*, parce qu'il est l'essence même de la signifiance, son rayonnement charnel. Dans le cas inverse, il suffirait de raconter avec talent une représentation théâtrale pour la donner à voir, ce que justement ne fait pas le narrateur. L'objet n'est donc pas à « oublier » : il est le lieu même d'émergence de la signification. On a vu ainsi que la déception du héros dans *À l'ombre des jeunes filles en fleurs* n'est pas due au fait que la Berma a mal joué, voire qu'il n'a pas été sensible à son jeu : en effet, ce n'est qu'une fois *terminée*[2] la tirade tant attendue de « la déclaration à Hippolyte », que le jeune homme se rend compte que la Berma n'a pas répondu à ses attentes, ce qu'il vit comme un échec. La déception réside plus exactement dans l'incapacité pour le jeune garçon à faire le départ entre le jeu de l'actrice et son rôle, c'est-à-dire à comprendre intellectuellement, par une entreprise herméneutique dérisoire, *pourquoi* elle a bien joué. Ce n'est que dans la seconde représentation que cette déception se transformera en admiration : *Le Côté de Guermantes* se chargera de montrer que c'est dans cette innovation qui ne se proclame pas comme telle que réside en réalité le génie de l'actrice. L'art ne vise pas à distinguer l'objet et le signe – qui se hisserait ainsi vers l'immatérialité –, il est bien plutôt, analogue en cela aux rencontres sensibles qui ont une portée ontologique, le moment où ils s'interpénètrent inextricablement.

1. *RTP* II, p. 347-348.
2. *RTP* I, p. 441.

DEUXIÈME PARTIE

Existence + imagination = réalité

> Un homme qui dort, tient en cercle autour de lui le fil des heures, l'ordre des années et des mondes[1].

Il est temps de revenir à une approche qui prenne spécifiquement en compte l'expérience existentielle et ontologique que le roman de Proust développe, parfois par-delà les conceptions mêmes du héros-narrateur. Que la *Recherche* soit ou non le livre que celui-ci décide d'écrire dans *Le Temps retrouvé*, peu importe finalement. L'essentiel est que, du seuil du roman à son bouclage, le corps dans sa relation au monde actuel ou imaginaire s'avère une des questions majeures de l'entreprise esthétique. L'un des objectifs de cette partie sera de montrer, en résonance avec les pages qui précèdent, que la sensation ne peut s'assimiler au premier stade du procès de connaissance, qui appellerait son dépassement par l'activité du jugement. Il n'est pas pour autant question de transformer Proust en un matérialiste... Si, dans la *Recherche,* le sentir fonde le rapport au monde du sujet, c'est précisément parce qu'il a partie liée avec le rêve, l'imagination ou l'intellect : le corps n'est ni chose, ni idée. Étant, comme l'écrit Merleau-Ponty, « le mesurant des choses », il conduit « à reconnaître une idéalité qui n'est pas étrangère à la chair, qui lui donne ses axes, sa profondeur, ses dimensions »[2].

---

1. *RTP* I, p. 5.
2. *Le Visible et l'Invisible*, éd. cit., p. 199.

Pour éviter le piège de codifications trop simplificatrices, il faut donc opérer une distinction entre la *sensation*, conçue classiquement comme la résultante physiologique de l'impact d'un objet extérieur sur un sujet dont le jugement met en ordre le chaos sensible, et le *sentir*, expérience nodale de participation à un monde polysensoriel et total. À l'instar d'Elstir et par un redoublement maîtrisé du « malaise inexplicable » qu'éprouve Lord Chandos « à seulement prononcer les mots "esprit", "âme", ou "corps" »[1], Merleau-Ponty s'attache à dénommer pour renommer, et créer une nouvelle cartographie de la subjectivité :

> Il nous faut renoncer, en commençant, à des notions telles que « actes de conscience », « états de conscience », « matière », « forme », et même « image » et « perception »[2].

En effet, les caractérisations physiologiques ou analytiques du savant, les postulats de la philosophie sensualiste (comme la réduction de la sensation à une première couche d'expérience opposée à l'idée) ne permettent pas de dépasser l'antinomie sartrienne du « pour-soi » et de « l'en-soi » ou la fiction du doute hyperbolique cartésien. Celui-ci, rappelle Merleau-Ponty, se fonde sur l'idée d'un Être replié sur lui-même et par contraste met « le perçu et l'imaginaire au nombre de nos "états de conscience" » : le philosophe pyrrhonien, « entre l'Être en soi et la "vie intérieure" (...) n'entrevoit pas même le *problème du monde* »[3]. Quelques années après la parution globale de la *Recherche*, Erwin Straus analysait ainsi les sous-entendus propres à ces deux approches de la sensorialité :

> Sentir est une expérience empathique. En sentant, nous nous éprouvons nous-même dans le monde et avec le monde. La préposition « avec » n'est pas composée d'une partie d'expérience, le « Monde » et d'une autre, le « Je ». (...) La relation du Je à son monde est, dans la sensation, une manière d'être-relié que l'on doit

1. Hofmannsthal, « Une lettre », *op. cit.*, p. 42.
2. *Le Visible et l'Invisible*, éd. cit., p. 209.
3. *Ibid.*, p. 21.

séparer radicalement de la façon dont la connaissance se trouve en face du monde. C'est pourquoi nous devons rejeter la conception qui fait du sujet-sentant une conscience qui contient les sensations disséminées et qui les réunit par un processus de pensée (...)[1].

Si le sentir se trouve au fondement de l'histoire personnelle de l'individu, puisqu'il est la matière de l'œuvre et qu'il permet de recoller les morceaux éclatés d'un moi trop souvent intermittent, cela ne signifie pas qu'il faille lire la *Recherche* comme une entreprise nombriliste d'attention morbide à un soi corporel désenclavé de son assise mondaine. Que le roman de Proust inspire à Merleau-Ponty certaines de ses plus belles pages n'est pas un hasard. Chez les deux auteurs, l'expressivité tend à rendre compte de notre attache primordiale à l'être « brut » ou « sauvage », à ce que le philosophe appelle aussi le « monde vertical ». Nous verrons que ce dernier ne se confond pas avec une naïve immédiation puisque le retour à la sensation première chez Proust s'effectue *au terme* d'une déconstruction de notre propension à la synthèse linguistique. En tenant compte des points de fuite inhérents à la constitution du monde sensible, Proust annonce ainsi ce que Merleau-Ponty s'attachera à décrire sous le nom de « foi perceptive », qui

enveloppe tout ce qui s'offre à l'homme naturel en original dans une expérience-source (...), qu'il s'agisse des choses perçues dans le sens ordinaire du mot ou de son initiation au passé, à l'imaginaire, au langage (...), aux œuvres d'art, aux autres, ou à l'histoire. (...) La perception comme rencontre des choses naturelles est au premier plan de notre recherche, non pas comme une fonction sensorielle simple qui expliquerait les autres, mais comme archétype de la rencontre originaire, imité et renouvelé dans la rencontre du passé, de l'imaginaire, de l'idée[2].

Le philosophe précise bien que la prise en considération de la question du langage dans notre accès au réel montre emblématiquement que celui-ci reste toujours, d'une cer-

1. *Du Sens des sens* (1935), trad. par G. Thines et J.-P. Legrand, Grenoble, Jérôme Millon, 1989, p. 333.
2. *Ibid.,* p. 209-210.

taine façon, indirect – et qu'inversement, interroger le sentir revient à questionner notre rapport global, et notamment linguistique ou imaginaire, au monde.

Le premier chapitre de cette partie commencera par analyser la rencontre du héros avec Elstir comme un retournement qui transforme sa perception même du réel, puisqu'il découvre la validité ontologique de l'illusion sensorielle et du reflet. On verra ensuite que la fluidification des frontières que l'intellect imposait au sensible ne s'opère pas qu'au niveau sensoriel. Si de nombreux textes semblent mettre en relief l'inadéquation des « croyances » intimes à la réalité, il serait erroné d'en déduire que celles-ci n'ont que le rôle négatif de démontrer la relativité de nos jugements. Dans leur jeu avec une sensation définie par Julia Kristeva comme « excentricité », elles découvrent en fait le caractère fondamentalement transversal du sensible proustien, « ni réalité, ni solipsisme, à l'interface du monde et du moi »[1].

Le second chapitre montrera que cette consubstantialité de l'imaginaire et du réel se retrouve dans la *Recherche* au niveau le plus organique, traditionnellement exclus du champ littéraire. L'intériorité charnelle du sujet dont les sensations ouvrent le roman est en effet le berceau de notre relation à une réalité que Proust définit, dans un avant-texte transcrit par Bernard Brun, comme un mixte :

Ne pas oublier l'idée d'EXISTENCE (capital) jointe dans ces résurrections à l'imagination = réalité[2].

L'expérience de réminiscence est une révélation : elle dévoile que toute sensation authentique se découvre comme un événement qui émane *à la fois* du monde et du moi. Les courbures du réel trouvent un prolongement dans les réponses du corps personnel, qui minent la dissociation sujet-objet qui se trouvait au fondement de la quête primitive de la sensation pure.

1. *Le Temps sensible*, éd. cit., p. 246-247.
2. Cahier 38, f° 14 r° ; cité *in* « Roman critique, roman philosophique ou roman », *Bulletin Marcel Proust*, n° 39, 1989, p. 44.

Chapitre I

Au cœur du réel :
mirages et croyances

> Reprenons de temps en temps le
> *la* de l'impression première[1].

Le but de ce chapitre est de montrer que leurres et illusions contribuent à définir le réel proustien au même titre, voire plus, que le fait en tant que tel.

Les expériences de sensation pure, infructueuses, provoquent un resserrement de l'instant, puisque le moi se concentre exclusivement sur lui-même ; au contraire, l'impression première insère le sujet dans un spectacle qu'il institue autant qu'il le contemple, et réoriente le moi sur un présent sensible qui se caractérise par une ouverture et une profondeur temporelles où les croisements des fils du temps et de l'imaginaire jouent un rôle fondamental. La sensation retrouve ainsi la portée ontologique qu'elle avait perdue lorsqu'elle était décomposée par des actes intellectuels qui l'annihilaient comme telle en la transformant en illusion subjective ou en artefact psychologique (on pense ici à l'attitude analytique qui consiste à concevoir la perception comme un composé de plusieurs sensations isolées et ponctuelles).

La rencontre avec Elstir ne constitue certes pas une étape chronologique stricte – elle fait partie de cette « série de médiations » repérées par Jean-Yves Pouilloux qui permettent au héros de s'acheminer vers une « position autre »[2].

---

1. *RTP* II, Esquisse XLVIII, p. 949-950.
2. « Je ne sais ce que je vois qu'en écrivant », *op. cit.,* p. 98.

111

Elle marque pourtant un saut décisif par rapport à l'appréhension rationnelle du réel par le héros : l'isolement de l'objet et le choix esthétisant sont remplacés par une tentative pour renouer avec une réalité globale, dont l'illusion fait partie comme un moment aussi valide que sa rectification. Cette réhabilitation de l'illusion sensorielle est essentielle puisqu'elle permet de comprendre comment le sujet s'investit dans le mouvement génétique de l'apparaître : à la séparation entre l'objet et la conscience percevante se substitue un sensible mixte qui se définit, selon les termes mêmes du *Temps retrouvé*, par l'engainement[1].

Cet entrecroisement se retrouve avec la question des croyances, qui établissent des ponts entre réel et irréel. En apparence éminemment subjectives et contingentes, elles sont en fait ontologiquement incontournables, puisqu'elles donnent au monde sa couleur, son atmosphère, sa profondeur, et permettent au moi d'aller à la rencontre de l'altérité ou d'habiter une réalité qui ne se réduise pas à une « somme de lignes et de surfaces »[2]. Sans elles, le réel se résorbe dans le non-sens : faire de la *Recherche* un itinéraire qui mènerait le héros des illusions de l'enfance aux vérités de l'âge mûr revient à trahir une œuvre dont l'origine se confond avec le désir.

ERREUR DES SENS
ET VÉRITÉ ONTOLOGIQUE

Les moyens analytiques et physiques mis en œuvre pour accéder à une hypothétique pureté sensorielle conduisent le héros à un échec qui le plonge dans une impression de frustration d'autant plus forte qu'il a conscience de passer à côté

1. Voir *RTP* IV, p. 470.
2. *Ibid.*, p. 473.

de « quelque chose » pourtant « là », et qui est son insertion dans l'être, une proximité « latérale et transversale »[1], plus qu'une « essence » au dénoté flou.

La rencontre avec Elstir permet au jeune homme de prolonger ces tentatives en les réorientant en fonction d'une approche plus nuancée du sensible. La réhabilitation par le héros, à la suite du peintre, de ce qu'on a coutume de nommer l' « erreur des sens » est à cet égard une étape décisive. Le jeune garçon, qui ira même plus loin que son maître dans l'expérimentation du visible, puisqu'il n'hésitera pas à placer sur un même plan esthétique une église ancienne et une église moderne[2], accède à une nouvelle façon de voir en réenclenchant son regard sur le monde tel qu'il se donne et en désactivant la recherche de la signification intellectuelle du sentir. En effet, la confusion de l'avant et de l'arrière, du ciel et de la mer, de la ville et de l'océan, s'assimile à une tentative pour restaurer un monde sans clivages. L'illusion n'est pas une erreur à dépasser mais un moment privilégié de notre lien à l'être brut : pour être retouchée par le jugement ou le langage, elle n'en a pas moins eu lieu, et le simulacre qu'elle met un instant au jour est une dimension vraie du monde. Car l'imaginaire et la sensibilité, tous deux à l'œuvre dans l' « erreur des sens », ne sont pas moins « justes » que la raison rectificatrice de l'illusion pour ce qui concerne l'approche de l'être. C'est ce qu'analyse Merleau-Ponty dans *Le Visible et l'Invisible*, à la suite de Husserl :

Lorsqu'une illusion se dissipe, lorsqu'une apparence éclate soudain, c'est toujours au profit d'une nouvelle apparence qui reprend à son compte la fonction ontologique de la première. (...). La désillusion n'est la perte d'une évidence que parce qu'elle est l'acquisition d'une *autre évidence* (...) [qui] se donne comme « réelle » hors de toute contestation, et non pas comme « très possible » ou probable (...)[3].

1. A. de Lattre, *op. cit.*, t. I, p. 42.
2. Voir *RTP* III, p. 673 et p. 402-403.
3. Éd. cit., p. 63-64.

Une apparence n'est perçue comme probable que par un jugement *a posteriori* qui relève d'une illusion rétrospective puisque ce qui prime au niveau ontologique, c'est l'instant où l'illusion a qualifié le réel. Elle peut se révéler autre dans un second présent sensoriel qui renvoie la sensation primitive au domaine du leurre : on ne pourra en tout état de cause lui refuser d'avoir été, un moment, une perspective actuelle sur un monde toujours « là ». Comme le précise de son côté Eugen Fink,

L'illusion quand elle est reconnue ne laisse pas un trou dans le monde. La place où un leurre nous devient visible est aussitôt occupée autrement[1].

À l'ombre des jeunes filles en fleurs, où Elstir s'attache à peindre des mirages et à exprimer la sauvagerie de notre rencontre de l'être, est le tome par excellence de la découverte des joies de l'illusion sensorielle. Les enseignements du peintre se révèlent décisifs, bien qu'ils ne fassent souvent que prolonger certaines expériences que le jeune garçon avait lui-même initiées. Celui-ci en effet s'efforce, avant même la rencontre avec le peintre, de désarticuler les charnières intelligibles du visible, comme le suggère le passage où le héros met sur le même plan un papillon butinant une haie de roses et le steamer qui se trouve sur la ligne d'horizon[2]. Il apprend donc simultanément une nouvelle façon de voir[3] (qui le rapproche du héros de Rilke[4], qui entretient lui aussi un rapport de porosité avec le monde) et une approche différente de la création artistique. Celle-ci ne se confond plus avec le beau de type sublime, la recherche du naturel pur ou la sacralisation de l'art classique qui étaient les apanages de la

---

1. « La réduction phénomonologique de Husserl » (1971), *Proximité et distance. Essais et conférences phénoménologiques,* trad. par Jean Kessler, Grenoble, Jérôme Millon, 1994, p. 251.
2. *RTP* II, p. 156.
3. Voir P.-L. Rey, *À l'ombre des jeunes filles en fleurs de Marcel Proust. Étude critique,* éd. cit., p. 92.
4. Cf. « j'apprends à voir » dans *Les Carnets de Malte Laurids Brigge,* Paris, Gallimard, 1991, p. 23.

grand-mère du héros dans *Du côté de chez Swann*. La création a au contraire partie liée avec un monde « vertical » et complet, où les objets techniques humains ont la même valeur que les élément naturels primordiaux. Pour la première fois dans le roman apparaît explicitement ce que Proust avait théorisé dans les brouillons du *Contre Sainte-Beuve* : le refus de l'« intelligence » et de ses classifications arbitraires comme seuls discours valides sur l'être, ainsi que le désir de laisser advenir l'apparaître dans une primitivité qui ne se résorbe pas dans un culte naïf de l'immédiat, puisque c'est le *détour* par l'atelier du peintre qui autorise le retour à l'originaire.

Qu'Elstir soit pourtant d'abord ressenti comme un obstacle détournant des visées existentielles, en l'occurrence la rencontre des jeunes filles, n'est pas innocent : le présupposé suggère que l'art n'est pas au niveau des joies sensorielles ou érotiques. Le narrateur note ainsi :

> Je me croyais bien loin des jeunes filles de la petite bande, et c'est en sacrifiant (...) l'espérance de les voir que j'avais fini par obéir à la prière de ma grand-mère et aller voir Elstir[1].

Mais c'est symboliquement celui-ci qui permet la rencontre avec Albertine « Simonet »[2] : le peintre, celui qui amène le visible à l'expression, rapproche l'apprenti-voyant de son objet de contemplation obsessionnel, les filles-fleurs. On relève d'ailleurs que la découverte de l'empiétement comme structure du monde sensible s'effectue à la fois grâce au peintre et grâce au désir, puisque les jeunes filles apparaissent de façon primordiale comme un moment du monde, un tout, une « comète » :

> Cette absence, dans ma vision, des démarcations que j'établirais bientôt entre elles, propageait à travers leur groupe (...) la translation continue d'une beauté fluide, collective et mobile[3].

1. *RTP* II, p. 199.
2. Sur ce jeu de mots qui conjoint peinture (Sisley, Monet...) et féminité, voir L. Keller, « Proust et Monet », *Marcel Proust 2*, éd. cit., p. 127.
3. *Ibid.,* p. 148 (p. 149 pour la « comète »).

L'apprentissage du regard originaire a bien pour corollaire l'expérience amoureuse, et l'art, loin d'être aux antipodes de la vie, est un moyen de la vivre plus pleinement[1].

Dans le présent de la narration, l'arrivée chez Elstir est donc disphoriquement connotée, et parallèlement accompagnée de la mention réitérée d'un aveuglement volontaire, comme si l'initiation devait se faire rituellement sous les auspices d'une *tabula rasa* visuelle ou sensorielle :

> Je m'efforçais, pour penser que j'étais dans l'antique royaume des Cimmériens (...) de ne pas regarder le luxe de pacotille des constructions (...) entre lesquelles la villa d'Elstir était peut-être la plus somptueusement laide (...). C'est aussi en détournant les yeux que je traversai le jardin qui avait une pelouse (...), une petite statuette de galant jardinier, des boules de verre où l'on se regardait (...)[2].

Cet aveuglement est aussi le signe que le héros refuse de se donner tout entier au visible. De nombreux objets du monde, ressentis comme non originaires dans des paysages que l'adolescent a appris depuis Kant à classer comme sublimes, sont ainsi renvoyés au néant : tables non débarrassées ; bâtiments vulgaires (mairies, cafés, pavillons balnéaires) ; marques d'une présence humaine (yachts sur la mer, baigneurs, cabines). D'autre part, si le jeune garçon découpe des pans de monde, c'est avant tout pour y retrouver des discours – de Bergotte, Swann ou Legrandin, de Leconte de l'Isle ou Chateaubriand –, ce qui aboutit à un échec, moins sans doute par « incapacité de savoir regarder »[3] que par un mauvais positionnement de la question de l'adéquation entre le langage et le réel. Pourtant, ces choses mêmes qu'il s'efforce de ne pas voir deviennent significativement l'écrin qui renferme la révélation de l'inanité de la sélection visuelle selon les critères de la sublimité. Car ce que le héros a jus-

1. Voir P.-L. Rey, Préface à *À l'ombre des jeunes filles en fleurs*, Paris, Gallimard, « Folio », 1988, p. XXI.
2. *RTP* II, p. 190.
3. *Ibid.*, p. 21.

qu'alors isolé du visible (nature immémoriale ou monuments artistiques reconnus) ne correspond pas à ce qu'Elstir a pour sa part retenu : le « jeune homme en coutil blanc accoudé sur le pont d'un bateau » que l'enfant s'efforçait jusqu'à présent de rendre transparent, les « baigneurs du premier plan, les yachts aux voiles trop blanches »[1]. Ce qui prime avec les révélations picturales d'Elstir, c'est donc l'acquisition d'un regard pur apte à ouvrir sur le « spectacle total de la réalité »[2], un regard conçu comme primaire et antérieur à toute régulation perceptive ou intellectuelle.

La méthode d'Elstir est trop connue pour être reprise en détail. On en retiendra à la fois ce qui dénote une évolution par rapport aux tentatives du héros qui ont été cernées en première partie et une reprise innovante du problème de la sensation.

Il s'agit pour le peintre de faire « l'effort » (ce mot revient constamment)

de ne pas exposer les choses telles qu'il savait qu'elles étaient, mais selon ces illusions optiques dont notre vision première est faite[3].

Ainsi, il s'intéresse tant aux « jeux des ombres » « qu'il s'était complu autrefois à peindre de véritables mirages » et à représenter les « éclipses de la perspective »[4]. L'entreprise est donc celle d'une ascèse du jugement : il faut « se dépouiller en présence de la réalité de toutes les notions de son intelligence »[5]. La démarche, pour cartésienne qu'elle paraisse, est en réalité phénoménologique. Contrairement aux expériences de sensation pure effectuées par le héros, le but du

---

1. *Ibid.*, p. 190 et p. 255. Voir aussi *RTP* III, p. 179 : « Mes yeux instruits par Elstir à retenir précisément les éléments que j'écartais volontairement jadis, contemplaient longuement ce que la première année ils ne savaient pas voir. »
2. *RTP* II, p. 190.
3. *Ibid.*, p. 194.
4. Grâce à un chemin interrompu par une « arête montagneuse, ou la brume d'une cascade » (*ibid.*, p. 197) et qui reprend plus loin (c'est-à-dire plus haut dans le tableau).
5. *Ibid.*, p. 196.

117

peintre n'est plus de réduire les attributs éphémères pour synthétiser l'essence de la chose dans un procès cognitif second, mais de maintenir en suspens ce qu'Alain de Lattre appelle justement l' *« hésitation première »* des choses[1]. Il s'agit donc d'un désir impressionniste dans ses modalités, mais aussi cubiste dans ses visées – restituer l'indécision sensorielle passe par la représentation simultanée de toutes les facettes de l'objet. L'éphémère acquiert ce faisant un statut ontologique qui contribuera, nous le verrons, à redéfinir le réel comme dynamisme.

Dans la perception volontaire et expérimentale du mirage, sensation première et intellection ne s'opposent plus frontalement. Car le jugement, pour s'omettre, n'en a pas moins partie liée avec le retour à l'originaire, la pente naturelle et *immédiate* de l'humain n'étant pas de percevoir sauvagement, mais d'ordonner le chaos : en découle le désir d'Elstir de recréer « ces illusions d'optique qui nous prouvent que nous n'identifierions pas les objets si nous ne faisions pas intervenir le raisonnement »[2]. L'appréhension de la genèse du visible se trouve en avant de nous, est le terme d'un processus conjoignant l'activité des sens et celle de l'intellect. Ce terme, notons-le, est aussi un retour à notre archéologie enfantine, le nourrisson ne distinguant pas le proche du lointain, le soi du non-soi. Le savoir que ce qu'on voit est illusion n'entame donc pas sa validité affective ou ontologique :

Dans le ciel encore clair, on voyait au loin de petites taches brunes qu'on eût pu prendre, dans le soir bleu, pour des moucherons, ou pour des oiseaux. Ainsi quand on voit de très loin une montagne on pourrait croire que c'est un nuage. Mais on est ému parce qu'on sait que ce nuage est immense, à l'état solide, et résistant. Ainsi étais-je ému que la tache brune dans le ciel d'été ne fût ni un moucheron, ni un oiseau, mais un aéroplane[3].

1. *Op. cit.,* t. I, p. 145.
2. *RTP* II, p. 712.
3. *RTP* IV, p. 313. Voir aussi *RTP* III, p. 180 : « Les nuages et le vent (...) parachevaient sinon l'erreur du jugement, du moins l'illusion du premier regard, la suggestion qu'il éveille dans l'imagination. »

À l'inverse, Proust, qui n'a rien d'un vitaliste primaire, ne critique pas l'intelligence ou le jugement pour eux-mêmes[1], mais l'utilisation qui en est faite et qui consiste à taxer d' « erreur » une impression qui a pourtant eu lieu et qui a été un moment du réel à part entière :

Il m'arrivait (...) d'entendre une dispute, presque une émeute, jusqu'à ce que j'eusse rapporté à sa cause, par exemple une voiture dont le roulement approchait, ce bruit dont j'éliminais alors ces vociférations aiguës et discordantes que mon oreille avait *réellement* entendues, mais que mon intelligence savait que des roues ne produisaient pas[2].

Le réel à ce stade ne s'oppose plus au non-existant...

DU MONDE FRAGMENTÉ
AU MONDE TOTAL

Ce que le peintre apprend aussi au héros est un certain usage du langage, pictural ou littéraire, qui consiste à transcrire les « rares moments où l'on voit la nature telle qu'elle est, poétiquement »[3]. Que les mots « être » et « poétique » soient synonymes est significatif. La condition de possibilité de l'écriture ou de l'art en général passe par une capacité à se ressourcer à notre sol perceptif et charnel, à un monde où les frontières ne sont pas celles du langage usuel[4].

On sait, et je n'y reviendrai pas, que la peinture d'Elstir est avant tout recherche de ce que Proust appelle métaphore ou métamorphose, en un refus des catégories que sont la « sépa-

---

1. Voir P.-L. Rey et B. Rogers, *RTP* IV, p. 1165 : « La sensation pure existe-t-elle ? (...) elle paraît à Proust (...) aussi marquée d'intellectualisme que l'intelligence est marquée d'impressions instinctives. »
2. *RTP* II, p. 192. Je souligne.
3. *Ibid.,* p. 192.
4. Voir G. Bachelard, *La Poétique de l'espace*, Paris, PUF, 1957, p. 192.

ration », la « démarcation », l' « interstice » ou la « frontière » :
il s'agit pour le peintre d'élaborer une esthétique de
l'empiétement, de la « comparaison », de l'enjambement, de
l' « amphibie »[1], de l'androgynie ou de l' « ambiguïté »[2]. Être à
l'écoute du sensible, c'est découvrir que le monde se donne
dans l'impression sans la fracture des catégorisations élaborées par la réflexion : comme le relève Alain de Lattre, Proust
est « celui qui conteste et nie les ordres, les répartitions »[3]. La
rationalité ayant tendance à confondre la chose et le mot, elle
s'acharne à nommer pareillement deux éléments sensoriel-
lement distincts mais intellectuellement conçus comme iden-
tiques, opérant une unification intelligible qui est en fait une
restriction de la différence interne à l'objet :

> L'intelligence faisait ensuite un même élément de ce qui était,
> ici noir (...), plus loin tout d'une couleur (...), et là si blanc (...) qu'on
> pensait à quelque chaussée de pierre ou à un champ de neige (...),
> mais qu'au bout d'un moment, en y voyant (...) des bateaux titu-
> bants, on comprenait, identique en tous ces aspects divers, être
> encore la mer[4].

Elstir crée donc les choses « en leur ôtant leur nom, ou en
leur donnant un autre »[5], pour pallier le classement nominal
et l'aplatissement du réel par notre intelligence et notre langage, qui font de la mer, si diverse en ses manifestations, une
entité unique – le nom « mer » est trop étroit pour son être,
et l'on sait qu'il en était de même pour les noms de pays de
Du côté de chez Swann.

Donner à une chose un « autre » nom revient à découvrir
dans le langage (ou dans le visible) une autre possibilité de
caractérisation de la chose. C'est utiliser une nomination

---

1. L'ensemble de ces termes est tiré des p. 192-193 de *RTP* II, qui décrit
« le tableau représentant le port de Carquethuit ».
2. *Ibid.,* p. 204, portrait de *« Miss Sacripant »*.
3. In *op. cit.,* t. I, p. 24.
4. *RTP* II, p. 194.
5. *Ibid.,* p. 191. Peindre, c'est dé-nommer. Voir, à ce sujet, B. Vouilloux,
« La description du tableau : la peinture et l'innommable », *Littérature*,
n° 73, février 1989, et M. Deguy, « Notes sur la méthode d'Arthur Rimbaud », *Choses de la poésie et affaire culturelle*, Paris, Hachette, 1986, p. 55-62.

selon un niveau qui diffère de la perception ou de la qualification usuelles tout en étant ontologiquement plus exact. Ainsi, si le clocher peut être nommé « meule », « pastoure », « coussin de velours » ou « coquillage »[1], le ciel, « mer »[2] ou zone bleue, l'océan « chaussée de pierres », « champ de neige »[3] ou « prairies alpestres »[4], ce n'est pas par un simple phénomène d'inversion des attributions ou par un pur procédé linguistique de transfert métonymique opérant à partir d'un environnement surdéterminant. S'il est vrai que, comme le rappellent justement Jean Ricardou et Gérard Genette, « qui s'assemble se ressemble »[5], le langage, surtout chez Proust, ne fonctionne jamais à vide :

En principe je suis pour appeler les choses par leur nom et pour ne pas faire consister l'originalité et l'innovation dans l'altération de ce nom[6].

Si choses et éléments sont dénommés et renommés, c'est qu'ils recèlent en eux les dimensions du visible évoquées par l'« autre » nom, qui apparaît, pour un moment précis, comme le terme propre et apte à décrire véritablement la particularité de tel clocher ou de telle mer. L'alchimie picturale, de la même façon, parvient à rendre visible les horizons du sensible (dans l'exemple qui suit, l'humidité de la mer et la matérialité de l'étoffe), qui semblaient par définition échapper à la visibilité :

Le veston du jeune homme et la vague éclaboussante avaient pris une dignité nouvelle du fait qu'ils continuaient à être, encore que dépourvus de ce en quoi ils passaient pour consister, la vague ne pouvant plus mouiller, ni le veston habiller personne[7].

1. *RTP* I, respectivement p. 182, p. 47, p. 64 et p. 65.
2. *RTP* II, p. 195 : « Au-delà de la mer (...), une autre mer commençait, rosée par le coucher de soleil, et qui était le ciel. »
3. *Ibid.,* p. 194.
4. *Ibid.,* p. 33.
5. J. Ricardou, *Nouveaux problèmes du roman*, Paris, Éd. du Seuil, 1978, p. 102-103.
6. Extrait d'une lettre à Jacques-Émile Blanche, cité par A. Compagnon, in *Proust entre deux siècles*, Paris, Éd. du Seuil, 1989, p. 218.
7. *RTP* II, p. 190.

Vincent Descombes montre bien que, dans ce passage, la représentation permet « d'extraire de la réalité physique » l'essence du visible et de passer de la « vague naturelle », qui éclabousse, à la « vague phénoménologique », qui ne mouille pas[1]. Comme le suggèrent de nombreuses autres descriptions d'Elstir, cependant, la vague peinte, paradoxalement, ne s'adresse le plus souvent au regard que pour exhiber ce qui, dans la « vague naturelle », échappe précisément à la vue et qui la constitue tout autant. En effet, l'eau possède, à l'intérieur même de sa visibilité, un aspect « terraqué », un horizon de tangibilité terrienne ou pierreuse, une consistance neigeuse, une configuration citadine, champêtre ou alpestre, qui influent autant sur sa manifestation que son apparence purement visible (qui n'est en réalité qu'une construction de l'esprit). Ce qu'Elstir s'attache ainsi à restituer, ce sont moins ces qualités latentes et synesthésiques de l'élément marin *en tant que telles* – et comment le pourrait-il, puisqu'il s'agit d'un simulacre de vague, d'une vague peinte ? –, que ce qui relève en elles de la visibilité. Merleau-Ponty s'en souviendra peut-être, lui qui remarque, dans *L'Œil et l'Esprit*, que

la peinture n'évoque rien, et notamment pas le tactile. Elle fait tout autre chose, presque l'inverse : elle donne existence visible à ce que la vision profane croit invisible[2].

C'est donc bien parce qu'il n'y a pas de vision pure que l'illusion sensorielle se trouve chez Proust constamment valorisée et accède à la dignité de procédé littéraire ou pictural. Elle dévoile l'indivision du sensible et suggère que la sensation est d'emblée reliée à notre être total : il n'y a pas de pur *percipi*, visuel ou autre, parce qu'il n'y a de toute façon jamais, sauf pour le raisonnement, de chose qui puisse être totalement saisie hors de son rayonnement sub-

1. *Op. cit.*, p. 280.
2. Paris, Gallimard, 1964, p. 27.

jectif, hors de son insertion dans le paysage ou par-delà ses horizons synesthésiques.

Le leurre sensoriel acquiert ainsi chez Proust, contemporain d'Husserl, un statut révolutionnaire : l'inexactitude apparente de l'illusion n'empêche pas sa portée ontologique, elle l'institue bien plutôt. Comme le rappelle Merleau-Ponty, notre ouverture à l'Être nous apprend qu'une

expérience est toujours contiguë à une autre expérience, que nos perceptions, nos jugements, notre connaissance entière du monde peuvent être changés, barrés, dit Husserl, mais non annulés, que sous le doute qui les frappe, apparaissent d'autres perceptions, d'autres jugements plus vrais, parce que nous sommes dans l'Être et qu'il y a quelque chose[1].

Le renversement des valeurs optiques ou des nominations habituelles permet ainsi de comprendre que l'immatériel (qui ne se confond pas avec le non-être) appartient de fait à notre perception du réel. Le reflet, comme le note Gaëtan Picon[2], a une consistance ontologique parfois plus forte que la chose même, la lumière est aussi importante que l'objet, et nous verrons en seconde partie qu'il est certains états élémentaires ou naturels, comme l'eau, la neige, l'ombre, la vapeur ou la brume, qui ont la faculté extrême de disparaître en tant que tels *pour* cristalliser le rayonnement normalement imperceptible du jour. On pense au « port de Carquethuit », où

les reflets avaient presque plus de solidité et de réalité que les coques vaporisées par un effet de soleil et que la perspective faisait s'enjamber les unes les autres[3],

ou à l'ombre de la tour représentée par le peintre dans une autre toile, qui a « la dureté et l'éclat de la pierre », tandis que « la pierre (est) aussi vaporeuse que l'ombre »[4]. Dans le pas-

1. *Le Visible et l'Invisible*, éd. cit., p. 170.
2. *Op. cit.,* p. 153.
3. *RTP* II, p. 193.
4. *Ibid.,* p. 195.

sage déroutant des Creuniers, d'autre part, Proust, contrairement à son habitude, personnifie les « Ombres » qui laissent « paraître à fleur d'eau leur corps gluant et le regard attentif de leurs yeux foncés »[1]. L'ombre, insaisissable par excellence et soumise aux aléas climatiques de l'apparition d'un rayon de soleil, a, dans la splendeur de l'impression première, une densité d'autant plus forte et fantastique qu'elle n'est qu'un moment du monde guetté par la menace d'une disparition immédiate et totale. L'étude de la profondeur proposée en troisième partie montrera que c'est ce mouvement même de l'apparaître et cette fragilité de l'instant sensible, irréductible à la fixation, que Proust cherche à exprimer.

L'aveuglement qui inaugure la visite à l'atelier du peintre et l'apprentissage d'un regard originaire engendrent un nouveau rapport au sensible, où la place de la fragmentation se nuance considérablement. Contrairement aux tentatives de sensation pure qui réifiaient la chose en la transformant en entité close et qui séparaient le sujet de la contingence du moment et de sa situation pour le transformer en un sentant exemplaire, l'accès à la vision primaire est l'occasion de renouer les liens rompus entre l'objet, le sujet et les circonstances :

> Les joies intellectuelles que je goûtais dans cet atelier ne m'empêchaient nullement de sentir, quoiqu'ils nous entourassent comme malgré nous, les tièdes glacis, la pénombre étincelante de la pièce (...) la résistante sécheresse de la terre brûlée de soleil (...). Peut-être l'inconscient bien-être que me causait ce jour d'été venait-il agrandir, comme un affluent, la joie que me causait la vue du « Port de Carquethuit »[2].

Non que le schème de la fragmentation ne joue un rôle considérable dans la *Recherche*. Le cloisonnement et le morcellement sont des données essentielles de l'esthétique, voire de l'ontologie proustienne :

1. *Ibid.,* p. 278.
2. *RTP* II, p. 198.

Notre temps a la manie de vouloir ne montrer les choses qu'avec ce qui les entoure dans la réalité, et par là de supprimer l'essentiel, l'acte de l'esprit qui les isola d'elle[1].

Une telle affirmation nous éloigne de la suppression des frontières et de la toute-puissance du reflet qui fascinera tant le héros dans les toiles d'Elstir. Cependant, Luc Fraisse a montré qu'un deuxième mouvement caractérise l'art de la fragmentation proustienne, celui de la synthétisation du divers et de la totalisation[2] : au « morceau » clos et disparate de l'âge des noms s'oppose le fragment que la « réfraction » et la « dissémination » transforment en symbole ou en « éclat » du tout[3]. Le concept de fragmentation n'est en effet valable que dans la mesure où il se trouve relié, selon une dialectique complexe, à celui d'imbrication. L'empiétement et la surimpression, plus encore que le déplacement ou la juxtaposition, permettent de pallier le « hiatus » et le « vide » relevés par Georges Poulet, qui résultent du fait que « tout se fractionne irrégulièrement dans le monde de Proust »[4]. Il demeure que la sensation s'élabore toujours sur ce fond de discontinuité qui, pour être dépassé et récusé, n'en hante pas moins la totalisation finale.

L'impression première, et notamment l'illusion optique, engendrent ainsi un rapport au monde où le reflet devient si essentiel qu'il finit par désigner un procédé général de création, valable autant pour l'art pictural que littéraire[5] :

La littérature ne devrait montrer une femme que portant comme si elle était un miroir les couleurs de l'arbre ou de la rivière près desquels nous avons l'habitude de nous la représenter[6].

1. *RTP* II, p. 5.
2. *Op. cit.*, p. 66-67.
3. *Ibid.*, p. 174-175 et 399-403.
4. « Proust », *La Pensée indéterminée, II. Du Romantisme au XXe siècle*, Paris, PUF, 1987, p. 250-252.
5. Proust organise « la conversation entre la peinture et la littérature » (T. Laget, « Le vernis d'un autre maître. Proust et la peinture ancienne », in *Marcel Proust. L'écriture et les arts*, Paris, Gallimard-BNF-RMN, 1999, p. 29).
6. *Le Côté de Guermantes II*, éd. Flammarion, p. 375, n. 53.

Le morceau, à force de perdre ses contours (qu'on pense aux lèvres d'Esther), finit par disparaître comme tel et par s'intégrer dans un monde global où l'empiétement légifère. C'est ce dont témoigne, dans la version définitive, le goût du héros pour les toiles représentant une « fête au bord de l'eau » où la robe d'une femme « reçoit la même lumière que la voile du bateau », parce que « la robe commune et la voile en elle-même jolie sont deux miroirs du même reflet »[1] (le fantôme de Renoir, voire celui de Chevreul, hantent bien sûr cet extrait). Le texte suggérait d'ailleurs un peu plus haut que la luminosité sert véritablement d'*élément* commun – au sens merleau-pontien – aux êtres aux choses :

Ce qui ravissait dans la robe d'une femme cessant un moment de danser (...) était chatoyant aussi, et de la même manière, dans la toile d'une voile arrêtée, dans l'eau du petit port, dans le ponton de bois, dans les feuillages et dans le ciel[2].

Certes, même dans les passages relatant une expérience d'empiétement sensible, la fragmentation exerce un rôle important, en tant qu'opérateur stylistique (et donc signifiant). Si le tableau de Carpaccio, *La Légende de Sainte-Ursule*, se caractérise par une disparition des frontières, celle-ci s'effectue, comme c'est aussi le cas dans l'extrait qui précède, *à l'intérieur* d'un cadre général qui est celui de la toile, « morceau » lui-même enchâssé dans cet ultime « morceau » *quasi* insulaire qu'est Venise. Il n'est cependant pas indifférent qu'en dernière instance, cette ville incarne la fluidification des espaces et des temps. *La Légende de Sainte-Ursule* relève d'une esthétique du miroitement, qui vise à rendre compte de l'indivision du sensible à l'intérieur de la fragmentation initiale, en une tension que Luc Fraisse avait déjà relevée lorsqu'il précisait que chez Proust, la décomposition senso-

---

1. *RTP* II, p. 714 ; « la matière est dans la lumière » précise un avant-texte (*RTP* II, variante a. de la p. 714, p. 1744).
2. *Ibid.,* p. 713-714. On retrouvera cette thématique du miroitement, appliquée cette fois à la transversalité temporelle, dans *RTP* IV, p. 451.

rielle ou la dissémination narrative s'accompagnent d'un
« rassemblement »[1] :

> Les navires étaient massifs, construits comme des architectures,
> et semblaient presque amphibies comme de moindres Venise au
> milieu de l'autre, quand amarrés à l'aide de ponts volants, recou-
> verts de satin cramoisi et de tapis persans, ils portaient des femmes
> en brocart (...) tout près des balcons incrustés de marbres multico-
> lores où d'autres femmes se penchaient (...). On ne savait plus où
> finissait la terre, où commençait l'eau, qu'est-ce qui était encore le
> palais ou déjà le navire, la caravelle (...)[2].

Le goût pour une peinture où les hommes ne sont pas
séparés du monde qui les entoure, où les cloisonnements
habituels sont pervertis, se trouvait déjà dans « Le Port de
Carquethuit ». L'art du peintre consiste ainsi à représenter
l'invisible – cet espace qui n'est plus perçu comme un vide
préexistant où choses et êtres peuvent prendre place sans
influer sur lui, comme un fond ne servant qu'à circonscrire
et englober des objets distants les uns des autres, mais
comme un réseau vacillant et momentané où les notions
d'échange et de paradoxe deviennent primordiales. Elstir
peint ainsi la chaleur en boursouflant et en transformant en
buée l'eau de la mer, ou en bleuissant ses ombres qui, par
contraste, mettent en relief l'assèchement du paysage. De
même, il relie les différents éléments du monde tels des mâts
de bateaux ou des clochers d'églises.

Progressivement cependant, c'est dans le réel et non plus
seulement dans les tableaux du peintre que le héros retrouve
cette réversibilité générale. En témoigne la fascination du
jeune homme pour les femmes qui savent instinctivement se
mettre au diapason du temps qu'il fait[3], sa satisfaction à

---

1. *Op. cit.,* p. 379.
2. *RTP* II, p. 252.
3. Un exemple parmi d'autres innombrables, dans *RTP* I, p. 626 : la toi-
lette d'Odette « était unie à la saison et à l'heure par un lien nécessaire,
unique (...) les petits rubans de sa robe me semblaient naître du mois de
mai ; (...) son ombrelle [était] ouverte et tendue comme un autre ciel
plus proche ».

l'idée qu'une couleur devienne comestible – on se souvient qu'il jouit de la couleur bleue ou rose du ciel selon qu'elle s'accorde au mulet ou au saumon qu'il se fera servir à Rive-belle[1] –, ou son « plaisir » lorsqu'un bateau « fluidifié » sur l'horizon semble « de la même matière »[2] vaporeuse que le ciel. Si le fragment demeure un penchant fondamental du rapport au monde proustien, c'est comme un « anneau » d'une suite ontologique ou stylistique, qui attire comme un aimant d'autres morceaux vers lui, bref comme rapport plus que comme un tout isolé voire symbolique. L'art proustien est fondamentalement un art de la liaison, ce qui ne signifie pas, nous le verrons, qu'il faille sous-estimer le rôle joué par la distance, l'intervalle et l'hétérogénéité.

La jouissance de l' « erreur » des sens devient alors quoti-dienne, et même recherchée[3]. En témoignent les expériences d'aveuglement et de surdité volontaires du héros, où s'accomplit une dialectique entre l'infime de la sensation et son excès, puisque le sourd devient un hyper-voyant et l'aveugle un hyper-entendant. Doncières, avec l'épisode du « tic-tac » versatile de la montre dans l'obscurité, du feu-éternuement, des bouchons d'oreille expérimentaux, du lait bouillant évoquant une cascade[4], est bien un lieu magique où la focalisation sur un seul sens permet la résurrection d'un monde habituellement gommé. En fait, les mentions gratui-tes et apparemment sans motivation romanesque (du moins dans l'ordre de l'intrigue) de l'illusion optique ou auditive se font au fil du roman de plus en plus nombreuses et finissent par saturer certains passages :

J'allai me mettre un instant à la fenêtre. (...) Sur le trottoir une femme peu élégante (...) passait, trop claire dans un paletot sac en poil de chèvre ; mais non, ce n'était pas une femme, c'était un

1. *RTP* II, p. 161. Le héros aime d'ailleurs le jus de cerise ou de poire parce qu'il semble transformer la couleur en saveur.
2. *Ibid.*, p. 162.
3. Voir, par exemple, *RTP* II, p. 685.
4. *Ibid.*, p. 373-377. Voir aussi p. 396.

chauffeur qui, enveloppé dans sa peau de bique, gagnait à pied son garage. (...) Le ronflement du violon était dû parfois au passage d'une automobile, parfois à ce que je n'avais pas mis assez d'eau dans ma bouillotte électrique. (...) Dans une boucherie, où à gauche était une auréole de soleil et à droite un bœuf entier pendu, un garçon boucher (...) aux cheveux blonds [séparait les quartiers de viande][1].

C'est l'atmosphère en général qui compte désormais. Les objets (reflet de soleil, morceau de viande) sont perçus dans une sensation visuelle indivise, où priment les couleurs solaires ou sanguines, placées sur un même plan grammatical (« à gauche (...) une auréole de soleil et à droite un bœuf entier pendu »). Le sujet, grâce à l'impression première, n'est désormais plus coupé du monde qui l'entoure, et le narrateur pourra formuler ce qu'il vivait depuis l'enfance, un accord originaire et inconscient (qui n'est d'ailleurs pas forcément vécu sur un mode euphorique). Car nous partageons le temps

des choses qui eurent (...) à côté de nous, leur part dans une certaine heure qui sonnait, la même pour nous et pour elles[2].

L'illusion sensorielle est si essentielle qu'elle intervient dans les dernières pages de la *Recherche* comme une potentialité révolutionnaire de l'écriture, que Proust a finalement peu mise à profit[3] (par surcharge de travail, dirait peut-être le narrateur qui donne la priorité à l'inscription de l'homme dans le temps). Cette révolution annonce, toutes proportions gardées, certains renouvellements pongiens :

Il est bien d'autres erreurs de nos sens (...) qui faussent pour nous l'aspect réel de ce monde. Mais enfin je pourrais à la rigueur, dans la transcription la plus exacte que je m'efforcerais de donner, ne pas changer la place des sons, m'abstenir de les détacher de leur

---

1. *RTP* III, p. 643-644. Le passage entre crochets résume la fin de la citation.
2. *RTP* IV, p. 204.
3. Pour un exemple d'indécision sonore, trahie d'avance par Tante Léonie (« la journée ne se passera pas sans pluie »), voir *RTP* I, p. 100.

cause à côté de laquelle l'intelligence les situe après coup, bien que faire chanter la pluie doucement au milieu de la chambre et tomber en déluge dans la cour l'ébullition de notre tisane ne dût pas être en somme plus déconcertant que ce qu'ont fait si souvent les peintres quand ils peignent, très près ou très loin de nous, selon que les lois de la perspective, l'intensité des couleurs et la première illusion du regard nous les font apparaître, une voile ou un pic que le raisonnement déplacera ensuite de distances quelquefois énormes[1].

À l'extrême fin du *Temps retrouvé*, les « erreurs de nos sens » ne qualifient plus ce que la philosophie classique a coutume d'entendre par là – l'illusion sensorielle – mais bien la manière « normale » d'appréhender le monde ! En effet, au début de cette citation, l'exactitude, présentée comme un pis-aller (« à la rigueur ») au manque de temps, se trouve opposée à « l'aspect réel », au sens fort et valorisé, du monde. L' « erreur » a donc changé de terrain et vient qualifier les opérations synthétisantes de l'intellect : quant à la réalité, elle ne se révèle plus qu'à celui que Valéry appellera « l'ingénu que nous portons en nous », cet « enfant » que « nous réprimons » mais « qui nous demeure et qui veut toujours voir pour la première fois »[2]. Le retour à l'immédiateté passe donc par une revalorisation de l'erreur des sens, qui n'en est une que pour une pensée accrochée à une définition objective et définitive de la réalité. Comme le remarquait Merleau-Ponty,

Chaque perception (...) est le terme d'une approche, d'une série d' « illusions » qui (...) étaient (...) des possibilités qui auraient pu être, des rayonnements de ce monde unique qu' « il y a »... – et qui, à ce titre, ne font jamais retour au néant ou à la subjectivité, comme si elles n'étaient jamais apparues, mais sont plutôt, comme le dit bien Husserl, « barrées » ou « biffées », par la nouvelle réalité[3].

1. *RTP* IV, p. 622. On pense ici aux *Carnets de Malte Laurids Brigge*, de Rilke : « Les tramways traversent furieusement ma chambre en sonnant. Les automobiles passent par-dessus moi » (éd. cit., p. 22).
2. « L'homme et la coquille », *Variété V*, éd. cit., p. 15.
3. *Le Visible et l'Invisible*, p. 65.

Cette réhabilitation de la validité ontologique de l'illusion ne s'effectue cependant pas qu'au niveau de l'activité sensorielle qui vient d'être d'analysée. Alain de Lattre a relevé[1] que la prise en compte de la fonction incontournable de la croyance dans la constitution du sensible est en effet le second versant de la redéfinition d'une sensorialité qui disparaît comme présent pur ou perception frontale d'un objet, pour être revisitée comme empiétement de champs. Elle est enfin, et c'est là l'objet du propos qui suit, entrecroisement de projets et de désirs, et socle de la vocation littéraire. Si le héros prenait clairement en charge la première reconfiguration qui a été analysée dans les pages qui précèdent, nous allons voir que la réhabilitation des croyances dans l'institution du réel relève d'une focalisation plus complexe et plus tardive – sans doute parce qu'elle est indispensable à la transformation du héros en narrateur.

LES CROYANCES, SOCLE DE LA VOCATION

Une interprétation courante de la *Recherche* montre que les croyances – désirs inconscients, mythes sécularisés, préjugés, projets – coupent le héros du réel et l'enferment dans des fantasmes qui ne sont pas mêmes fixes puisqu'ils changent avec le temps. On oppose alors ces croyances, perçues comme des illusions, voire des refoulements, à la quête de lucidité et de connaissance qui caractérise profondément le narrateur (recherche des lois, approfondissement des motivations secrètes ou inconscientes des comportements). Dans cette optique, la croyance est pour l'esprit ce qu'est l'erreur des sens pour le corps, une étape provisoire et négative. On peut alors,

---

1. Voir *op. cit.,* t. II, p. 172-174, p. 177 et p. 180-188.

de façon tout à fait justifiée, montrer que l'itinéraire du héros s'assimile à un parcours désillusionnant du monde et d'autrui, qui passe notamment par une reconnaissance des mobiles de nos actes (le héros, par exemple, relie ses différentes amours à l'archétype de Gilberte), et fait de l'art le seul moyen de dépasser le relativisme inhérent à notre perception du réel.

Mais la position de Proust est plus complexe. Certes, le héros théorise moins qu'il ne l'expérimente, de façon d'ailleurs souvent disphorique, l'impact ontologique des croyances. Le narrateur cependant s'attache constamment à en restituer la portée, parce que, comme le relève Georges Poulet, « le temps perdu et retrouvé n'est (...) pas seulement le passé, mais comme dit Proust, la capacité longtemps perdue d'*avoir foi* en un futur »[1]. Rappelons ainsi que la portée extatique des réminiscences vient précisément du fait qu'elles ressuscitent un « moi » complet. La visée subjective du monde n'est donc pas un simple ajout à la réalité, mais une de ses caractéristiques essentielles : on reconnaît là plusieurs héritages possibles, de Rousseau à Baudelaire. L'intelligence des lois, ne l'oublions pas, est présentée par le narrateur comme un relais de l'imagination ou de la sensibilité, plus que comme la fin dernière de l'art. Surtout, la loi renvoie non pas à la nécessité de dépasser les croyances pour accéder à la vérité, mais à leur caractère trop souvent ponctuel, illusoire, égoïste, monadique : elle caractérise la croyance sans la supprimer. À aucun moment Proust ou le narrateur n'affirme que le réel puisse se retrouver par-delà la croyance. Bien au contraire, il précise avec force que c'est surtout la seconde moitié, subjective, du « sillon » qui doit être dévoilée. Que la croyance soit souvent une mauvaise piste quant à la conduite pratique à tenir dans la vie ou quant à notre approche d'autrui, ne signifie pas qu'on puisse ressaisir le temps perdu sans elle ou parvenir à une réalité objective. La « vérité » proustienne n'est pas une vérité de type scientifique, valable en tout temps et en tout lieu (ou supposée telle) : au contraire, elle met en relief la

1. *Études sur le temps humain/4*, Paris, Plon, 1964, p. 326.

fluctuation de notre saisie du monde, de nous-même ou d'autrui. Je vais tenter de montrer, par deux textes qui paraissent à première vue pouvoir servir de contre-exemple à ma thèse, qu'il n'est de réalité qu'habitée. En effet, l'ontologie chez Proust a pour substrat ces croyances « que nous ne percevons pas mais qui ne sont pas plus assimilables à un pur vide que n'est l'air qui nous entoure »[1].

On se souvient que l'ivresse, que j'ai utilisée comme archétype de la confusion dommageable avec l'objet, provoquait une hyperbolisation de la fonction du fantasme qui envahissait le rapport au monde et en faussait les implications réelles. Certaines expériences de constat sensoriel pèchent en sens inverse et détruisent le fondement imaginaire de la foi perceptive, engendrant ce que Philippe Chardin nomme une « hostilité à l'égard de la "réalité" au sens prosaïque, c'est-à-dire essentiellement au pur présent »[2]. Dans les deux cas, pourtant, c'est un identique rapport à l'instant comme *punctum* discret qui se trouve mis en relief. La rupture du lien qui depuis l'enfance s'établissait entre les « croyances » (désir, crainte, projection vers l'avenir, rêves, mythes) et la sensation (au sens physiologique de réception d'un certain nombre de stimuli) induisent moins une appréhension plus objective du monde qu'un désengagement qui passe à côté de notre implication incontournable dans le réel. Pour saisir le rôle fondamental de « l'interférence du perçu, de l'imaginaire, de l'affectivité vécue »[3], le héros doit d'abord poursuivre deux pistes apparemment contradictoires.

Le premier mouvement rappelé en première partie, l'osmose négative, consiste à confondre purement et simplement le réel et l'imaginaire :

Tenant l'étendue dans le champ de ma vision, je la drainais de mes regards qui eussent voulu en ramener une femme. (...) Je fixais indéfiniment le tronc d'un arbre lointain, de derrière lequel elle

1. *RTP* III, p. 655.
2. *Le Roman de la conscience malheureuse*, Genève, Droz, 1982, p. 243.
3. G. Florival, *op. cit.,* p. 21.

allait surgir et venir à moi ; l'horizon scruté restait désert (...),
c'était sans espoir que mon attention s'attachait, comme pour aspirer les créatures qu'il pouvait receler, à ce sol stérile[1].

Mais l'activité sensorielle, pour intense qu'elle soit, ne peut créer l'objet du désir : l'imaginaire seul ne permet pas d'accéder au sensible de façon satisfaisante. S'il n'est étayé par du sensoriel, il ne va à la rencontre de rien d'autre que de ses propres projections, comme l'apprendra le héros à ses dépens en fréquentant de près le monde des Guermantes. La réalité, enfermée dans le moi qui fonctionne alors comme une toupie qui tourne sur elle-même, perd sa solidité et sa dimension de présence, cette assise mondaine qui fait que nous sommes persuadés que nous ne vivons pas seulement dans un monde de rêve, de désir ou d'illusion.

Nous avons vu que le héros se concentre alors (ou conjointement) sur l'autre bout de la chaîne, la sensation objective. Mais celle-ci se fait en retour destructrice de l'horizon fantasmatique des choses. En réduisant l'objet à sa configuration matérielle, en désamorçant les développements du mythe ou de l'imaginaire, la sensation fait accéder à un réel réduit à une pure superficie close sur elle-même. Il est inutile de revenir sur ces désillusions célèbres et déjà fort bien étudiées qui ponctuent la *Recherche*[2], roman de sensations déceptives, où le regard, le toucher, l'odorat se heurtent à la surface impénétrable des choses ou des êtres :

Tant de fois, au cours de ma vie, la réalité m'avait déçu parce qu'au moment où je la percevais mon imagination, qui était mon seul organe pour jouir de la beauté, ne pouvait s'appliquer à elle, en vertu de la loi inévitable qui veut qu'on ne puisse imaginer que ce qui est absent[3].

1. *RTP* I, p. 156.
2. Découverte sensorielle que la duchesse de Guermantes n'est pas un mythe, mais une femme élégante parmi d'autres, pourvue d'un visage qui n'a rien à voir avec la syllabe orangée de son titre, qu'un pays ne se confond pas avec le désir que nous avions de le voir ou avec les horizons, même restreints, que nous ouvrait son nom, etc.
3. *RTP* III, p. 450-451.

Comme le résume Gaëtan Picon,

D'une part, le réel est décevant, irrespirable – et respirable seul le monde de l'esprit : imagination, mémoire. D'autre part, le monde mental est falsification et appauvrissement du réel, dont la vérité est convoitée. Car si la réalité est souvent décevante, c'est aussi parce que l'imagination a été mystificatrice : l'audition de la Berma, la découverte de Venise, la rencontre d'Oriane de Guermantes, ces expériences sont-elles une critique du réel, ou une critique de l'imagination ?[1]

Particulièrement importants sont ces moments où la foi dans le réel disparaît : le monde devient littéralement muet, incapable d'en appeler au pouvoir évocateur du sujet comme c'était le cas dans le mythe proustien de la croyance celtique où l'intimité de l'objet en appelait à sa délivrance. Le moi se trouve désormais enfermé dans un présent sans horizons ou replié dans un passé qui ne soutient plus l'instant de toute la force de son avoir-été.

J'ai rappelé que de nombreux commentateurs interprètent cet apprentissage de la désillusion et de la démythification comme un aspect positif de l'itinéraire du héros vers la vérité : plusieurs textes semblent témoigner de l'impénétrabilité du sensible, qui se réduit à une collection de faits matériels dépourvus de profondeur ; en découlerait la nécessité d'un retour sur l'esprit qui serait seul garant du vrai. Mais cette dichotomie reste simpliste. En effet, deux passages présentent de façon négative cette dévalorisation de la sensation provoquée par l'anéantissement des croyances sont particulièrement importants. Ils se situent significativement à deux endroits stratégiques de la *Recherche* : à la clôture du premier tome pour la promenade désenchantée au Bois de Boulogne, réécriture d'un *topos* romantique[2] qui pèse comme une

---

1. *Lecture de Proust*, éd. cit., p. 109. Sur l'émulation de l'imagination et de la réalité dans l'amour, voir R. Breeur, *Singularité et sujet*, Grenoble, Jérôme Millon, 2000, p. 184 et s.
2. De « Le lac » de Lamartine à « Après trois ans » de Verlaine, en passant par « Tristesse d'Olympio » de Hugo. Contrairement à l'affirmation de

menace sur la possibilité même d'une suite narrative, et au milieu du *Temps retrouvé*, juste avant la décisive Matinée Guermantes, pour l'arrêt du train en rase campagne, qui pose un ultime frein aux prétentions littéraires du héros. Dans les deux cas se jouent donc l'avenir du roman et celui de la vocation du protagoniste, la platitude sensorielle engendrant une perte de foi dans l'écriture et dans la valeur ontologique de l'art.

Je propose d'analyser ces deux lamentations, sur la disparition des croyances d'une part, comme la preuve qu'il n'y a de véritable sensation que reliée à l'existence globale du sujet (dont font partie ses illusions), d'autre part comme le signe qu'il n'y a possibilité de création littéraire que si la foi perceptive ainsi comprise se trouve conservée. Si la beauté et le sens du monde meurent avec les croyances, ce n'est pas que les croyances manquent d'objectivité, c'est qu'au contraire celle-ci est un leurre de l'esprit.

Les deux textes qui vont être étudiés sont focalisés par ce que Marcel Muller appelle le Sujet intermédiaire, « forme antérieure du Narrateur, ou, au contraire (...) Héros vieilli »[1], qui fait une double et pessimiste découverte. D'une part l'imaginaire et le désir s'avèrent des puissances trompeuses qui n'ont rien à voir avec la vérité qui est le but de toute œuvre digne de ce nom, d'autre part le réel sans ces leurres ne vaut cependant pas la peine d'être écrit. L'art et la vie sont donc renvoyés dos à dos. Ce constat, quoique provisoire et amené à être dépassé avec les épiphanies, recèle une vérité de taille : pour dévalorisant qu'il soit, il établit une interdépendance entre le réel et l'œuvre. Cet entrecroisement constituera un peu plus tard le cœur de la vocation du Narrateur qui comprendra qu'il n'y a pas de possibilité d'écriture sans une restauration de la réalité et de la totalité de ses horizons.

« Nuit de mai » de Musset (« l'homme n'écrit rien sur le sable »), Proust suggère que la restitution de la temporalité est précisément au centre de la vocation artistique.

1. *Les Voix narratives dans « la Recherche du temps perdu »*, Genève, Droz, 1965, p. 19.

Mort du Bois, mort du Moi

La promenade au Bois de Boulogne commençait paradoxalement par une émulation entre un monde sensible aux
appels obsessionnels et un moi survolté :

Dans ma chambre fermée, [les feuilles mortes] s'interposaient
depuis un mois, évoquées par mon désir de les voir, entre ma
pensée et n'importe quel objet auquel je m'appliquais, et tourbil-
lonnaient comme ces taches jaunes qui parfois (...) dansent devant
nos yeux[1].

Mais ce qui attend le héros est un présent qui a perdu
toute dimensionalité et tout enracinement, une plane anti-
thèse de la profonde église mérovingienne de Combray :

J'étais encore à interroger vainement les chemins désertés. Le
soleil s'était caché. La nature recommençait à régner sur le Bois
d'où s'était envolée l'idée qu'il était le Jardin élyséen de la Femme ;
au-dessus du moulin factice le vrai ciel était gris ; le vent ridait le
Grand Lac de gouttelettes, comme un lac ; de gros oiseaux parcou-
raient rapidement le Bois, comme un bois, et poussant des cris
aigus se posaient (...) sur les grands chênes qui (...) semblaient pro-
clamer le vide inhumain de la forêt désaffectée (...). La réalité que
j'avais connue n'existait plus[2].

Ce qui se joue dans ces quelques lignes de la fin de *Du côté
de chez Swann* est moins la découverte d'une inanité de notre
cratylisme natif que celle d'un hiatus fondamental entre la
vie cyclique et continue de la nature et l'insertion de
l'homme dans une temporalité irréversible. Entre les deux, le
rapport au temps s'avère si différent qu'il provoque une
déchirure de la capacité esthétique aux deux sens du terme :
la sensation qui n'est plus étayée par une foi ou une croyance
devient pur stimulus empêchant l'interpénétration du moi et
du monde, et provoque une chute qualitative stylistique fon-

1. *RTP* I, p. 414.
2. *Ibid.*, p. 419.

damentale. Ce texte nous montre donc ce qu'aurait été (ou plutôt ce que n'aurait pas été) un roman qui ne se fonderait pas sur une approche novatrice de la sensation : celle-ci, habitée par la croyance et le souvenir, leur confère en retour une présence mondaine indispensable.

La sensation désenchantée se caractérise tout d'abord par une clôture temporelle – puisqu'il n'y a plus d'horizon d'attente ou de désir – liée à la perte de la croyance en une adéquation de la féminité et de la nature. Cette dernière se trouve minée par l'absolument « réel » et devient réfractaire à toute métaphorisation, non sans rappeler le dernier chapitre de *Sylvie*[1] ou le début du célèbre texte des *Mémoires d'outre-tombe* dont Proust se réclame dans *Le Temps retrouvé* : « Hier au soir je me promenais seul ; *le ciel ressemblait à un ciel d'automne* », le soleil « s'enfonçait dans des nuages au-dessus de la tour d'Alluye, d'où Gabrielle, habitante de cette tour, avait vu comme moi le soleil se coucher il y a deux cents ans. Que sont devenus Henri et Gabrielle ? »[2]

Le thème de l'irréversibilité du flux temporel s'inscrit certes dans une filiation littéraire qui empêche de faire sentir une absolue solitude de la conscience humaine, puisque des auteurs aussi variés qu'Horace[3], Virgile[4], Anatole France (allusion au *Livre de mon ami*) ou Baudelaire sont implicitement convoqués aux côtés de Nerval et Chateaubriand. Il y a

---

1. Voir mon article « De *Sylvie* à la *Recherche* : Proust et l'inspiration nerva-lienne », *Romantisme*, n° 95, 1997, p. 39-49. Le « moulin factice » proustien peut renvoyer au « lac factice » du chapitre IX de *Sylvie*. Sur Nerval et Proust, voir aussi K. Yoshikawa, « Les manuscrits de Proust ou la naissance de la *Recherche* », in *Marcel Proust. L'écriture et les arts*, éd. cit., p. 117-118, et P.-L. Rey, « Proust lecteur de Nerval », *Bulletin d'informations proustiennes*, n° 30, 1999, p. 19-27.
2. (1848-1850), Paris, Gallimard, Bibl. de la Pléiade, 1951, III, 1, p. 76 (je souligne).
3. Voir, selon la note 320 de *Du coté de chez Swann*, éd. Flammarion, p. 628, la reprise de l'ode XIV du Livre second des *Odes*, v. 1-2.
4. A. Bouillaguet rappelle qu'Énée rencontre, dans le chant VI de l'Énéide, « les héroïnes mortes d'amour qui se promènent indéfiniment dans les allées de myrtes » (*Marcel Proust. Le Jeu intertextuel*, Paris, Nizet, 1990, p. 91).

là un « jeu intertextuel »[1], pour reprendre l'expression d'Annick Bouillaguet, qui renvoie à une première approche de l'esthétique de la surimpression qui sera examinée en troisième partie. Paradoxalement cependant, ce texte se caractérise par une écriture se voulant a-poétique, en quelque sorte antiproustienne, comme pour redoubler la vacuité du réel. Effectivement, la tautologie est bien l'unique figure qui concrétise l'impossibilité de toute figure, avant le silence total. Le Bois n'est qu'un bois, le lac qu'un lac, et il n'y a plus rien à dire de ces monosyllabes (« gris », « lac », « bois ») tranchants comme des couperets, sinon à ressasser dans une répétition aux antipodes des procédés métaphoriques chers à Proust. La disparition même de la majuscule est symptomatique : le bois n'est plus un nom propre pourvoyeur de rêve, mais une réalité plane et massive. Quant à la comparaison si chère au futur narrateur, au lieu d'être l' « anneau » enchaînant deux réalités éloignées dans un « rapport »[2], elle n'est plus qu'une copule vide de sens qui ne met rien en « communication »[3], sinon l'identique avec l'identique, comme s'il fallait que le premier tome de la *Recherche* se termine sur l'échec de la rhétorique dominante dans le roman et sur une mise en œuvre de la « littérature de notations » à laquelle s'oppose le narrateur dans *Le Temps retrouvé* :

La littérature qui se contente de « décrire les choses », d'en donner seulement un misérable relevé de lignes et de surfaces, est celle qui, tout en s'appelant réaliste, est la plus éloignée de la réalité (...)[4].

La promenade au Bois de Boulogne peut enfin apparaître comme une première esquisse ratée du Bal de Têtes, puisqu'elle ne mène à aucune découverte : un même choc devant des êtres connus et que le temps transforme ici en « ombres », dans *Le Temps retrouvé* en « pantins », est mis en

1. *Op. cit.*
2. *RTP* IV, p. 468.
3. *Ibid.,* p. 464.
4. *Ibid.,* p. 463.

scène. Mais alors que l'incarnation du temps est vécue dans le dernier tome comme une découverte positive puisque chacun, juché sur les échasses du temps, se trouve porteur d'une profondeur visiblement perceptible, elle est ici appréhendée comme perte de la tension vers l'avenir, éclatement de cette structure d'attente et de désir qui est un des moteurs de l'action proustienne. Le héros a en effet pris conscience qu'il ne pourrait pas approcher, toucher, voire embrasser les « passantes », puisque celles-ci sont devenues des « petites vieilles » : le « ne te verrai-je plus que dans l'éternité »[1] baudelairien se trouve singulièrement mis à mal... D'un volume à l'autre apparaissent certes les mêmes effets d'une radicale transformation de l'individu en un être décati ; mais le héros ne comprend qu'à la fin que ces vieillards, « monstres disloqués »[2], loin d'être simplement des pièces rapportées à l'intérieur d'un présent qui ne les concerne plus, incorporent et rendent concret l'horizon dans lequel ils se meuvent constamment : leur vie passée, faite des liens qui se sont tissés entre les autres et eux, entre certains lieux et leurs actions. Au lieu que le présent s'assimile à un vide, il devient étayé par le passé et comme porteur de significations qui dépassent souvent le vieillard même – puisque seul l'artiste, lui-même talonné par la mort, est capable d'en dégager les implications.

Au-delà de cette intertextualité interne oppositive, quoique unifiée au plan de la thématique, un lien incontournable entre écriture et plénitude du rapport au monde s'établit *a contrario*. Que ce soit dans le texte analysé ou dans l'esquisse qui le prépare[3], les critères de la « bonne » sensation sont les mêmes que ceux qui définissent le style idéal selon la phrase célèbre du *Temps retrouvé*, qui fait de la struc-

---

1. « A une passante », *Les Fleurs du Mal, Œuvres complètes I*, Paris, Gallimard, 1975.
2. Baudelaire, « Les petites vieilles », *ibid.* Sur le commentaire par Proust de ce poème, voir « Sainte-Beuve et Baudelaire », *CSB*, p. 250-251.
3. *RTP* I, Esquisse LXXXVI, [Le Bois en automne], p. 987-991.

ture d'horizon le but de l'écriture. La « réalité » est en effet perçue par le héros comme entre sensations et souvenirs,

> rapport *unique* que l'écrivain doit retrouver pour en enchaîner à jamais dans sa phrase les deux termes différents. (...) [La] *vérité* ne commencera qu'au moment où l'écrivain prendra deux objets différents, *posera leur rapport* (...) et les enfermera dans les anneaux *nécessaires* d'un beau style[1]...

La perte de la foi perceptive dans le texte qui nous occupe est analysée dans des termes semblables, mais supportés par une syntaxe négative, comme perte de l'unicité et de la nécessité, et impossiblité de totaliser ou de mettre en rapport les fragments du monde :

> Et toutes ces parties nouvelles du spectacle, je n'avais plus de croyance à y introduire pour leur donner la *consistance,* l'*unité,* l'existence ; elles passaient éparses devant moi, au hasard, sans *vérité* (...)[2].

On retrouve enfin significativement une terminologie du même type au centre de l'esquisse préparatoire. À la vue du nouveau spectacle du bois, où la mode féminine et les actrices elles-mêmes ont changé, le narrateur précise :

> Il ne me semblait pas qu'il y ait là une chose *unique* en laquelle j'avais foi : (...) ce n'était au contraire que les *fragments* que je voyais, cette femme me semblait passer là *par hasard*, par hasard aussi cette autre, cette toilette pouvait être jolie elle n'était pas *nécessaire* (...)[3].

Il n'est bien sûr pas innocent qu'aux deux bouts de la chaîne romanesque – génétiquement composés à la même époque – apparaissent les mêmes termes pour caractériser la sensation et le style idéaux. Ce lien terminologique, qui témoigne d'une réflexion fictivement opérée à peu d'années de distance, permet de redoubler le sens du texte qui clôt *Du côté de chez Swann* : la croyance proustienne s'assimile à un

---

1. *RTP* IV, p. 468. Je souligne.
2. *RTP* I, p. 417. Je souligne.
3. *Ibid.,* Esquisse LXXXVI, p. 990. Je souligne.

horizon de type phénoménologique dont l'évanescence signe la mort d'un rapport vivant au monde, à autrui et à notre propre temporalité, tout autant que l'impossibilité de l'art. Comme l'écrit Alain de Lattre, il n'y a pas de « paysage nu »[1], et le héros vit le plus souvent une rencontre du monde qui engage la totalité de son être.

On comprend que le projet de Proust s'inscrive dans une tentative pour exprimer, plus que pour surmonter, le désordre sensible. L'alternative que je relevais en première partie, qui consistait à transformer la sensation en une illusion à dépasser ou une déception à surmonter, ne résistera pas aux épiphanies du *Temps retrouvé*. La clôture de *Du côté de chez Swann* est ainsi provisoire, comme le précise la célèbre lettre à Jacques Rivière :

Ce n'est qu'à la fin du livre, et une fois les leçons de la vie comprises, que ma pensée se dévoilera. Celle que j'exprime à la fin du premier volume, dans cette parenthèse sur le bois de Boulogne que j'ai dressée là comme un simple paravent (...), est le *contraire* de ma conclusion. Elle est une étape, d'apparence subjective et dilettante, vers la plus objective et croyante des conclusions.

Aussi ne faut-il pas en induire que sa pensée « est un scepticisme désenchanté »[2]. L'absolue distance au monde engendrée par la clôture du présent montre bien qu'il faut, pour poursuivre la quête du temps perdu, réintégrer la croyance au sein du perçu, sans pour autant confondre naïvement le rêve et le réel comme c'était le cas dans l'enfance ou dans l'ivresse.

Ce que ce texte nous dit en définitive est qu'il y a deux rapports différents aux croyances : l'un qui transforme le monde en décevante projection de nos désirs ; et l'autre qui redonne au réel sa profondeur, en contournant conjointement le mythe de l'objectalité et celui du subjectivisme.

1. In *op. cit.,* t. II, p. 98.
2. Lettre du 6 février 1914, *Correspondance*, éd. cit., p. 99.

Le second texte qui me retiendra est tiré du *Temps retrouvé*, fondamental dans la mesure où il semble devoir porter un coup mortel aux prétentions littéraires du héros et à notre intuition que la question de la sensation est un aspect nodal de la possibilité même de la création. Là encore, à la perte de la foi perceptive répond un apparent délitement de l'écriture. Il s'agit du passage relatant « un arrêt du train en pleine campagne[1] » :

Le soleil éclairait jusqu'à la moitié de leur tronc une ligne d'arbres qui suivait la voie du chemin de fer. « Arbres pensai-je vous n'avez plus rien à me dire (...) c'est avec froideur, avec ennui que mes yeux constatent la ligne qui sépare votre front lumineux de votre tronc d'ombre. (...). » Si j'avais vraiment eu une âme d'artiste quel plaisir n'éprouverais-je pas devant ce rideau d'arbres éclairés par le soleil couchant, devant ces petites fleurs du talus qui se haussent presque jusqu'au marchepied du wagon, dont je pourrais compter les pétales, et dont je me garderais bien de décrire la couleur comme feraient tant de bons lettrés...) ?[2].

Ce texte nous est présenté comme une antidescription, ou une description sans « style », dépourvue de métaphores, procédant à rebours de l'effet Sévigné (le narrateur nous présente la cause avant l'effet, et non l'inverse : le soleil éclaire les arbres). Il s'agit pour l'antidescripteur d'exprimer l'accablement d'un regard déchargé de désir ou de croyance. La vision, d'ailleurs, loin d'être due à un « regard », résulte d'une constatation physiologique prise en charge par des organes (« mes yeux »). À ce rapport désenchanté au monde correspond une rhétorique spécifique, celle de la notation qui décrit objectivement, qui compte et recense le monde, et à

1. *RTP* IV, p. 433-434.
2. *Ibid.*

laquelle se refuse le héros, qui préfère renoncer à la littérature plutôt que de sombrer dans un réalisme de mauvais aloi.

L'expérience de l'échec du regard esthétique s'effectue ainsi sur le mode d'une froideur qui contamine tout le texte[1]. Des termes comme « indifférence », « ennui », « constatations », des expressions comme « pensai-je », « par acquit de conscience, je me signalais à moi-même », « il [son moi] avait pris connaissance de ces couleurs sans aucune espèce d'allégresse », « j'avais vu », « j'avais désigné », « ces effets curieux », et plus loin dans le roman la morne minutie d'une « lucidité stérile » et le dégoût des « froides constatations que mon œil clairvoyant ou mon raisonnement juste relevaient sans aucun plaisir[2] », sont autant de formules mettant en scène une double scission : entre le moi et le monde, entre le moi percevant et le moi analysant. La perte de la foi perceptive engendre un rapport schizoïde au corps, qui devient le simple réceptacle de données sensorielles sans correspondances internes. Rares sont chez Proust ces passages d'autocitation, truffés d'incises fortement ponctuées, de guillemets, de fausses sonorités (ainsi de ce *planctus* peu convainquant qui s'adresse aux arbres comme dans un mauvais roman traitant du cliché du temps qui passe). Ce type de textes établit une dissociation entre la voix pensante et la voix narrante, et intervient souvent dans les cas où l'expérience sensorielle ne répond pas aux attentes qui la précédaient. Pour ne donner qu'un exemple, on se souvient que lors de l'épisode de la première rencontre de la duchesse de Guermantes, la déception est maladroitement compensée par l'hyperbolisation de la ponctuation et par des procédés d'autopersuation[3]. La rupture du lien au monde provoque

1. Le passage cité, auquel on ajoutera le paragraphe qui se termine par « sans aucune espèce d'allégresse ».
2. *Ibid.,* p. 444.
3. Voir *RTP* I, p. 172-175 : « Je me dis » répété deux fois, « "C'est cela, ce n'est que cela, Mme de Guermantes !" », disait la mine attentive et étonnée avec laquelle je contemplais cette image », « Je m'écriais devant ce croquis volontairement incomplet : "qu'elle est belle !" ».

une déchirure intime tout aussi grave, comme en témoigne la vision initiale dans notre passage d'une « ligne qui sépare ».

Dans ce texte comme dans celui relatant la promenade au Bois, la perte de la sensation de profondeur interne au sensible provoque donc un aplatissement stylistique[1]. Mais de même que le ressassement tautologique faisait naître un effet de lecture particulièrement efficace lors du premier texte étudié, puisqu'elle permettait d'exprimer l'a-dimensionalité d'un réel que les croyances ne hantent plus, l'antidescription doit pour se faire entendre passer par le descriptif. La métaphore et la taxinomie (refus de compter des pétales ou d'énumérer des couleurs), tout d'abord rejetées, réapparaissent et transforment l'antidescription en description. L'opposition « front »/« tronc » provoque un écho de sonorités qui rappelle la position en miroir de ces deux parties des arbres, le sens de ces deux mots renvoyant par ailleurs à une amorce d'anthropomorphisation du paysage typique de la description traditionnelle. Le texte met ainsi progressivement en relief une scission entre la capacité technique du descripteur et sa sincérité : l'observateur s'avère capable d'une création de métaphores, comme en attestent les expressions « reflets de feu » ou « j'avais vu avec indifférence les lentilles d'or et d'orange dont "le soleil couchant" criblait les fenêtres d'une maison », mais le lien entre le langage et la croyance a disparu. Le Protagoniste[2] se sert bien de son désenchantement pour construire une amorce de description, en prenant en compte non les données du réel, mais les impressions qu'il ressent, fussent-elles celles d'un morne ennui ; cependant, la compétence technique ne peut surmonter longtemps l'indifférence et l'absence d'enthousiasme sensoriel. La littérature et le figural n'ont donc aucun sens s'ils n'ont pour fondement une sensorialité chargée de croyances, dont la foi perceptive et la certitude d'appartenir au flux mondain sont les premiers chaînons.

1. Voir G. Picon, *op. cit.,* p. 116.
2. Au sens établi par Marcel Muller in *op. cit.* : héros et narrateur.

Dans le cas contraire, c'est alors moins la littérature qui est inapte à exprimer le réel, comme le laissait à penser certains doutes du héros (« la littérature ne pouvait plus ma causer aucune joie, soit par ma faute, étant trop peu doué, soit par la sienne, si elle était en effet moins chargée de réalité que je n'avais cru »[1]), que le réel qui n'est pas au niveau d'une faculté artistique qui, devenant gratuite et autotélique, perd son sens. Que la littérature ne soit pas une question « de technique mais de vision »[2] ne signifie ainsi pas que l'art ne relèverait pas d'un travail ou d'un apprentissage, mais que ceux-ci doivent se fonder sur un enracinement préalable dans le vécu.

L'âge des croyances n'est donc une étape enfantine à surmonter que lorsqu'elle est comprise comme une *adéquation* entre le réel et les préjugés ou les désirs. La disparition totale de la croyance provoque à l'inverse un leurre tout aussi grave, qui consiste à objectiver et aplatir le réel, appréhension qui n'est pas plus valide que la pure projection imaginaire. Ce désengagement est cependant une étape indispensable pour le Sujet intermédiaire, qui lui permet de comprendre *a contrario* quel peut être l'objet de l'entreprise littéraire : la relation d'une intentionalité primordiale et charnelle qui nous met en prise, euphoriquement ou non, avec le monde. Ce qui importe ainsi dans un passage comme celui sur les aubépines n'est pas de savoir si leur essence est ou non accessible, mais que nous nous projetions vers elles pour leur donner une valeur, fût-elle celle du mystère et du secret, dépendante des horizons qui en font, pour un moment, des fleurs particulières dans notre vie. Si le texte signe l'échec du héros qui ne parvient pas à saisir les aubépines dans leur improbable pureté, il témoigne en revanche d'un succès du narrateur, qui fait retour sur le travail de visée de sa conscience comme étant la « clef » du secret des fleurs : ce sont les fleurs des belles illusions de l'enfance, qui feront

1. *RTP* IV, p. 444.
2. *Ibid.*, p. 474.

dire à Merleau-Ponty qu'il y a chez Proust du « passé archi-tectonique » et que « les *vraies* aubépines sont les aubépines du passé »[1].

Cette partie a montré que la réhabilitation de l'illusion sensorielle comme celle de la croyance permet d'indexer la vérité à l'étalon d'un instant ouvert sur la totalité du spec-tacle ou de la temporalité intérieure. Pour être relative et évolutive, cette vérité n'en est pas moins valide, puisqu'elle réintègre la situation personnelle, le temps et le changement dans la caractérisation du réel, qui se définit alors comme rapport et fluctuance, et non plus comme mutisme et nudité. Il y a donc bien chez Proust ce que Jean Petitot nomme *« une vérédiction de l'apparaître sensible »*[2]. La foi perceptive, pour déceptive (parce que simplifiée) qu'elle ait pu paraître en un premier temps où le héros tente de la dissocier des autres formes d'accès au monde, s'avère bien dans le récit la justifi-cation et le socle de l'art. La preuve en est que le héros est *capable* d'écrire sans cette foi, comme en témoigne le passage sur l'arrêt du train en rase campagne, mais n'en voit pas l'utilité : la doctrine de l'autoréférentialité que certains criti-ques ont cru déceler chez Proust en se fondant sur des for-mules équivoques du *Temps retrouvé* relève d'un refus de prendre en compte le mouvement général du roman.

---

1. Note de travail d'avril 1960, *« Passé "indestructible" et analytique intention-nelle, – et ontologie »*, *Le Visible et l'Invisible*, éd. cit., p. 296.
2. « Un mémorialiste du visible (la quête du réel chez Proust) », *Protée*, vol. 16, n° 1-2, hiver-printemps 1988, Université de Québec à Chicou-timi, p. 45.

Chapitre II

L'arche et la chair

> Je fus souvent malade, et pendant
> de longs jours je dus rester (...) dans
> l' « arche ». Je compris alors que
> jamais Noé ne put si bien voir le
> monde que de l'arche, malgré qu'elle
> fût close et qu'il fît nuit sur la terre[1].

Nous venons de voir comment s'effectue dans la
Recherche, sur le plan théorique et par une série de détours et
de médiations, un double retour à l'expérience sensible originaire (elle est donc primaire au sens intensif et archéologique
plus qu'au sens chronologique). Il convient désormais
d'examiner de quelle façon est vécue, d'un point de vue existentiel, cette ouverture primordiale au monde, indéfectiblement sensorielle et imaginaire.

Le héros de la *Recherche*, qui tout comme Proust pourrait
secrètement se prénommer Noé plus que Marcel, passe une
grande partie de sa vie claustré dans sa chambre – soit
maladie, soit décision finale. En déduire que ses relations
avec l'extérieur sont coupées et que le repli s'assimile à une
retraite spirituelle serait une erreur, qui ne tient pas compte
d'une capacité du corps proustien à s'expanser au-delà de ses
limites propres. Éveillé, paresseux ou endormi, il s'ouvre sur
ce que Gaston Bachelard appelle le « cosmos »[2], où à la
dichotomie entre contenant et contenu se substitue la prescience viscérale d'une relation primordiale avec ce que le
héros croit parfois lui être irréductiblement extérieur.
La chair se trouve donc pourvue d'un don d'ubiquité plu-

1. *Les Plaisirs et les Jours*, Paris, Gallimard, Bibl. de la Pléiade, p. 6.
2. « Rêverie et cosmos », *La Poétique de la rêverie*, Paris, PUF, 1957.

riel : non seulement les faisceaux du monde et du moi se croisent en elle, mais sa mémoire instinctive – Proust parle d'un « temps incorporé » – est seule capable de restaurer « le fil des heures » et « l'ordre des années »[1], de présenter « les années non séparées de nous »[2].

DE LA CLAUSTRATION
À LA DILATATION

« Des viscères mystérieusement éclairés »

Un des nombreux points aveugles de la *Recherche*, on le sait, est l'absence de description physique du personnage principal. Ce héros quasiment non décrit est une nouveauté (du moins dans l'ordre du roman) que le lecteur du XXe siècle, rompu aux flux de consciences et autres monologues intérieurs, ne mesure peut-être plus à l'aune de son originalité. Nous le connaissons cependant viscéralement de l'intérieur, dans une « nudité ontologique » que Marcel Muller avait justement repérée[3]. En effet, des pages liminaires de la *Recherche* au final du *Temps retrouvé*, les sensations internes du protagoniste ponctuent le roman, très souvent en des places stratégiques de la narration : ouverture d'un tome avec le sommeil dans « Combray » ou avec les rumeurs de la rue dans *La Prisonnière* ; révélations subites d'une dimension charnelle du souvenir et du sentiment d'une part avec la découverte de la disparition inéluctable de la grand-mère, à Balbec, un an après son décès « officiel », d'autre part avec l'annonce du départ d'Albertine à la fin de *La Prisonnière*, qui s'accompagne d'une subite poussée de sueur... Ces sensa-

1. *RTP* I, p. 5.
2. *RTP* IV, p. 623. *Ibid.* pour le « temps incorporé ».
3. *Op. cit.,* p. 19.

tions ont différentes fonctions : faisant pénétrer le lecteur dans le recès d'un corps et de son inquiétante familiarité, elles mettent au jour son intériorité la plus organique, et peut-être la plus profonde ; quant au héros, cette plongée en lui-même, loin de l'enfermer, lui permet d'atteindre un stade où s'accordent rythmes intérieurs et rythmes du monde, sur un mode souvent circulaire qui, comme l'écrit Raymonde Coudert, laisse « poindre l'aurore archaïque (...) d'un bonheur d'avant la séparation, d'avant toute coupure »[1].

Les organes intérieurs et les sensations kinesthésiques, reliés à des impressions plus générales et plus spirituelles, sont une part fondamentale de ce savoir de soi implicite. C'est ce que suggèrent le passage sur les promenades en compagnie de Mme de Villeparisis qui s'entourent « de toutes les sensations accessoires de libre respiration, de curiosité, d'indolence, d'appétit, de gaieté »[2], ou l'épisode de la lecture au jardin qui inclut au nombre des « états *simultanément* juxtaposés » dans la conscience du héros le plaisir « d'être bien assis, de sentir la bonne odeur de l'air »[3]. Quant à la description de la chambre de Balbec, elle situe l'odeur de vétiver « presque à l'intérieur » du « moi »[4] de l'enfant, dans une effraction intime à laquelle réagit immédiatement le corps (en l'occurrence par des reniflements alarmés) et l'esprit (par une angoisse profonde). Rappelons enfin que la suppression de l'habitude dans le voyage permet la découverte d'aspects inconnus de nous-mêmes, et plus précisément de cette partie constamment cachée aux regards qu'est l'intérieur de notre chair :

Je faisais bénéficier la marchande de lait de ce que c'était mon être au complet, apte à goûter de vives jouissances, qui était en face d'elle.

1. *Proust au féminin*, Grasset et Fasquelle/Le Monde de l'éducation, 1998, p. 209.
2. *RTP* II, p. 180.
3. *RTP* I, p. 86. Je souligne.
4. *RTP* II, p. 28.

Toutes les facultés suppléent alors à l'habitude pour jouir du sentir,

de la plus basse à la plus noble, de la respiration, de l'appétit, et de la circulation sanguine à la sensibilité et à l'imagination[1].

Moins euphoriques en revanche sont les conséquences de la maladie, qui dissocie le moi de ses horizons en enfermant le sujet dans un pur présent de souffrances où « le monde et notre propre corps se ruent sur nous » pour nous faire sentir, juste avant la mort, « la pesée de nos muscles », celle de « la pression atmosphérique » ou « le frisson qui dévaste nos moëlles »[2]. La maladie fait ainsi prendre conscience de notre enchaînement paradoxal au corps,

être d'un règne différent, dont des abîmes nous séparent, qui ne nous connaît pas et duquel il nous est impossible de nous faire comprendre[3].

Ce clivage interne entre le corps et l'esprit n'est qu'apparent. Que l'agonie débute un tome comme le font le sommeil et la conjonction des désirs[4] n'est pas un hasard : si tous trois nous rapprochent de la « bête »[5], ils ont aussi tous trois partie liée avec une connaissance de soi primitive et sans doute primordiale. L'agonie ouvre ainsi un ultime et terrible accès à soi, puisque ce sont alors nos viscères mêmes qui se transforment en oracles, sans qu'il soit besoin d'un devin ou d'un médecin, pour nous permettre de lire « dans le mystère si obscur (...) de notre vie organique, mais où il semble que se reflète l'avenir »[6]. On sait par ailleurs que le sommeil lui-même et le rêve brisent la clôture de l'enveloppe charnelle, masculine en l'occurrence, en réenclenchant le moi sur ses horizons invisibles et pourtant véritables : le songe révèle

1. *Ibid.,* p. 17.
2. *RTP* II, p. 611-612.
3. *Ibid.,* p. 594.
4. Voir la reconnaissance Jupien-Charlus qui ouvre *Sodome et Gomorrhe.*
5. *RTP* II, p. 632.
6. *Ibid.,* p. 629.

une capacité intime au dédoublement et à la réincarnation, comme en témoigne la propension des rêves proustiens à décliner ce qui dans un sexe appartient à l'autre, soit que le « moi » qui habite le sommeil se révèle « androgyne », soit que l'homme y prenne « l'aspect d'une femme »[1]. Le moi enfoui en lui-même dans le songe reste d'ailleurs toujours à l'écoute du monde qui l'entoure, puisqu'il reprend à son compte les signaux émis (arrivée de Françoise, sonneries...) – le plus souvent pour demeurer endormi. Le sommeil enfin, autant que la maladie, propose un rapport au corps où imaginaire et matière se trouvent conjoints, que ce soit dans l'expérience du rêve érotique, aux résonances mythologiques, où une femme naît de la cuisse du héros, ou dans l'illumination paradoxale et fantastique de l'intimité de la chair endormie :

> Le monde du sommeil refléta, réfracta la douloureuse synthèse de la survivance et du néant, dans la profondeur devenue translucide des viscères mystérieusement éclairés[2].

Il est inutile de multiplier les exemples. Il suffit de noter que Proust fut l'un des premiers, après Baudelaire et Lautréamont, à exploiter non seulement la nouveauté du rapport à soi que provoquent les sensations internes, mais à mettre en relief leur dignité littéraire – puisque ce sont elles qui ouvrent le roman. Il n'y a plus dans la *Recherche* de solution de continuité entre l'opaque revers du corps et le lumineux fantasme mental : de l'un à l'autre s'effectue un constant embranchement, et le « je » du roman nous est plus connu de l'intérieur que de l'extérieur, en un retournement du statut du personnage dix-neuviémiste fondateur pour la modernité littéraire. Peu importe cependant pour mon propos la positivité ou la négativité de cette prescience charnelle (si quelques rares moments de jouissance parfaite nous sont communiqués, plus nombreux sont les textes mettant

1. *RTP* III, p. 370.
2. *Ibid.*, p. 157.

l'accent sur la souffrance interne du corps, parce que le chagrin et la douleur, en clivant les sensations usuelles de l'habitude anesthésiante, permettent de restaurer la fondamentale surprise de la naissance de l'impression). L'essentiel est que le corps du héros apparaît comme un répondant du monde, un instrument nécessaire au réel pour s'extraire de l'imperception et de la nuit dans laquelle il est plongé. Ce corps invisible quoiqu'omniprésent se définit en effet par une fondamentale porosité : « languissant et perméable »[1], il se trouve littéralement traversé par les rayons que lui envoient l'atmosphère ou les autres.

Du « fauteuil magique » à la barque enchantée

Le narrateur peut ainsi se comparer à un hibou – variante de la chouette hégélienne comme de Noé enfermé dans l'arche – qui « vit les volets clos, ne sait rien du monde (...), ne voit un peu clair que dans les ténèbres »[2]. L'obscurité proustienne est toujours percée d'une luminosité implicite qui assimile la vision véritable à la conception antique de l'aveuglement comme extrême de la voyance. L'ouverture sur le monde est donc rarement aussi pleine que lorsque le corps se trouve enfermé dans une chambre et replié sur lui-même : chaque éveil, chaque stase sur le « fauteuil magique » correspondent à la fois à une résurrection mystérieuse du moi et à une re-naissance du monde.

On comprend dès lors la fonction récurrente du motif de la navigation dans la *Recherche* qui promeut une harmonie de fait entre le monde, la chambre, le corps et le moi – barque filant au rythme de la Vivonne ou du sommeil[3], embarque-

---

1. *RTP* I, p. 487.
2. *RTP* III, p. 371.
3. *RTP* II, p. 304 : la rumeur de la mer « à laquelle j'avais, avant de m'endormir, confié, comme une barque, mon sommeil (...) ». Dans *RTP* I, p. 5, le « fauteuil magique » rend « les mondes désorbités ».

ment sur le souffle endormi d'Albertine[1], remontée imprévisible du temps[2], dérive biblique au gré des courants du monde :

> Par des jours irrémédiablement mauvais, disait-on, rien que la résidence dans une maison située au milieu d'une pluie égale et continue avait la glissante douceur, le silence calmant, l'intérêt d'une navigation[3].

La claustration à visées hygiéniques du héros, conçue comme un remède ou un palliatif à l' « hyperesthésie »[4] familiale, engendre donc non l'atténuation des sensations, mais bien leur hypertrophique acuité. Comme le lui conseille son médecin – possible double du père de Proust, qui semble vouloir couper son fils de tout contact avec l'extérieur –, le jeune garçon doit, à l'instar de nombreux héros de « la conscience malheureuse »[5], rester allongé et enfermé[6], comme si son anormale réceptivité sensitive pouvait recéler un danger. Mais l'enfermement dans la « chambre d'échos »[7], loin de dissocier le sujet du monde, et de le sceller en lui-même, institue tout au contraire une effraction constante et en douceur du corps du « dormeur éveillé », transformé en « baromètre vivant »[8] ou en « centre »[9] :

> Certains beaux jours (...), on était en si large communication avec la rue qu'il semblait qu'on eût disjoint les murs de la maison (...). Mais c'était surtout en moi que j'entendais avec ivresse un

1. *RTP* III, p. 580.
2. *Ibid.,* p. 591-592 : « Remontant paresseusement de jour en jour comme sur une barque (...) je poursuivais paresseusement sur ces espaces unis ma promenade au soleil. »
3. *Ibid.,* p. 589.
4. *RTP* II, p. 640. Cf. Ribot, *La Psychologie des sentiments*, Paris, Félix Alcan, 1897, p. 37.
5. Ph. Chardin, « Une étrange maladie », *op. cit.,* p. 235-253.
6. Pour une mise au point historique de cette pratique de l'isolement, voir J. Yoshida, « Proust et la maladie nerveuse », *La Revue des lettres modernes*, « Marcel Proust 1 », 1992, p. 101-119.
7. J.-M. Maulpoix, *La Voix d'Orphée*, Paris, Corti, 1989, p. 175.
8. *RTP* III, p. 586. Voir aussi *ibid.,* p. 519 : « Dès le matin, la tête encore tournée contre le mur (...), je savais déjà le temps qu'il faisait. »
9. *Ibid.,* p. 538.

son nouveau rendu par le violon intérieur. Ses cordes sont serrées ou détendues par de simples différences de la température, de la lumière extérieures. En notre être (...), le chant naît de ces écarts, de ces variations (...) : le temps qu'il fait certains jours nous fait passer d'une note à une autre. (...) Seules ces modifications internes, bien que venues du dehors, renouvelaient pour moi le monde extérieur. Des portes de communication depuis longtemps condamnées se rouvraient dans mon cerveau. La vie de certaines villes, la gaieté de certaines promenades reprenaient en moi leur place. Frémissant tout entier autour de la corde vibrante, j'aurais sacrifié ma terne vie d'autrefois et ma vie à venir (...) pour cet état si particulier[1].

On est loin des tentatives analytiques et intellectuelles par lesquelles le héros des premiers tomes essayait d'atteindre la qualité spécifique d'une sensation. La figure du lien elle-même se trouve revisitée dans ces expériences où s'épousent imaginaire et sensible : la ligne droite et rectrice, en définitive plus disjoignante que liante, se trouve désormais fluidifiée au point que les repères de sa vectorisation finissent par se fissurer. Aussi la métaphore de la « corde vibrante » est-elle particulièrement juste : le corps est un instrument dont joue le monde, un « violon intérieur » en résonance immédiate avec ce qui peut paraître comme le comble de l'indicible, l'éphémère atmosphère qui baigne le moi. Mais la corde est aussi la figure matérielle de ce lien vital qui conjoint les deux bouts de la chaîne, permettant une fois de plus d'exprimer notre insertion dans l'être sans verser dans un panthéisme profane de type romantique. À la même époque, Claudel[2], qui n'a paradoxalement pas su lire Proust à l'aune de ses propres exigences, formule un identique désir de retrouver le monde et le sujet à l'aube de leur réciproque manifestation : co-naissance devenue aujourd'hui un jeu de mots usé, et qu'il faudrait un peu oublier pour en retrouver la pleine signifiance. Comme le soulignera Merleau-Ponty, la

1. *Ibid.,* p. 535.
2. Cf. *Connaissance de l'Est* (1900) ou le « Traité de la co-naissance au monde et de soi-même » (*Art poétique*, 1907), Paris, Gallimard, 1974.

réflexion ne peut saisir le moment « de l'ouverture au monde » si elle ne se replace pas « dans une relation plus sourde avec le monde »[1].

Le héros découvre ainsi que son corps possède d'emblée une réponse à fournir aux traits que le monde lui décoche sans interruption et qu'il connaît immédiatement et sans intermédiaire ce que l'intelligence tentait de formuler. La claustration a pour pendant une expansion du corps dans le monde qui l'entoure. L'intérieur et l'extérieur s'enchâssent effectivement l'un dans l'autre dans un mixte que l'écriture proustienne a pour charge d'exprimer. C'est ce que suggère l'expression « ces modifications internes, bien que venues du dehors, renouvelaient pour moi le monde extérieur », où le narrateur jongle avec ces notions pour les rendre interchangeables : le « dehors », l'interne, le « moi » et le « monde » sont dans un accord tel que le lecteur finit par perdre le fil de l'échange et par ne plus savoir qui du « sujet » ou du monde oriente ou influence l'autre. Une chaîne ininterrompue et labile de passages et d'empiétements interdit d'assigner un nom à ces deux extrémités périmées que seraient le moi et le monde : le dehors modifie le corps qui l'assimile ; mais cette imbibation transforme en retour le dehors, qui répercute à son tour cette modification vers le corps, en une spirale infinie. Ce texte promeut donc l'enclenchement d'une série de jointures et la mise en abyme des conjonctions : le monde extérieur et actuel, « immédiatement accessible »[2], produit une vibration intime renvoyant elle-même à un souvenir ou un à-venir du monde (promenade, villes, matinée possible), qui font que le moi est non plus serti dans sa chambre mais ouvert aux horizons spatiaux et temporels d'un monde dilaté. Loin de s'assimiler à un état passif, l'intimité charnelle touchée par les impacts du réel en reformule, remodèle et « renouvelle » donc les caractéristiques. On retrouvera dans l'ouverture célèbre de *La Prisonnière*, à propos des « bruits de

1. *Le Visible et l'Invisible*, éd. cit., p. 57.
2. *RTP* III, p. 535.

la rue »[1] qui permettent de « sortir [soi]-même tout en restant couché »[2], ce thème récurrent d'une échappée belle du moi, sans scission ni fracture : l'imaginaire n'est pas simplement mis en branle par la sensation accoustique ou atmosphérique, il en est une dimension inhérente. Par là s'annihile la dichotomie classique entre corps et esprit.

Le monde n'est pas le seul pôle touché par ce que Merleau-Ponty appellera, dans *Le Visible et l'Invisible*, la « réversibilité » du sentant et du senti[3]. Le corps lui-même, à l'instar de la maison aux murs disjoints, se transforme en une « maison de verre »[4], en une cloison qui, comme toutes les « bonnes » cloisons proustiennes, unit plus qu'elle ne sépare[5] :

> Le soleil venait jusqu'à mon lit et traversait la cloison transparente de mon corps aminci, me chauffait, me rendait brûlant comme du cristal[6].

La chair finit par devenir une matière qui conjoint aux qualités de la translucidité celles d'une vibratile musicalité : le cristal permet la réverbération des traits du monde, se fait l'écho des ondes du dehors, tout en conservant au corps son intégrité et sa personnalisation puisqu'il met en relief le contour impossible à gommer de son individuation. La cloison proustienne allie donc effacement du médium permettant la communication (puisqu'elle est transparente donc invisible) et dureté tangible et protectrice du verre sans laquelle il n'y aurait pas jonction mais perte (dissémination ou fusion). Comme l'écrit Jean-Pierre Richard, le verre proustien est un objet qui permet

---

1. *Ibid.,* p. 519.
2. *Ibid.,* p. 633.
3. Pour une approche différenciant la réversibilité merleau-pontienne et le rapport solipsiste de Proust au monde, voir R. Breeur, *op. cit.,* p. 32 et s.
4. *RTP* III, p. 535. Sur ce thème de la « maison de verre » comme thème majeur du XIXe siècle, voir Ph. Hamon, *Expositions, Littérature et architecture au XIXe siècle*, Paris, Corti, 1989, p. 72-94.
5. Voir *RTP* II, p. 30 et *RTP* III, p. 521.
6. *RTP* III, p. 537.

tous les renversements matériels de rêverie (...). Il est en somme le site du libre jeu substantiel : solide, liquide, aérien combinent ou échangent en lui leurs valeurs les plus subtiles[1].

Le cristal peut dès lors servir de métaphore au corps physiquement reclus mais expansé aux dimensions incommensurables de l'espace (« villes », « promenades », « nature »[2]) et du temps :

Pour avoir refusé de goûter avec mes sens cette matinée-là, je jouissais en imagination de toutes les matinées pareilles, passées ou possibles[3].

Que le lecteur ne prenne pas au mot l'affirmation du narrateur, qui semble opposer « sens » et « imagination » : c'est justement parce que sa chair est tout entière tendue et offerte vers l'infinitésimal sensible du monde (ici une qualité de l'air) que son imaginaire, enfin soustrait à l'asthénie de l'habitude, peut lui évoquer d'autres matinées. En retour, cette ténuité sensorielle de l'atmosphère provoque l'exacerbation de la sensibilité et autorise le libre jeu de l'imaginaire. Il est d'ailleurs significatif que le passage étudié se termine par le lever du rêveur éveillé, et par un besoin d'écarter le rideau de sa fenêtre afin de percevoir physiquement, et non plus simplement fantasmatiquement, dans un « surcroît de joie », les « femmes impossibles à imaginer *a priori* » qui passent alors dans la rue : l'imagination est un appel des sens et une convocation du réel.

On saisit à quel point la problématique du corps interne rejoint celle des horizons, plus merleau-pontiens qu'husserliens. L'écriture proustienne promeut un empiétement de l'interne et de l'externe : le monde du dehors s'insinue dans

---

1. *Op. cit.,* p. 155. La vitre de la salle de bains va jusqu'à se transformer en une « mousseline de verre » qui donne l'impression au héros de se trouver « en pleine nature devant des feuillages dorés » (*RTP* III, p. 521) : la cloison finit donc par se vaporiser tout en conservant un dernier élément bénéfique de séparation (la mousseline).
2. *RTP* III, p. 521.
3. *Ibid.,* p. 535.

le corps et efface son opacité de fait, le soleil brille dans des horizons indéfectiblement intérieurs et extérieurs. C'est ce dont témoigne l'emploi par Proust des pronoms personnels et des possessifs dans ces textes où se brouillent les dichotomies classiques. Comme l'écrit le narrateur, les lieux du monde retrouvent « en moi *leur* place »[1] : une fois de plus, la distinction entre l'objet et le sujet disparaît sans que pour autant l'empathie du monde et du moi se résorbe en fusion, puisque si la place des choses est dans le moi, il n'empêche qu'ils conservent dans le même temps « leur » place, leur lieu propre. Quant à l'image physico-mentale de la paroi qui en vient à caractériser le corps, elle institue le modèle d'une union non fusionnelle qui autorise le lien dans la mesure même où il marque la dissociation.

LE « TEMPS INCORPORÉ »

Les horizons spatiaux du monde amplifient donc la sensation en la gainant d'imaginaire. Mais le temps reçoit aussi sa part dans cette dilatation paradoxale et euphorique du corps claustré. On sait que la mort d'Albertine ou celle de la grand-mère plaçait le héros en présence d'un aspect insupportable du temps retrouvé, et que les extases du dernier volume souligneront, certes de façon positive, sa dimension invivable (puisque le héros manque de s'évanouir sous le choc). À l'inverse, les sensations du corps interne permettent au moi d'appréhender, sans qu'il se le formule encore comme tel, une forme douce de la résurrection du temps. En elles effectivement prennent place toutes ses dimensions : temps actuel, présent ou passé, temps imaginaire aussi du fantasme. Le monde, loin d'être cet objet circonscrit spatia-

---

1. *Ibid.* Je souligne.

lement ou temporellement qu'il s'agissait d'atteindre en lui-même dans *Du côté de chez Swann* ou au début d'*À l'ombre des jeunes filles en fleurs*, sourd de toutes parts, pénètre le corps d'un invisible qui rejoint la « quatrième » dimension mentionnée dès « Combray » : le feu allumé par Françoise et son odeur engendrent ainsi « un morceau du passé, une banquise invisible détachée d'un hiver ancien qui s'avançait »[1] dans la chambre parisienne, et s'associent au soleil pour pénétrer le corps du rêveur en lui faisant sentir la réversibilité du temps.

La claustration et la paresse ont donc une fonction onto-logique majeure : le temps ainsi « perdu » permet de retrou-ver la temporalité propre à la personnalité, constituée par les délinéations de bénéfiques « bigarrures »[2]. Le corps sensible, dans la « douceur de la suspension de vivre, de la vraie "Trêve de Dieu" »[3], s'y fait pivot enraciné dans le monde. Car le suspens n'est pas retrait :

en restant immobile dans mon lit, c'était laisser tourner les ombres autour de moi comme d'un tronc d'arbre[4].

Le lit lui-même, lieu d'une « nidification »[5], s'assimile à une annexe sensuelle du corps (ventre maternel, corps désiré) avec laquelle il s'agit de ne plus faire qu'un : « mes cuisses, mes hanches, mes épaules tâchaient d'adhérer en tous leurs points aux draps »[6]. Le moi fondu dans son lit-arche en une « position matricielle »[7] devient alors un axe où les catégorisations élaborées par la philosophie critique n'ont plus cours. Non contents de mettre fin à la dissociation des

1. *Ibid.,* p. 536. On a bien sûr ici une annonce du *Temps retrouvé* et de l'effraction de l'océan normand dans la bibliothèque de l'hôtel des Guermantes. Pour la quatrième dimension, voir *RTP* I, p. 60.
2. *RTP* I, p. 184.
3. *Les Plaisirs et les Jours,* p. 7.
4. *RTP* III, p. 590.
5. M. Miguet-Ollagnier, « Réécriture, échos. La gare, l'atelier, la chambre dans "Noms de pays : le nom" », *Bulletin d'informations proustiennes,* n° 24, 1993, p. 114.
6. *RTP* II, p. 176.
7. Ph. Chardin, *op. cit.,* p. 236.

espaces et à la certitude de notre individuation (puisque dans l'éveil succédant au sommeil profond, on ne sait « qui on est, n'étant personne, neuf »[1]), la rêverie et le sommeil anéantissent la distinction entre contingence du moment, nécessité du passé et virtualité du futur. Dans ces moments où ce que ne sont pas les choses « a autant de poids que ce qu'elles seront »[2], le temps ne disparaît pas pour autant – du moins totalement[3]. Mais à la successivité usuelle des instants ou à l'a-temporalité illusoire des expériences de sensation pure qui tentaient de saisir l'essence de la chose, succède le rapport à une achronie durative fondamentale, circulaire discontinuité qui met en relation l'avant et l'après, le présent et l'inactuel. C'est ce que suggèrent, au début de l'œuvre, le « cercle » au centre duquel se tient « l'homme qui dort »[4], qui annonce l'homme sentant décrit par Merleau-Ponty dans *L'Œil et l'Esprit*[5], et l'expression les « jours lointains qu'en ce moment je me figurais actuels » : « je », c'est-à-dire « mon corps, le côté ankylosé sur lequel je reposais, gardiens fidèles d'un passé que mon esprit n'aurait jamais dû oublier »[6]. La rupture des « rangs », la spirale du « fil des heures », de « l'ordre des années et des mondes »[7] sont donc engendrés par une mémoire du corps qui transcende les modalités kantiennes de la perception du temps – on rejoint ici la notion de « non-sujet » élaborée par Jean-Claude Coquet, soustraite à la « structure de jugement », occupant « une position anté-assertive »[8].

---

1. *RTP* III, p. 371.
2. A. de Lattre, *op. cit.,* t. I, p. 145.
3. Le narrateur affirme tantôt que le sommeil est un lieu où « le temps qui s'écoule » « est absolument différent du temps dans lequel s'accomplit la vie de l'homme réveillé » (*RTP* III, p. 370), tantôt que « le sommeil ignore peut-être la loi du temps » (p. 373).
4. *RTP* I, p. 5.
5. Éd. cit., p. 19.
6. *RTP* I, p. 6.
7. *Ibid.,* p. 5
8. *La Quête du sens. Le Langage en question*, Paris, PUF, 1997, p. 69 et p. 249.

Contrairement à l'ivresse qui ne provoque qu'une illusoire osmose avec le monde, parce que le temps s'y réduit à un présent pur et que le réel y est biffé plus que rejoint, la veille rêveuse, le sommeil, la paresse[1], pour culpabilisants qu'ils semblent parfois, sont des moments essentiels pour la vocation artistique. En effet, ils accordent au moi des pauses pendant lesquelles le corps s'écoute lui-même à l'œuvre dans une réversibilité idéale où imaginaire et chair riment ensemble, indissociabilité qui est la signature de notre appartenance originaire et incontournable au règne du physique. Le noyau vital du narrateur étant constamment relié au monde, il n'est alors pas étonnant qu'à l'approche de la mort, le dernier « personnage » qui restera vivant de cette foison de « moi » qui constitue selon Proust notre individu, ce soit

le petit personnage intérieur, salueur chantant du soleil (...) qui, ôtant son capuchon dès qu'il y avait du soleil, le remettait s'il allait pleuvoir[2].

Ce moi indéfiniment heureux du rayon qui peut-être provoquera dans le corps du narrateur un étouffement fatal est donc encore plus vivace qu'un

certain philosophe qui n'est heureux que quand il a découvert, entre deux œuvres, entre deux sensations, une partie commune[3].

L'ultime moment de la vie du narrateur est donc pressenti comme un moment de joie sensorielle « banale ». Il importe de relever que ce dernier instant est aussi instant premier, originaire, qui renvoie en une boucle ou un anneau ultime à l'enfance du narrateur et à la petite figurine de l'opticien de Combray, au soleil et à la chaleur circonscrits hors de la chambre de l'enfant par les coups de marteau sonores de Camus et le vrombissement des mouches d'été. Dernier ins-

1. Voir *RTP* III, p. 589-592.
2. *RTP* III, p. 522.
3. *Ibid.*

TROISIÈME PARTIE

Surimpressions sensibles et stylistiques

> Ne vous laissez donc jamais arrêter par les mots et les images que l'on aura tracé pour vous mais regardez « au travers »[1].

Analyser la question du réel dans la *Recherche* revient à reconnaître la place majeure qui y est conférée à la notion de profondeur, dimension qui échappe à toute mesure parce qu'elle est rien moins que spatiale. Interne au sujet comme au monde, elle doit être comprise comme une direction ou un niveau par lequel le sensible s'entrouvre sur des horizons d'invisibilité qui sont la condition même de sa manifestation. C'est donc à sa restitution que le narrateur doit s'attacher s'il veut véritablement extraire de sa vie les « matériaux »[2] de son œuvre et raconter « la réalité *telle* que nous l'avons sentie »[3]. Ce qui importe en effet est de resti- tuer la qualité du lien au réel (au sens où l'on parle de la qualité du son d'un instrument) plus que son contenu anec-dotique. La résolution de la conception schizoïde de la sub-jectivité, du monde ou de l'art ne pouvant se trouver, nous l'avons vu en première partie, dans une démarche fusion-nelle, c'est au niveau d'un travail sur la notion de lien ou d'anneau – qui maintient une distance active et bénéfique entre sujet et objet, tout en démontant le mythe de leur

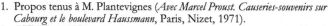

1. Propos tenus à M. Plantevignes (*Avec Marcel Proust. Causeries-souvenirs sur Cabourg et le boulevard Haussmann*, Paris, Nizet, 1971).
2. *RTP* IV, p. 478.
3. *Ibid.*, p. 459. Je souligne.

absolue hétérogénéité – que l'écriture proustienne va pouvoir se réajuster sur la réalité.

Ce terme de « rapport » est un véritable sésame pour ce qui concerne la conception du style et du réel selon Proust. Il revient cinq fois en l'espace d'un unique paragraphe dans le texte célèbre du *Temps retrouvé* qui définit le style comme enchaînement d'anneaux et la nature comme lieu du commun[1]. Les pages qui suivent voudraient mettre en relief cette articulation fondamentale entre l'appréhension proustienne du monde et l'expression qui la supporte ou l'engendre. Le premier chapitre montrera que le sensible est plus un processus de manifestation qu'un panorama, plus un « champ de forces »[2] différentielles qu'une surface close, plus un avènement de l'invisible qu'une chose posée devant le regard, plus un « appétit » qu'une « représentation »[3]. La profondeur, revers d'absence ou articulation d'horizons, double notre lien à ce qui nous entoure et s'avère la dimension primordiale de l'être.

Le second chapitre montrera en quel sens l'on peut parler, sans recourir à une métaphore critique[4], de profondeur textuelle et scripturale chez Proust. Ce que je nomme surimpression stylistique n'est pas un simple procédé d'écriture-virtuose : au cœur du style proustien, elle a au contraire partie liée avec la découverte de cette profondeur ontologique que le premier chapitre aura mise en relief. Le protagoniste de la *Recherche* comprend peu à peu que le monde, le temps, les autres, les rêves, les sentiments ou les événements sont un enchevêtrement mobile de « stratifications »[5] tout à la fois spirituelles et sensorielles, dont seule une écriture

---

1. *Ibid.,* p. 468. Voir aussi l'Esquisse XXIV, p. 818.
2. G. Quinsat, « Le roman et l'exploration du langage », *Grand Atlas des Littératures,* Encyclopaedia Universalis, 1990, p. 243.
3. G. Bachelard, *op. cit.,* p. 152.
4. Voir L. Jenny, « Esthétiques du figural », *La Parole singulière,* Belin, 1990, p. 64-85.
5. Voir *RTP* IV, p. 22, où le narrateur mentionne la « stratification de sensations » qu'est devenue pour lui Albertine.

surimpressive peut rendre compte. L'étude stylistique qui suit vise dès lors à établir que l'art, loin d'être un point de vue supérieur sur le monde ou le lieu d'une autonomie de la signification, accomplit bien plutôt au niveau expressif ce qui avait déjà lieu dans la sensation conçue comme émergence de l'insensible, de l'idée ou du fantasme au sein du perçu. C'est dire à quel point, inversement, le langage et l'expression artistique en général possèdent eux-mêmes une dimension charnelle[1] et une matérialité occultées par notre attention constante aux significations qu'elles portent.

1. R. Barthes parle d'une « origine biologique » et germinative du style dans « Qu'est-ce que l'écriture ? », *Le Degré zéro de l'écriture*, Paris, Éd. du Seuil, 1953, et 1972, p. 12-13. Voir aussi en première partie les analyses du jeu de la Berma.

Chapitre I

Horizons de la profondeur

> La nature (...) fait de la lumière
> avec de l'obscurité et joue de la flûte
> avec le silence[1].

Proust, en cela proche du Nerval de *Sylvie,* ou de Baudelaire et de Verlaine appareillant, à l'appel d'un écho sensible,
vers leurs chimères ou leurs cauchemars, suggère fréquemment l'impossibilité de saisir le réel autrement qu'en rendant
compte du lien tissé entre le monde et le moi. Cependant, la
surface des choses n'est pas chez lui simplement innervée
par la subjectivité. L'apparence, en mouvement constant
parce que bâtie sur le sable de l'instant, est surtout habitée et
vivifiée par une dimension secrète qui forme son armature et
qui conditionne la possibilité même de sa manifestation, la
profondeur. C'est grâce à elle que pour la première fois
l'apparaître *en tant que tel* se trouve placé au centre de
l'entreprise littéraire, et qu'il peut sortir du statisme et du
mépris dans lesquels la philosophie classique l'avait confiné,
sous le terme d'apparence.

Cette épaisseur ontologique du sensible témoigne d'une
structuration identique du corps et du monde : tous deux, et
cela même autorise leur réciproque résonance, transcendent
leurs contours apparents, n'étant jamais exactement *là* où les
délimitations de la perception ou de l'intelligence les situent.
La question posée par Proust n'est plus : qu'est-ce que la

1. « Contre l'obscurité », *CSB*, p. 395.

chose – Berma, aubépine – ? mais *comment* la chose se mani-feste-t-elle ? L'être proustien ne relève en effet pas de l'en-soi, voire d'un Être heideggérien que l'étant ne présentifie qu'en l'occultant, il s'exhibe dans et se confond avec les modalités de l'apparaître. Car les arrière-fonds du sensible ne sont pas son cœur inaccessible, mais la condition même de son dévoilement.

Il convient à présent de développer ces affirmations, encore énigmatiques (mais comment parler de la réalité autrement que métaphoriquement ?). Elles nous conduiront à comprendre qu'à l'instar de la phénoménologie, « l'œuvre de Balzac, celle de Proust, celle de Valéry ou celle de Cézanne » tentent de saisir « le sens du monde ou de l'histoire à l'état naissant »[1].

COURBURES INEFFABLES DU RÉEL ET « DESCRIPTIONS » SENSIBLES

Le rapport de Proust au monde se caractérise par une interdépendance entre recel et dispersion[2], fermeture et ouverture, ténèbres et lumière. La distinction opérée par Vladimir Jankélévitch entre l'indicible – qui renvoie au non-être de la mort – et l'ineffable – qui renvoie à la prodigalité de la vie – est à cet égard utile, en ce qu'elle permet de cerner les enjeux de l'écriture proustienne :

est indicible (...) ce dont il n'y a absolument rien à dire, et qui rend l'homme muet en accablant sa raison et en médusant son discours. Et l'ineffable, tout à l'inverse, est inexprimable parce qu'il y a sur lui infiniment, interminablement à dire[3].

1. Merleau-Ponty, Avant-propos de la *Phénoménologie de la Perception*, Paris, Gallimard, 1945, p. XVI.
2. Cf. J. Garelli, *Le Recel et la Dispersion*, Paris, Gallimard, 1978.
3. *La Musique et l'Ineffable*, Paris, Éd. du Seuil, 1983, p. 92-93. Sur la séduc-tion de l'ineffable, voir Paul Ricœur, *La Métaphore vive*, Paris, Éd. du Seuil, 1975, p. 393.

Avec les premières pages de la *Recherche* est inaugurée la tendance originelle du corps à percevoir l'invisible, l'intangible, le silence ou l'obscurité. Ces événements et faits du monde à part entière étaient au contraire considérés dans l'approche antique de la sensation (ponctuelle, localisée, due à des stimuli extérieurs...) comme des « non-étants » ou plus exactement des « non-sensations ». L'insensible est alors littéralement ce qu'on ne sent pas et donc ce qui n'a pas « lieu » : sa seule positivité est de *valoir comme* simple signe sans avoir de référent effectif (le silence des oiseaux annonce un tremblement de terre ou une éclipse). Mais dans une *épistémè* fondée sur la notion de sensible, l'insensible, sans être un « étant » localisable, possède un droit de cité ontologique et ne se confond pas avec un pur signe. Tout musicien, tout poète sait que la pause sonore a autant de valeur que l'émission d'une note, ou que l'écart entre les mots et le silence se tiennent en « arrière-plan »[1] du discours, étant la trame même du sens ou du chant – pour reprendre la métaphore du tissage qui est une constante proustienne[2] autant que merleau-pontienne :

Entre les couleurs et les visibles prétendus, on retrouverait le tissu qui les double, les soutient, les nourrit, et qui, lui, n'est pas choses, mais possibilité, latence et *chair* des choses[3].

On trouve donc constamment dans la *Recherche* une volonté de promouvoir une écriture du silence et de l'ineffable apte à prendre en compte la dimension apparemment insensible du monde – entendons par là impossible à percevoir comme telle, à ciconscrire en dehors de la manifestation. La perception, lorsqu'elle est poétique (au sens où

---

1. *RTP* III, p. 757. Voir aussi V. Jankélévitch, « Musique et silence », *op. cit.*, p. 168.
2. Voir *RTP* IV, p. 463, p. 467 et p. 607 (la vie comme tisserande, qui rappelle les Parques antiques).
3. *Le Visible et l'Invisible*, éd. cit., p. 175. Merleau-Ponty vient de préciser qu'il n'y a pas des visibles purs, circonscrits, insécables, mais des cristallisations de visibilité, des modulations du monde entier.

Proust écrit qu'Elstir tâchait de percevoir la nature « telle qu'elle est, poétiquement »[1]), est en effet soutenue et étayée par une masse aveugle et intangible qui peut rejoindre ce que les Anciens avaient très vite compris comme étant la condition de possibilité de la sensation : la différence, qui explique qu'un sujet ne puisse prendre conscience du silence que si le bruit s'arrête, ou qualifier une chose de chaude que s'il est lui-même plus froid qu'elle. L'Antiquité se contente cependant d'aborder cette notion de façon rationnelle : elle fait de la différence non une figure authentique de l'être, un existant porteur d'un sens spécifique, le lieu où transparaît pour l'homme l'envers du sensible, mais la conclusion théoriquement déduite de la rencontre entre deux sensibles hétérogènes. Chez Proust en revanche, l'« insensoriel » (silence, obscurité, mais aussi sentiments et idées) se fait perceptible, par la vertu d'un langage fondamentalement équivoque.

Comment, dès lors, parvenir à la sensation et à l'expression de cet insensible qui étaye l'apparaître et n'en est pas dissociable, puisque, comme l'écrit Gilles Deleuze, « l'intensité est à la fois l'insensible et ce qui ne peut être que senti »[2] ? Certains sensibles se caractérisent par une ténuité qui ne se confond pas avec une absence d'intensité, par une minceur et une immatérialité qui n'exclut pas une profonde densité. Ils trouent le rude tissu superficiel du monde et le traversent comme des faisceaux permettant à l'insensoriel de se manifester. Ainsi, le rayon, le trait du jour ou de son dessinent la courbe d'un espace qui nous englobe mais qu'il est impossible de percevoir en lui-même ; quant aux ombres, elles supportent l'immatérialité d'un diaphane clair de lune. De tels interstices permettent à la visibilité de l'invisible et à la rumeur du silence de s'ouvrir un passage dans le corps du sujet, rappelant certaines remarques de Barrès, pour lequel « dans les solitudes forestières, les trilles des oiseaux (...) font

---

1. *RTP* II, p. 192.
2. *Différence et Répétition*, Paris, PUF, 1968, p. 297.

valoir le repos plutôt qu'ils ne le trompent »[1], ou annnonçant l'éclair deleuzien, qui

se distingue du ciel noir, mais doit le traîner avec lui, comme s'il se distinguait de ce qui ne se distingue pas. On dirait que le fond monte à la surface, sans cesser d'être fond[2].

Hugo drawings

Dans l'ordre sonore chez Proust, le clocher de Combray se fait pointe extrême d'un silence qui n'est tel que parce que relevé sur un fond de cris :

Les cris des oiseaux qui tournaient autour de lui semblaient accroître son silence, élancer encore sa flèche et lui donner quelque chose d'ineffable[3].

Ces (in)sensibles par contraste et transitivité créent, comme le précise Jae-Go Jung à propos de ce passage, une « situation éminemment paradoxale » : « les cris impliquent, recèlent, enveloppent déjà en eux le silence à l'état latent », qui n'est « plus concevable que grâce à ce qui le déchire »[4]. Dans ces déchirures infimes du sensible s'engouffre effectivement tout un monde normalement imperçu. Proust les appelle dans *Jean Santeuil* « caractères parlants », dans un passage extrêmement révélateur pour mon propos. S'y trouve en effet mentionné

le regard pour qui une ombre un peu plus éclairée, une courbe qui s'accentue ne sont plus alors des hiéroglyphes de plus, mais des caractères parlants, où [voir] tomber du ciel un rayon de soleil où le pampre à l'ombre laisse tremper sa grappe, tout à l'heure froidement verdâtre, maintenant ravivée, illuminée jusqu'au fond comme une émeraude, suffit à lui donner sans fatigue [l']ivresse (...)[5].

1. *La Mort de Venise* (1903), Saint-Cyr-sur-Loire, Christian Pirot, 1990, p. 31.
2. *Différence et Répétition*, éd. cit., ouverture du premier chapitre, p. 43.
3. *RTP* I, p. 64.
4. « Une figure sans nom chez Proust », *Littérature*, n° 107, octobre 1997, p. 35 à 43.
5. P. 194.

Au-delà du fait que l'on trouve déjà dans ce passage ancien les *leitmotive* que les pages qui suivent vont décliner (ombre, rayon, courbe, couleur), l'« hyperesthésie » que j'ai relevée en seconde partie permet donc à la différence proustienne de se construire, de se soutenir et de s'intensifier à partir d'un *quasi* rien. On retrouvera chez Merleau-Ponty ce thème de la déchirure discrète et du « point » d'émergence du visible, entrebaillements d'où surgit l'insensible devenant sensible. Ce motif est une manière de manifester ce que le philosophe appelle la doublure invisible du visible, dans ses recherches métaphoriques de caractérisation de l'infime originaire qui fait advenir le sens (signifiance et sensation) :

> Ce qu'on appelle un visible, c'est (...) une qualité prégnante d'une texture, la surface d'une profondeur, une *coupe* sur un être massif, un *grain* ou un *corpuscule* porté par une *onde* de l'Être[1].

La recherche d'expression de la ténuité du lien entre le recto et le verso du sensible – ténuité qui ne préjuge pas de l'intensité de leur relation – rappelle les données du monde proustien, qui lui aussi s'articule autour de lisières, bordures et franges qui permettent le passage d'un champ à un autre pas, et qui ne se confondent pas avec les synesthésies déjà étudiées par Jean-Pierre Richard[2].

Ces lieux et ces états du monde où se révèle l'insensible, ce sont tout d'abord ces « rayons » lumineux ou ces lignes sonores vibrantes de silence qui éclatent dans la *Recherche* en des points stratégiques du roman. On les retrouve en effet dans l'ouverture d'un tome comme celui de *La Prisonnière* .

> Dès le matin (...) avant d'avoir vu (...) de quelle nuance était la raie du jour, je savais déjà le temps qu'il faisait. Les premiers bruits de la rue me l'avaient appris, selon qu'ils me parvenaient amortis et déviés par l'humidité ou vibrants comme des flèches dans l'aire

1. *Le Visible et l'Invisible*, éd. cit., p. 180.
2. Voir dans « La matière », *op. cit.,* ses analyses de la fonction épiphanique d'un certain nombre d'éléments et de surfaces chez Proust.

résonnante et vide d'un matin spacieux (...) Et peut-être ces bruits avaient-ils été devancés eux-mêmes par quelque émanation plus rapide et plus pénétrante (...)[1].

Le narrateur ne définit pas cette émanation. Elle renvoie sans doute à la qualité de l'atmosphère – à sa densité ou à sa vacuité –, instauratrice de changements profonds dans le corps conscient du héros. De même, à la fin de « Combray » se trace, « dans l'obscurité » de la chambre et du corps endormi, une « première raie blanche et rectificative » qui est aussi le « doigt levé du jour »[2], tandis qu'au début du *Temps retrouvé*, le clocher de Combray est la ligne qui indexe le temps passé. Enfin, *À l'ombre des jeunes filles en fleurs, II*, est clairement encadré : son ouverture propose une réflexion sur la perception de l'espace occasionnée par les arabesques de l'automobile[3], alors que ses dernières lignes[4] suggèrent que les « intervalles » « des traits du violon » s'insinuent dans le glissement cristallin d'une vague.

Ces hiatus dans lesquels viennent s'inscrire ces insensibles sont fréquemment liés à un emploi assez particulier du verbe « décrire ». On sait que la *Recherche* inaugure ou place au premier plan une certaine forme romanesque qui parcourera tout le XXe siècle, où le descriptif tient une place aussi fondamentale que le narratif et où la validité de leur distinction est mise à mal. Mais le verbe « décrire », assez fréquemment employé dans le roman, ne renvoie guère au sens rhétorique, tropique ou générique du mot : ce sens est délégué au nom « description » ou à l'adjectif « descriptif », par ailleurs peu utilisés[5]. « Décrire » possède majoritairement dans la *Recherche* le sens que relève Littré dans son dictionnaire : actif

1. *RTP* III, p. 519.
2. *RTP* I, p. 184.
3. Certains objets techniques ont chez Proust l'étrange pouvoir de tracer dans le chaos sensoriel des lignes directrices, comme l'aéroplane ou le téléphone.
4. *RTP* II, p. 306.
5. Cf. E. Brunet, *Le Vocabulaire de Marcel Proust*, Genève-Paris, Slatkine Champion, 1983.

et duratif, il renvoie au tracé d'une courbe (plus que d'une droite) en géométrie, et devient chez Proust un «cercle magique»[1]. Ce «tracé» que l'on retrouve dans le roman sert précisément à délimiter[2] et circonscrire un espace, visible, sonore, parfumé, idéel, sentimental ou temporel, et permet, par la discrète discrimination qu'il instaure, la naissance de la sensation et son écriture :

> Françoise venait allumer le feu et pour le faire prendre y jetait quelques brindilles dont l'odeur, oubliée pendant tout l'été, décrivait autour de la cheminée un cercle magique dans lequel, m'apercevant moi-même en train de lire tantôt à Combray, tantôt à Doncières, j'étais aussi joyeux, restant dans ma chambre à Paris, que si j'avais été sur le point de partir en promenade (...)[3].

Ces courbes et rayons, dimensions *quasi* physiques, sont bien les concrétions des «lignes de force»[4] autour desquelles pivotent l'apparaître et son double-fond d'invisible ou de fantasme. Celles-ci permettent, au sens littéral, d'ouvrir un espace pour l'expression, que ce soit en rendant sensible la brume bruissante de sonorités latentes de Doncières ou en faisant naître un «jour», un «pan lumineux» dans la nuit de l'enfance, tenue «en cercle»[5] autour du rêveur. Enfin, volutes et parcours servent à inaugurer des points de passage inattendus – par exemple entre les différentes bandes de ciel que traverse un oiseau[6] – et à construire des rencontres et des parentés là où il y avait des pays et des êtres différents : comme Gilberte à la fin d'*Albertine disparue*, l'automobile relie les côtés que l'on croyait séparés.

---

1. *RTP* III, p. 536.
2. *Describere* en latin signifiait aussi «délimiter, déterminer» («Décrire», *Dictionnaire historique de la langue française*, Paris, dictionnaires *Le Robert*, 1998).
3. *Ibid.*
4. Voir Merleau-Ponty, *Le Visible et l'Invisible*, éd. cit., p. 195 : «Ma chair et celle du monde comportent (...) des zones claires, des jours autour desquels pivotent leurs zones opaques, et la visibilité première, celle des *quale* et des choses, ne va pas sans une visibilité seconde, celle des lignes de force et des dimensions (...).»
5. *RTP* I, p. 5.
6. *Ibid.*, p. 180.

Les arabesques et les lignes que tracent un rayon, une odeur de pétrole[1], le grondement d'une vague, les cris d'un enfant, ou la « courbe » des gestes, des paroles, de la vie en général[2] permettent donc d'effectuer une sorte de relevé de l'invisible, et de le repérer comme étant le sol ou le fond actif de l'apparence. La ligne tracée par l'homme est d'ailleurs moins un signe – arbitraire et purement extérieur – qu'une signature. Par elle, le latent trouve une place dans le sensible, et l'invisible, celui d'un sentiment ou celui de l'avenir, s'inscrit dans le concret : l'impression de danger peut ainsi être

résumée par une ligne, une ligne qui *décrivait* une intention, une ligne où il y avait la puissance *latente* d'un accomplissement qui la *déformait*, tandis que (...) autour de l'aéroplane menaçant et traqué (...) les jets d'eau lumineux des projecteurs *s'infléchissaient*, lignes pleines d'intentions aussi, d'intentions prévoyantes et protectrices (...)[3].

Courbes sonores ou visuelles

La « description » rend compte d'un invisible (par exemple une intention) porté par du sensoriel. Les métaphores de la courbe, de la ligne ou du rayon permettent à l'écriture de rendre sensible l'absence, la profondeur ou la latence à l'œuvre, pour le corps sentant, dans la formation de l'apparaître.

Caractéristiques sont à cet égard les liens établis par Proust entre le son (mais aussi l'odeur[4]), le cercle et le verbe décrire. Celui-ci, lié par certains de ses schèmes au représentatif, à l'image (la description littéraire), au dessin (la description géométrique), est constamment utilisé par Proust pour signifier la sonorité, qui dès lors acquiert une dimension *quasi* visuelle. Car s'il conserve de son emploi rhétorique ou littéraire une valeur imageante, il n'empêche que son association avec cer-

---

1. *RTP* III, p. 912 : « Une odeur devant quoi fuyaient les routes, changeait l'aspect du sol, accouraient les châteaux (...) »
2. *RTP* IV, p. 564.
3. *Ibid.*, p. 381. Je souligne.
4. *RTP* III, p. 536.

tains compléments engendre une sorte de synesthésie discrète parce que presque lexicalisée (on décrit la « courbe » ou l'« onde » d'un son, une « phrase » ou une « ligne » musicales...). Ces faisceaux de significations renvoient bien sûr à la découverte que nos sens ne sont pas séparés comme le laisse penser l'analyse scientifique et positive. En effet, celle-ci prend acte du caractère physiologiquement différent des divers sens humains pour en conclure que nous percevons le monde de façon disjointe et ponctuelle. L'esprit a alors pour charge de mettre après coup en relation les différentes données sensorielles, et de construire un objet plausible constitué de la somme et de l'arrangement des informations fournies par son corps. Ces analyses, écrirait Erwin Straus ou Merleau-Ponty, se font toujours en oubliant que nous ne pouvons les faire que dans la mesure où nous avons un corps polysensoriel. Aussi la métaphore proustienne de la courbe sonore est-elle particulièrement parlante. Les cris, les sons portent en eux les linéaments de leur cause, sont la chair de ces objets, de ces éléments, de ces hommes qui vivent en dehors de nous et de notre chambre. Ils ne sont pas simplement porteurs d'une image qui les subsumerait comme cris ou sons, les dépasserait ou les anéantirait comme des intermédiaires provisoires. Loin de n'être que le signe d'un ailleurs, dont la matérialité importe peu, les images qu'ils portent en eux ne peuvent se dissocier de leur être spécifique et sonore, qui est aussi essentiel à l'impression que les images qu'ils évoquent. Contrairement à ce qu'affirme Gilles Deleuze, signes esthétiques et signes sensibles sont donc de la même aune.

La courbe sonore permet d'unir l'individu avec l'extérieur, et se trouve chez Proust constamment liée à la sensation d'un accord avec le monde. Entre les fontaines de Doncières, ainsi,

des marmots jouaient, poussaient des cris, *décrivaient* des cercles, obéissant à quelque nécessité de l'heure, à la façon des martinets ou des chauve-souris[1].

---

1. *RTP* II, p. 394. Dans cette citation comme dans celles qui suivent, je souligne les occurrences de « décrire ».

De même, sur un mode plus monotone et dans la claustration d'une chambre,

> les bruits incessants, en nous *décrivant* d'une façon continue les mouvements dans la rue et la maison, finissaient par nous endormir comme un livre ennuyeux (...)[1].

Le son abolit et marque tout à la fois la distance qui sépare le corps du visuel (de la même façon, le rail et l'automobile ne relient deux lieux que pour mieux mettre en relief leur hétérogénéité). Le spectacle, innervé et porté par le bruit, disparaît en tant que vision lointaine et séparée, pour s'immiscer dans l'intimité charnelle du rêveur ; dans un même mouvement, cependant, le son maintient le visuel à distance par toute la longueur suggérée de son tracé. Comme l'écrit Jacques Garelli :

> En résonnant, la source musicale rend sensible les parcours éveillés de la distance, comme le sifflet du train des premières pages de la *Recherche du temps perdu* (...). L'espace (...), un instant déchiré, se referme, révélant par son silence (...) la présence sourde et opaque de ses propres entours[2].

La ligne sonore ouvre donc sur de l'inconnu, du souvenir ou du non-perçu qu'elle rend sensibles, et provoque le désir d'atteindre cet ailleurs qu'elle circonscrit par sa courbe et son rythme. C'est ce dont témoignent les dodécasyllabes, les hémistiches isolés, ou les octosyllabes qui saturent le début de cet extrait[3] :

> Un matin de grande chaleur prématurée, les mille cris des enfants qui jouaient, des baigneurs plaisantant, des marchands de journaux, m'avaient *décrits* en traits de feu, en flammèches entrelacées, la plage ardente que les vagues venaient une à une arroser de leur fraîcheur ; alors avait commencé le concert symphonique

---

1. *Ibid.,* p. 375.
2. *Rythmes et mondes. Au revers de l'identité et de l'altérité*, Grenoble, Jérôme Millon, 1991, p. 406.
3. Le rythme se dérègle et s'allonge vers l'impair à partir du moment où les vagues commencent à hanter la musique.

mêlé au clapotement de l'eau, dans lequel les violons vibraient comme un essaim d'abeilles égarées sur la mer. Alors j'avais désiré de réentendre le rire d'Albertine, de revoir ses amies (...)[1].

Le halo sonore rend ici désirable la perception directe des objets absents : la plage que le héros ne fréquente plus dans sa douleur d'avoir reconquis la mort de sa grand-mère, Albertine qu'il ne voulait plus voir, les amies qu'il avait oubliées. La courbe ne fait donc pas que propager un son ou les causes d'un son ; elle est l'appel d'un monde invisible qui lance des « traits », décoche des dards destinés à pointer son absence et son existence simultanées. La flèche sonore ouvre sur le visible tout en indiquant qu'il reste comme tel inaccessible. Elle vise à dire un monde synesthésique et total, comme le suggère la mention du « concert symphonique » dont le préfixe « sym » peut avoir une valeur métalinguistique, puisque l'extrait retranscrit est centré sur la polysensorialité. Le style de Proust vise à dire l'autre dans le même (« dans lequel »), l'absence dans la présence, la contemporanéité de l'ouverture et de la fermeture. On peut dès à présent définir cette écriture comme expression du chiasme et de l'entre-deux, puisqu'elle entremêle les violons et les vagues, l'art et le naturel, le son et la vue, l'eau et le feu, le kinesthésique et l'audible, comme en témoignent l'emploi en contexte des expressions « traits de feu » et « flammèches ». Les termes « entrelacées », « mêlé », « clapotement » (bruit qui se définit par l'intermittence) sont une formulation exemplaire de cet « entrelacs » entre « l'aboli et le présent » qui, selon Jacques Garelli, définit « le mouvement de surgissement ontologique proustien »[2].

La ligne sonore ne se contente donc pas seulement de dévoiler, entre ses intervalles, des *objets* visuels : elle ouvre sur les horizons du visible. Certains textes prouvent que le

---

1. *RTP* III, p. 176.
2. In *op. cit.,* p. 164. Le sujet de l'écriture proustienne est non pas la description d'une « chose », mais celle de son « avènement ».

son, « renversant nos impressions habituelles »[1], porte avec lui de l'invisible latent en instance de se manifester. Nous sommes ainsi émus par le bourdonnement d'un aéroplane parce que

les distances parcourues dans ce voyage vertical sont les mêmes que sur le sol, que dans cette autre direction où les mesures nous paraissent autres parce que l'abord nous en semblait inaccessible, un aéroplane à deux mille mètres n'est pas plus loin qu'un train à deux kilomètres, est plus près même, le trajet identique s'effectuant dans un milieu plus pur, sans séparation entre le voyageur et son point de départ, de même que sur mer ou dans les plaines, par un temps calme, le remous d'un navire déjà loin ou le souffle d'un seul zéphir raye l'océan des flots ou des blés[2].

Ce type d'expérience sonore suggère que l'on peut percevoir ce qui ne « peut » être sensible, d'un point de vue rationnel ou logique, parce qu'il ne s'agit pas d'un objet individualisé, mais d'un champ plus général et plus primordial : la distance même. Le bruit des flots[3] ou de l'aéroplane indexe moins les flots ou l'aéroplane en tant que tels, que la hauteur inaudible et invisible qui les sépare du sujet, ou la pureté transparente de l'atmosphère. L'« insensoriel » trouve ainsi une place dans le sensible, par la magie du son défini comme « indice de mensuration » et mesurant du réel[4], et par le rappel de la bénéfique rayure, qui vient très souvent chez Proust s'inscrire dans un « tissu » uniforme pour créer le minimum différentiel nécessaire à la perception du même. Son et rayure sont bien des lignes invisibles qui parcourent le monde et que le corps à l'écoute parvient parfois à percevoir. On comprend à quel point on passe chez Proust du concept de nature tel que le définit Merleau-Ponty, à celui de monde :

Kant disait [de la nature] qu'elle est « l'ensemble des objets des sens ». Husserl retrouve le sensible comme forme universelle de

---

1. *RTP* III, p. 290.
2. *Ibid.,* p. 907.
3. *Ibid.,* p. 290. Voir aussi p. 388.
4. Dans *RTP* I, p. 3, « le sifflement des trains », en « relevant les distances (...) décrivait l'étendue de la campagne déserte ».

l'être brut. Le sensible, ce ne sont pas seulement les choses, c'est aussi tout ce qui s'y dessine, même en creux, tout ce qui y laisse sa trace, tout ce qui y figure, même à titre d'écart et comme une certaine absence[1].

L'insensible nervure donc le monde de sa paradoxale présence, comme en témoigne la description du clair de lune à Combray. L'invisible s'y laisse cette fois pressentir, non seulement dans l'ordre de l'audible, mais aussi dans celui du visuel :

Dehors, les choses semblaient (...) figées en une muette attention à ne pas troubler le clair de lune, qui doublant et reculant chaque chose par l'extension devant elle de son reflet, plus dense et concret qu'elle-même, avait à la fois aminci et agrandi le paysage comme un plan replié jusque-là, qu'on développe.

Le frissonnement du marronnier

minutieux, total, exécuté jusque dans ses moindres nuances (...), ne bavait pas sur le reste, ne se fondait pas avec lui, restait circonscrit. Exposés sur ce silence qui n'en absorbait rien, les bruits les plus éloignés (...) se percevaient détaillés avec un tel « fini » qu'ils semblaient ne devoir cet effet de lointain qu'à leur pianissimo (...)[2].

Sont ici repris, au niveau du style, les enseignements d'Elstir, qui « rend » la chaleur marine en peignant des ombres denses et solides comme de la pierre, ou les impressions anticipées du héros, qui avait à Combray le sentiment du soleil grâce à la fraîcheur de sa chambre, voire à la gelée transparente d'un compotier de verre. L'absence de sensation directe permet à l'imagination de jouir de la plénitude du sentir, qui est moins un fait perceptif en tant que tel, qu'un horizon de perception. Nous avons vu déjà, en seconde partie, que Proust a saisi que les contraires de l'ordre logique ne sont pas forcément antagonistes dans le réel, mais bien plutôt une condition de l'apparaître. Ainsi,

1. « Le philosophe et son ombre », *Signes*, éd. cit., p. 217.
2. *RTP* I, p. 32.

l'infime « frissonnement » du feuillage et la clarté lointaine du son rendent perceptible la plénitude du silence et du calme. Le paysage lui-même se déplie pour montrer l'envers du monde, comme une photographie constamment doublée et supportée par son négatif (mais il s'agit ici d'une photographie vivante, sonore et bruissante). En témoignent l'emploi de tournures négatives (« ne pas troubler », « ne bavait pas », « ne se fondait pas », « n'en absorbait rien ») et restrictives (« ne devoir cet effet de lointain qu'à leur pianissimo »). De même, le paradoxe et l'esthétique du miroir sont perceptibles à travers un usage équivoque de certains pronoms et adjectifs possessifs qui fait perdre pied au lecteur («doublant et reculant *chaque chose* par l'extension *devant elle* de *son* reflet, plus dense et plus concret qu'*elle-même* »[1]). Enfin, l'ambivalence entre le tactile et l'audible (le « frissonnement » du marronnier), entre le visuel et l'audible (les bruits sont « exposés » sur la surface du silence comme ils le seraient sur un fond pictural, pour la mettre en relief), suggère que la perception du paysage engage l'ensemble des sens du sujet. On retrouve là, plus intellectualisé, plus nettement articulé – et du coup peut-être moins sensuel et moins troublant – les caractéristiques du clair de lune verlainien. « Le rossignol », et notamment ses vers finaux semblent en effet fonctionner comme un intertexte possible, au niveau lexical et thématique :

Et, dans la splendeur triste d'une lune
Se levant blafarde et solennelle, une
Nuit mélancolique et lourde d'été,
Pleine de silence et d'obscurité,
Berce sur l'azur qu'un vent doux effleure
L'arbre qui frissonne et l'oiseau qui pleure[2].

Les deux auteurs divergent certes au niveau existentiel : la présence charnelle, presque massive, du sujet et du style

1. Je souligne.
2. *Poèmes saturniens*, Paris, Orphée/La Différence, 1993, p. 38-39.

183

proustiens s'oppose à l'exténuation caractéristique de l'art et de l'être verlainiens. Cependant, Proust tente autant que Verlaine de cerner ce qui dans la sensation a affaire avec la jointure, le dédoublement et l'avènement, *via* une poétique de l'infime et de l'ineffable. On peut noter qu'elle tentait de s'exprimer dès 1896, quand Proust écrivait que « la nature », dans « le clair de lune » et « pour les seuls initiés », « depuis tant de siècles fait de la lumière avec de l'obscurité et joue de la flûte avec le silence »[1], et qu'on la retrouvera chez un autre lecteur de Proust, Philippe Jaccottet, lui aussi grand arpenteur de l'invisible :

> En cette nuit de lune dont je veux parler, le silence semblait être un autre nom pour l'espace, c'est-à-dire que les bruits très rares, ou plutôt les notes qui étaient perçues dans la fosse nocturne, et en particulier le cri intermittent d'une chouette, ne s'élevaient que pour laisser entendre des distances, des intervalles (...)[2].

Les exemples développés renvoient aussi aux synesthésies chères à Proust. Cependant, l'échange des qualités sensibles a surtout une fonction ontologique qui vise à rendre compte du tremblement de l'apparaître, le monde perçu étant indéfectiblement un mixte de mutisme et de sonorité, de ténèbres et de luminosité. La seule façon de rendre compte du silence ou de l'obscurité est de mettre en relief leur lien fondamental avec le son ou la lumière, par un style de l'entrelacement des sensations, dont le nom générique est chez Proust la « métaphore ». Ce n'est qu'en les cachant comme tels, comme « silence » ou comme « obscurité », que l'écrivain parvient à les rendre sensibles pour le lecteur. Comme le rappelait déjà Jean-Pierre Richard, « l'ombre proustienne n'est pas la négation du jour, mais son envers : une dimension presque aussi active, aussi rayonnante que lui » – ce qui explique que « l'exaltation réciproque du clair

---

1. « Contre l'obscurité », *CSB*, p. 395.
2. « Sur les pas de la lune », *La Promenade sous les arbres*, La Bibliothèque des arts, 1998, p. 69.

et de l'obscur (...) semble parfois prendre valeur de révélation »[1]. Le dévoilement de l'apparence a donc partie liée avec le recel ou le secret. La chose engendre l'ombre ; en retour, l'objet lui-même est porté par cette ombre qui le rend visible, puisqu'elle « double » et « étend » le monde effectivement perçu. Le reflet a donc une fonction et une présence plus importantes que la matérialité de la chose, dans la mesure même où il en rend possible la perception. L'Être est chez Proust tissé d'une absence et d'une latence qui annoncent les analyses de Merleau-Ponty, pour qui

le monde perçu ne tient que par les reflets, les ombres, les niveaux, les horizons entre les choses, qui ne sont pas des choses et qui ne sont pas rien (...)[2].

Que Proust en vienne à ne décrire plus que des paysages transversaux, dont le secret de fabrication réside dans un brouillage des frontières mentales ou perceptives habituelles est significatif : les données sensorielles les plus opposées contribuent à part égale et *dans le même temps* à la constitution de l'apparaître. Pour ne donner qu'un exemple, dans *Albertine disparue* se trouvent superposés des contraires comme le proche et l'éloigné, la nuit et le jour, la terre et le ciel, l'air et le minéral, l'air et le végétal : le clair de lune,

dématérialisant la terre, la faisant paraître à deux pas céleste, comme elle n'est, pendant le jour, que dans les lointains, enfermait les champs, les bois, avec le firmament auquel il les avait assimilés, dans l'agate arborisée d'un seul azur ![3]

Le rayon différentiel

Soit qu'elles traînent à leur suite les horizons du monde, soit qu'elles s'engendrent sur un fond d'insensible, les sensations actuelles sont donc constamment hantées par ce qui ne

1. *Op. cit.,* p. 66.
2. « Le philosophe et son ombre », *Signes*, éd. cit., p. 202.
3. *RTP* IV, p. 62.

peut s'appréhender directement. En déduire qu'un réflexe de type pavlovien (tel son me donne l'image de sa cause grâce à l'habitude acquise par mon corps) ou qu'un jugement naturel fondé sur des associations d'idées est à l'œuvre dans ces expériences de sensation totale serait une erreur. Si le monde se donne aux sens, c'est précisément dans la mesure où il est constitué *aussi* d'insensible : celui-ci est un niveau de l'être qui explique que la réalité chez Proust ne puisse, comme il le rappelle dans *Le Temps retrouvé*[1], être confondue avec l'actualité.

Le rayon proustien, comme la courbe sonore ou visuelle, n'est pas un simple signe d'une réalité différente de lui, à laquelle il mènerait sans que lui-même, figure matérielle et condensée quoiqu'intangible du lien, importe. Nous avons vu au contraire qu'au début de *La Prisonnière*, l' « émanation » qui contient en elle-même les qualités de l'atmosphère ambiante, compte plus que la « signification » des bruits de Paris. Le rayon apparaît dans la *Recherche* comme une sorte de concrétion de l'invisible, un Mercure lumineux qui ne se contenterait pas de porter des messages, mais influerait sur leur teneur même, par la forme ou la texture de son corps, par son intensité ou sa légèreté. Il est donc une image particulièrement importante dans la *Recherche*, puisqu'il permet de *figurer* le lien entre le visible et l'invisible, entre l'explicite et l'implicite au fondement de la perception du monde autant que de l'écriture de Proust. Par souci de clarté, je ne traiterai ici que du rayon lumineux ; il est cependant d'autres types de rayonnement chez Proust tout aussi importants, qu'ils soient odorants, acoustiques, vibratiles ou ondulatoires[2].

Le faisceau est l'incarnation *quasi* immatérielle de la relation avec le monde, une réalisation dans le sensible de ce que sont au niveau de l'écriture la métaphore et l'analogie. Comme elles, il relie une chose à une autre, un point de départ à une arrivée, selon trois modalités différentes qui ne

1. *Ibid.,* p. 451.
2. Voir notamment J.-P. Richard, « L'aéré », *op. cit.,* p. 57 à 62.

sont pas forcément exclusives l'une de l'autre : soit le narrateur met en relief sa trajectoire pour marquer la *différence* entre ses deux extrémités, soit il insiste sur sa vocation à *relier* deux éléments distincts, soit enfin il s'attarde sur le rayon *en lui-même*, qui devient le thème central du texte. C'est ainsi le cas de la description du regard dans la *Recherche*, obsessionnellement représenté par la flèche symbolique du désir, déclinée en épingle, encoche, trait, faisceau ou projecteur.

Le rayon est donc la figuration sensible du paradoxe inhérent à la notion de segment, sous-tendue tout à la fois par la séparation et par la relation. Comme le train, il traverse et marque l'espace plus qu'il ne lui appartient, en instaurant une scission à l'intérieur de l'homogène. Paradigmatique, ainsi me semble ce texte de *Du côté de chez Swann*, où la lumière du Bois de Boulogne, « s'aidant du ciseau puissant du rayon et de l'ombre (...) tressant ensemble » deux moitiés d'arbres,

en faisait soit un seul pilier d'ombre, que délimitait l'ensoleillement d'alentour, soit un seul fantôme de clarté dont un réseau d'ombre noire cernait le factice et tremblant contour. Quand un rayon de soleil dorait les plus hautes branches, elles semblaient (...) émerger seules de l'atmosphère liquide et couleur d'émeraude où la futaie tout entière était plongée comme sous la mer[1].

Le rayon et l'ombre, en introduisant une ségrégation positive, permettent l'avènement d'un visible mobile, d'un spectacle où l'objet en tant que tel (l'arbre-pilier baudelairien) s'avère en réalité un réseau de faisceaux et de « divisions »[2] : tronc érigé tantôt ténébreux, tantôt lumineux, « rayon de soleil » littéralement épiphanique, poussée des « branches » qui s'oppose à l'étiage de la « futaie ».

Le rayon est ainsi une façon de figurer la jonction et l'écart qui l'accompagne, puisqu'il met en relief le différentiel essentiel à une perception pleine du monde. N'oublions pas

1. *RTP* I, p. 416.
2. *Ibid.*

en effet que si les tentatives du héros dans le passage sur les aubépines se soldent par un échec, c'est justement parce qu'il cherche à isoler l'odeur des fleurs, à la recueillir sans tenir compte du fond d'où elle émane. C'est bien le contraire qui permet au jeune garçon de ressentir la chaleur qui a pris possession du pays, lorsqu'il se trouve enfermé dans sa chambre aux volets clos de Combray[1]. Le « reflet de jour » coincé « entre le bois et le vitrage » de la fenêtre de sa chambre, « les coups frappés dans la rue de la Cure par Camus (...) qui, retentissant dans l'atmosphère sonore (...) semblait faire voler au loin des astres écarlates », doublés du vrombissement des mouches d'été, permettent en effet à l'enfant de percevoir le poids de la chaleur et l'irradiation solaire. L'éclatante tache lumineuse, l'envolée sonore, la nuit de la chambre n'enferment pas le héros mais le projettent à l'extérieur, le relient au monde, à sa béance invisible derrière la clôture des stores mais dont il perçoit la force sensorielle de façon beaucoup plus intense que si sa perception du soleil avait été directe :

> Cette obscure fraîcheur de ma chambre était au plein soleil de la rue, *ce que l'ombre est au rayon, c'est-à-dire aussi lumineuse que lui*, et offrait à mon imagination le spectacle total de l'été dont mes sens si j'avais été en promenade, n'auraient pu jouir que par morceaux (...)[2].

L'ombre, le rayon, les bruits sont le mode d'apparaître concret de ce qui ne peut être pleinement sensible que si précisément il ne se donne pas *uniquement* physiologiquement : la sensation est doublée d'une part d'un revers sensible qui n'est qu'indirectement perceptible (la chaleur est perçue dans

---

1. Les citations qui suivent sont tirées de *ibid.,* p. 82. Pour un autre exemple, voir p. 64 : « De ma chambre, je ne pouvais apercevoir que [la] base » du clocher ; mais quand ses ardoises flamboyaient « comme un soleil noir (...) je savais exactement la couleur qu'avait le soleil sur la place, la chaleur et la poussière du marché, l'ombre que faisait le store du magasin où maman entrerait (...). »
2. Je souligne.

l'ombre qui en est la mesure exacte), d'autre part et surtout d'un insensible non plus matériel (comme dans le cas du soleil qui brille au-dehors ou du spectacle de la rue qui se déroule derrière des volets fermés), mais spirituel, l'imaginaire.

Le rayon (ou son avatar, la rayure), individuant, apparaît donc conjointement comme une figure de la coïncidence et de la séparation qui fait émerger un sensible particulier d'un fond informe ou chaotique. La rayure provoque une déchirure au sein du visible qui permet au spectateur de délimiter des formes, ou tout au moins de repérer des visibles, tirés du flou de leur manifestation. Dans *Du côté de chez Swann*, ainsi, les corbeaux, « après avoir rayé en tous sens le velours violet de l'air du soir (...) revenaient s'absorber dans la tour »[1] : le style lui-même institue en son cours des différences, puisque la douce obscurité du soir, chargée de vélaires, de liquides, de sonorités ouvertes, n'est parfaite que parce que son uniformité se trouve dérangée par le vol des oiseaux et par les denses sonorités de la formule « en tous sens » qui vient rompre l'enchaînement précieux de la phrase. De même, la pointe du clocher de Saint-Hilaire est

si mince, si rose, qu'elle semblait seulement rayée sur le ciel par un ongle qui aurait voulu donner à ce paysage (...) une petite marque d'art[2]

et insérer une infime et indispensable présence humaine au sein du naturel.

Cette mise en valeur du fond par la rayure peut devenir disphorique. Si le rayon continue, dans *Albertine disparue,* à donner forme à l'invisible, ce dernier n'est pourtant plus un élément du monde naturel (comme c'était le cas lorsqu'il donnait naissance aux ombres de la ferronnerie du balcon dans *Du côté de chez Swann*), mais un invisible psychologique qui possède une présence insoutenable. Albertine, bien que

1. *RTP* I, p. 63. Voir aussi p. 65, où le clocher « piquait sa pointe aiguë dans le ciel bleu ».
2. *Ibid.,* p. 62.

morte, reste en vie dans le corps du héros qui n'a pas encore pris la mesure de sa disparition :

> Si Françoise (...) dérangeait les plis des grands rideaux, j'étouffais un cri à la déchirure que venait de faire en moi ce rayon de soleil ancien (...). Je disais à Françoise de refermer les rideaux pour ne plus voir ce rayon de soleil. Mais il continuait à filtrer, aussi corrosif, dans ma mémoire[1].

Le rayon se trouve porteur d'un non-être qui a toutes les caractéristiques de l'être – moins l'existence. Il se transforme dès lors en une « lame » « sinistre dont la blancheur froide, implacable et compacte entrait me donnant comme un coup de couteau »[2], et le reflet du jour devient, « coupant comme un acier, un coup suprême que dans sa cruauté me portait encore le jour »[3] : autant de fissures du sensible par où éclate une forme insoutenable du temps retrouvé. Ce que relie cette fois le rayon, ce n'est plus un sujet et le monde actuel sensible, mais le sujet à sa propre mémoire, elle-même pétrie de sensorialité. Le rayon devient en effet dard ou flèche qui pénètre le corps pour lui faire sentir physiquement une absence. Il est une émission de monde et de temps qui sourd autant du présent, puisqu'il y a bien un rayon de jour dans la chambre du héros, que du passé, puisque ce rayon présent semble venir moins du climat que d'une époque révolue.

Le rai de lumière empêche donc la clôture totale de la monade, en venant rappeler l'existence et l'hétérogénéité du monde extérieur au dormeur, au rêveur ou au sujet qui l'oublie parce qu'il est lové dans sa vie tissée d'habitudes : on sait que chez Proust les objets finissent par être l'extension d'un corps qui possède une formidable faculté d'assimilation du divers. Le rayon apparaît dès lors comme une émanation qui pénètre le moi de toute la force du non-moi, et intervient soit comme une surprise douloureuse – c'est le cas du malade insomniaque qui confond le rai de lumière artificielle

1. *RTP* IV, p. 61.
2. *Ibid.,* p. 64.
3. *Ibid.,* p. 63.

avec le lever du jour[1] –, soit comme un don inattendu et bénéfique du réel – c'est « l'introït du jour », aube du monde quotidiennement renouvelée.

Cette brève étude du rayon dans la *Recherche* ne cherche pas à épuiser la richesse de ses connotations. Elle visait simplement à en établir les valeurs générales (porteur de l'invisible, le rayon relie dans la disjonction), et ne vaut donc que comme propédeutique à une analyse plus détaillée. À l'instar du motif de la couleur que je vais aborder, le rayon serait à réinsérer dans une problématique plus générale qui réclamerait une étude à part entière, la lumière chez Proust. Je rappelle enfin que le rayon est dans la *Recherche* une des figurations majeures du regard – les yeux des jeunes filles sont décrits comme des « rayons d'un autre univers » qui viennent croiser le regard du héros[2]. Cette assimilation du regard à un faisceau lumineux est constante dans le roman : l'œil ne se sert pas de la luminosité extérieure pour voir, il est à lui-même la source lumineuse de son propre procès, faisant accéder l'objet qu'il tire du néant conjointement au statut de visible et de vu. La duchesse de Guermantes laisse ainsi « ses pensées distraites s'échapper incessamment devant elle en un flot de lumière bleue qu'elle ne pouvait contenir », arrête sur le héros son regard « bleu comme un rayon de soleil qui aurait traversé le vitrail de Gilbert le Mauvais » – « mais un rayon de soleil qui, au moment où je reçus sa caresse, me sembla conscient »[3]. Cette façon d'imager le regard rappelle les théories antiques analysées par Gérard Simon, fondées non pas sur la notion de rayon lumineux venant frapper l'œil, mais sur celle de rayon visuel, « conçu comme le feu du regard projeté par l'âme à l'extérieur du corps », comme « excroissance psychique » ou « organe tem-

---

1. *RTP* I, p. 4.
2. *RTP* II, p. 302.
3. *RTP* I, p. 174-175. Voir aussi *RTP* II, p. 343 : les yeux de la princesse « incendiaient la profondeur du parterre de leurs feux inhumains, horizontaux et splendides ».

poraire allant palper les objets à distance »[1]. Le regard, condensation à la fois charnelle et psychique de la lumière s'avère ainsi, contradictoirement, tantôt flèche se fichant dans la chair consciente d'autrui, voire provoquant une « conflagration »[2], tantôt couloir menant à l'âme du voyeur, parfois malgré lui (qu'on pense à Legrandin ou à Albertine), tantôt enfin tracé emblématique d'une impénétrabilité : « rayon noir »[3] des yeux d'Albertine, bleu inaltérable du « regard vertical, étroit et oblique »[4] de Norpois, froideur de la métaphore récurrente de la pierre précieuse, de la cristallisation minérale, du prisme inhumain[5].

ÉPIPHANIES DE LA PROFONDEUR

Si l'on peut arpenter la surface du monde pour dévoiler les dimensions secrètes de l'espace, du jour, de la nuit ou de la rumeur, la matière réclame elle aussi une exploration de son apparente opacité. Il convient désormais de s'interroger sur l'envers par excellence du monde sensible : son épaisseur, qui est tout à la fois ontologique et liée à ces « croyances » que j'ai déjà abordées en montrant qu'elles nervurent le réel et déploient des champs temporels divers à l'intérieur de la sensation présente. La véritable sensation ouvrant sur les horizons du monde et des êtres, l'objet n'est plus délimité par son contour matériel ou corporel mais structuré par une profondeur invisible et primordiale. Schème majeur de l'écriture et de l'imaginaire de Proust, elle est aussi un thème privilégié de ses descriptions.

1. *Le regard, l'être et l'apparence dans l'optique de l'Antiquité*, Paris, Éd. du Seuil, 1988, p. 17 et 32.
2. *RTP* II, P. 358.
3. *Ibid.*, p. 152.
4. *RTP* I, p. 470.
5. Voir *RTP* II, p. 353 et p. 343 : la princesse « jetait (...) un regard de ses beaux yeux taillés dans un diamant », qui « au repos » étaient « réduits à leur pure beauté matérielle, à leur seul éclat minéralogique ».

Cette dimension est depuis toujours perçue par les théoriciens ou les philosophes comme particulièrement complexe, puisqu'il se forme sur la rétine une image qui a seulement deux dimensions (la largeur et la hauteur). L'optique classique nous apprend que l'estimation de la distance est due à la convergence binoculaire et à la superposition de nos deux images rétiniennes, qui sont disparates. Or cette disparition comme cette convergence ne sont sensibles qu'entre des limites qui pour le point le plus proche est d'une vingtaine de centimètres, et pour le plus éloigné de quelques dizaines de mètres. Pour les lointains, la saisie de la profondeur résulte donc d'une « élaboration » ou d'un raisonnement implicite amenant par exemple au jugement naturel de Malebranche, fondé sur une ségrégation des plans (différenciation entre le proche et le lointain), une comparaison de l'inconnu au connu (la taille d'un rocher rapportée à la silhouette humaine qui en donne l'échelle), ou des différences de luminosités et de netteté. La hauteur et la largeur sont censées ne fournir qu'une image de la chose : son épaisseur, qui pourtant la constitue au même titre que les deux autres dimensions, semble dès lors plus intellectuelle[1] dans la mesure où elle apparaît comme un *rapport* entre deux parties d'un même objet. Merleau-Ponty, résumant la conception de la peinture selon Descartes, explique que, pour lui, le tableau

nous donne selon la hauteur et la largeur des signes diacritiques suffisants de la dimension qui lui manque. La profondeur est une *troisième dimension* dérivée des deux autres[2].

Pour Descartes, la profondeur est bien une dimension conclue ou spontanément délivrée, une construction de la perception et du jugement humains. Au contraire, pour le phénoménologue, le savoir que les choses ou les êtres ne

---

1. Ce dans une *épistémè* qui a pris acte des apports de la Renaissance. P. Francastel précise qu'au Moyen Âge, la profondeur est perçue comme trop « matérielle » (*Études de sociologie de l'art*, Paris, Denoël, 1970, p. 144).
2. *L'Œil et l'Esprit*, Paris, Gallimard, 1964, p. 45.

sont pas creux ou vides, qu'ils ne sont pas simplement les uns hors des autres, bref la perception de l'épaisseur ou de la consistance de la chose, est instinctif :

> L'espace n'est plus (...) réseau de relations entre objets, tel que le verrait un tiers témoin de ma vision (...) c'est un espace compté à partir de moi comme point ou degré zéro de la spatialité. Je ne le vois pas selon son enveloppe extérieure, je le vis du dedans, j'y suis englobé[1].

La profondeur devient alors la « chair » même des choses, et finit par dépasser la problématique géométrique des dimensions de l'espace. Gilles Deleuze, de son côté, explique que

> sans doute, toute profondeur est (...) une longueur, une largeur possibles. Mais (...) en fait, c'est toujours à partir d'une nouvelle profondeur que l'ancienne est devenue longueur, ou s'explique en longueur. (...) Dès que la profondeur est saisie comme quantité extensive, elle fait partie de l'étendue engendrée, et cesse de comprendre en soi sa propre hétérogénéité par rapport aux deux autres. (...) La profondeur comme dimension hétérogène (ultime et originelle) est la matrice de l'étendue, y compris de la troisième dimension considérée comme homogène aux deux autres. (...) [La] profondeur ne s'ajoute pas du dehors à la longueur et à la largeur, mais reste enfouie comme le sublime principe du *différend* qui les crée[2].

La récurrente impression du héros proustien d'avoir affaire, dans la sensation des choses, des éléments ou des êtres, à des « vases clos », à des contenants, à un « au-delà » de l'apparaître inaccessibles comme tels et pourtant patents et évidents dans la sensation, suggère que la dimension de profondeur, souvent traduite en ces termes métaphysiques, est une question nodale du rapport au monde sensible. C'est qu'avec la profondeur et l'épaisseur, la sensation n'est plus simplement perception d'une qualité propre à l'objet, mais relation d'un sujet sensible à un monde qu'il contribue à

---

1. *Ibid.*, p. 58-59.
2. *Différence et Répétition*, éd. cit., p. 295-296.

mettre en forme. En déduire que la profondeur est un simple ajout du sujet à l'objet, et non pas une dimension ontologique à part entière, serait cependant une erreur, que commet le héros tant qu'il aborde le rapport au monde de façon frontale. Des deux façons différentes, chacune valide dans son domaine propre, de percevoir le réel que relèvera Merleau-Ponty, le héros privilégie alors la première :

Ainsi la vision se dédouble : il y a la vision sur laquelle je réfléchis, je ne puis la penser autrement que comme pensée, inspection de l'Esprit, lecture de signes. Et il y a la vision qui a lieu, pensée honoraire ou instituée, écrasée dans un corps sien, dont on ne peut avoir idée qu'en l'exerçant (...)[1].

Car si les sciences biologiques et psychologiques nous apprennent que la sensation de profondeur et de relief est une construction due à la conformation de nos organes et la résultante d'un apprentissage de l'enfant, notre rapport vital et immédiat au monde nous suggère en revanche qu'elle fait partie de l'objet au même titre que son parfum, sa teinte ou sa texture.

Mais le héros des premiers tomes conçoit encore la profondeur spatiale comme une dimension intellectuelle et construite. Aussi tente-t-il de ne plus voir la perspective pour se réenclencher sur un monde sensoriel inorganisé et non hiérarchisé par les catégories usuelles, sur des paysages structurés par des plans sans relief, comme c'est le cas dans le passage sur la haie de roses butinées par un papillon que l'adolescent s'attache à mettre sur le même plan visuel que le steamer lointain[2]. Il s'agit d'atteindre un monde sinon insensé, du moins non élaboré, un spectacle superficiel prétendu pur que les pratiques impressionnistes de la seconde moitié du siècle mettent à l'honneur, en se détachant de la construction perspectiviste issue de la Renaissance et en mettant l'accent sur la réalité plane de la toile[3].

1. *Ibid.*, p. 54.
2. *RTP* II, p. 156.
3. Voir G. Picon, *1863, Naissance de la peinture moderne*, Genève, Skira, 1974.

195

Il y a cependant une ambiguïté dans cette approche du monde et de la peinture. Le refus de la perspective classique correspond à la croyance que la pure surface peut faire émerger la sensation originaire, confondue avec une vision de type monoculaire qui aurait été oubliée par la force de l'habitude et des opérations du jugement synthétisant. On vient certes de voir que c'est la convergence des deux yeux qui provoque la sensation de profondeur spatiale, qu'il y a donc détour et construction puisque ce que les sens enregistrent en premier lieu, ce sont deux sensations distinctes qui sont ensuite réunies. En déduire que quelqu'un ayant un strabisme ne verrait pas l'épaisseur des objets ou leur relief serait pourtant une erreur : l'aspect tactile, la dimension, la couleur plus ou moins forte, plus ou moins brouillée des objets, la pratique du déplacement dans l'espace produisent une perception de la profondeur tout aussi « naturelle » que la première. De même, la profondeur ne disparaît pas dans la peinture impressionniste, comme le croit le héros lors de sa découverte d'Elstir. Si elle n'est plus rendue par des points de fuite classiques et par une ségrégation des plans (par exemple en peignant en petit ce qui est loin, et en grand ce qui est près, ou en bleuissant les lointains), elle se trouve en revanche suggérée par une représentation plus charnelle de la matérialité et de la couleur des objets, qui joue de la texture et de l'épaisseur de la peinture, et par des rapports de voisinage et d'imbrication qui créent l'impression d'une autre profondeur, moins spatiale que généralisée.

L'ambiguïté disparaît à partir du moment où le sujet comprend ce nouveau type de profondeur, qui réinsère dans un monde « sauvage » (pour reprendre une expression de Merleau-Ponty) de façon plus satisfaisante que les tentatives auxquelles menait la croyance à une platitude ontologique du réel. Dans le passage sur le steamer et le papillon, le héros *sait* pertinemment que le navire est sur la ligne d'horizon, et le papillon au premier plan : disons qu'il joue à faire comme s'il ne le savait pas, pour se faire croire qu'il accède à une sensation pure. Mais la mise entre parenthèses de ce savoir ne peut durer longtemps, et relève plus de l'expérimentation ponctuelle (puis-je créer moi-même une illusion d'optique ?) que d'un accès nouveau et prolongeable au monde. La seconde étape est donc franchie quand la profondeur n'est plus simplement perçue comme une construction du sujet, mais comme un élément à part entière de l'objet sensible, bref lorsqu'on passe d'une conception spatialisante à une approche ontologique de la profondeur. La chose perçue acquiert dès lors un relief perceptible sans médiation intellectuelle ou physiologique, une épaisseur sensible sans que pour cela l'objet ait à se détacher sur un fond ou à se distinguer d'autres choses : qu'on pense, dans la *Recherche*, à certaines descriptions du ciel, dans l'azur duquel le regard plonge, à celles d'un visage vu de très près comme dans la tentative du baiser à Albertine, dont la profondeur est d'autant plus désirable que la surface en barre plus fortement l'accès, ou au store bleu qui fascine le héros ivre du début d'*À l'ombre des jeunes filles en fleurs, II*.

Il semble donc bien que ce que recherche l'enfant de Combray lorsqu'il se penche sur des boutons d'or, des aubépines ou un visage de jeune fille, et qu'il sent se trouver « derrière » la surface qu'il perçoit directement, ce soit le mystère de l'épaisseur susbstantielle (qui dans le cas des êtres désirés est indéfectiblement mêlé à leur inconnu psychologique). Certains objets ont ainsi, dans la *Recherche*, un statut particulier, par l'obsession sensorielle qu'ils provoquent : la chair humaine, et notamment les joues, où afflue la sensualité la plus secrète[1], la couleur des choses, la qualité de certains éléments comme l'eau ou l'air sont exemplaires dans la mesure où leur surface semble constamment échapper à la superficialité, ou constituée par un surgissement de l'intérieur qui donne l'impression de se cristalliser et de se rassembler pour sourdre vers l'extérieur. Cette dimension

---

1. Les joues d'Albertine sont arrosées d'un « sang clair » (*RTP* II, p. 283) ; quant à Mlle de Stermaria, un « rose sensuel et vif (...) s'épanouissait dans ses joues pâles » (et non *sur* elles ; p. 49).

d'invisible que j'ai relevée à l'œuvre à la surface du monde, dans une courbe sonore ou un rayonnement lumineux, est particulièrement sensible dans ces objets pourvus d'une épaisseur qui semble à la fois se ramasser dans leur superficie et toujours échapper à la saisie totale.

Cette dialectique d'ouverture et de recel fait de la surface la manifestation d'une profondeur secrète : l'analyse des motifs de la couleur et de la transparence maritime va le montrer, l'apparaître proustien se donne à sentir comme une ouverture et une fermeture simultanées que la parole a pour tâche de transcrire. Une fois encore, l'écrivain annonce les analyses de Merleau-Ponty, qui écrit en novembre 1959, à propos de la profondeur :

> C'est la dimension du caché par excellence (...) La profondeur est le moyen qu'ont les choses de rester nettes, de rester choses, tout en n'étant pas ce que je regarde actuellement. (...) C'est donc elle qui fait que les choses ont une chair : c'est-à-dire opposent à mon inspection des obstacles, une résistance qui est précisément leur réalité, leur « ouverture », leur *totum simul*[1].

La résistance de la chose aux inspections de l'esprit n'est pas à dépasser comme une aporie qui nous empêcherait d'accéder à son essence, mais à respecter. Car cet obstacle que la chose dresse à l'encontre de la sensation nous permet justement de la percevoir comme chose sans que nous nous perdions en elle. Sans sa clôture, le monde ne serait qu'un fantôme de monde qui ne se dissocierait pas de celui du rêve. Ce que cherche maladroitement à atteindre le héros dans son embrassade douloureuse des aubépines ou lorsqu'il essaye de cerner ce qui se cache derrière leur parfum ou leur couleur, c'est peut-être bien une « essence ». Mais cette essence n'est pas une Idée qui viendrait s'incarner provisoirement dans un objet matériel, ni même un concept logique englobant toutes ses caractéristiques spécifiques : l'essence de la chose que seule une « jolie phrase » est apte à exprimer,

---

1. *« Profondeur », Le Visible et l'Invisible*, éd. cit., p. 272-273.

c'est ce qui la fonde comme chose ici présente, c'est ce qui se trouve inclus dans son apparaître et qui pourtant reste en soi insaisissable, étant un mouvement d'émergence plus qu'une dimension objectivable – sa profondeur.

La couleur en instance

Il est impossible de s'attarder sur tous les épisodes qui font de l'invisible profondeur un élément à part entière du procès perceptif de la chose. Aussi centrerai-je mon étude sur un thème particulier et omniprésent dans le roman de Proust, la couleur conçue non pas comme une qualité fixe et stable de l'objet et pourvue de valeurs symboliques claire-ment définies, mais comme un *processus* de cristallisation de l'invisible interne au visible.

Cet aspect n'épuise pas toutes les appréhensions de la couleur dans la *Recherche*. Proust l'envisage parfois, dans une analogie avec la peinture qui est sur ce point souvent[1] connotée négativement, sous l'angle d'une couche pig-mentée s'étalant sur une surface sous-jacente. La couleur se transforme alors en teinture, en infrangible surperficie et en vernis impénétrable, et témoigne d'une scission entre le monde et le sujet. Celui-ci découvre en effet que le toucher de l'objet, ou sa proximité, ne permet pas d'en atteindre le cœur, comme c'est le cas dans l'épisode du baiser à Alber-tine[2], ou lorsque le héros tente d'accéder à la vérité des choses :

Je n'étais plus assez près de la mer, qui ne me semblait pas vivante mais figée, je ne sentais plus de puissance sous ses couleurs étendues comme celles d'une peinture entre les feuilles où elle apparaissait aussi inconsistante que le ciel[3].

1. Pour un contre-exemple, voir *RTP* II, p. 187.
2. *Ibid.*, p. 285-286.
3. *Ibid.*, p. 67.

D'analogues déceptions se produisent lorsque le désir d'un ailleurs (ici d'un repas à Rivebelle) aplanit le réel :

Ma pensée, habitant à ce moment-là la surface de mon corps que j'allais habiller (...), était incapable de mettre de la profondeur derrière la couleur des choses[1].

La conception de la couleur comme pigment surnuméraire sert aussi à stigmatiser la mémoire et le rêve, qui créent un personnage mythique dépourvu de vie que la rencontre effective démentira – la duchesse de Guermantes se révèle une « image qui (...) n'était pas colorable à volonté »[2] – et à caractériser la dégradation que le temps fait subir à la réalité, puisqu'il anéantit la foi que le sujet avait en elle :

Ces rues de Combray existent dans une partie de ma mémoire si reculée, peinte de couleurs si différentes de celles qui maintenant revêtent pour moi le monde, qu'en vérité elles me paraissent (...) irréelles[3].

Ces exemples suggèrent tous que la couleur devient revêtement quand le croisement du monde et du moi se résout en rapprochement asymptotique et négatif. Au lieu d'être alors, comme le suggérait Paul Klee reprenant les termes de Cézanne, « l'endroit où notre cerveau et l'univers se rejoignent »[4], la couleur marque l'écartèlement et la rupture, stoppe net l'élan du sujet vers la chose qu'elle voile. Elle n'est plus, pour reprendre les termes d'Hofmannsthal, qu'un « mot (...) misérable »[5].

Cette couleur superficielle n'est cependant pas celle que Proust privilégie. Deux modalités du coloré, onde lumineuse et substance élémentaire, reviennent en effet de façon récurrente dans la *Recherche*. Loin d'en faire des antagonistes, Proust les assimile régulièrement, parce qu'elles suggèrent

1. *Ibid.,* p. 162.
2. *RTP* I, p. 173.
3. *Ibid.,* p. 48.
4. Cité par M. Merleau-Ponty, in *L'Œil et l'Esprit*, éd. cit., p. 71.
5. « Lettres du voyageur à son retour », *op. cit.,* p. 159.

toutes deux l'impossibilité d'une assignation définitive de la couleur, qui émerge d'ailleurs souvent de leur rencontre. Philippe Jaccottet s'en souviendra peut-être, pour qui les couleurs d'un bosquet

ne sont ni l'enveloppe, ni la parure des choses, elles en émanent ainsi qu'un rayonnement, elles sont une façon plus lente et plus froide qu'auraient les choses de brûler, de passer, de changer. Elles montent du centre ; elles sourdent inépuisablement du fond. Ces troncs charbonneux, couverts de lichens bleuâtres, on croirait qu'ils diffusent une lumière. C'est elle qui m'étonne, qui se dérobe, qui dure[1].

J'opérerai momentanément un *distinguo* entre ces deux accentuations que sont la réfraction lumineuse et le pigment substantiel, tout en mettant en relief leur relation lorsqu'il s'avérera impossible.

La couleur est tout d'abord le lieu d'une alchimie, produite par son lien intrinsèque avec une lumière irisée de nuances qui font accéder l'invisibilité de l'onde lumineuse à la visibilité. Dans son *Traité des Couleurs*, Gœthe avait déjà relevé que « les couleurs manifestent comment la lumière agit, comment elle pâtit »[2]. Le rayonnement en tant que tel semble effectivement chez Proust s'exacerber, en cherchant sa teinte dans la caresse des matières :

Le balcon était gris. Tout d'un coup, sur sa pierre maussade (...) je sentais comme un effort vers une couleur moins terne, la pulsation d'un rayon hésitant qui voudrait libérer sa lumière[3].

Lorsqu'il n'est pas le thème même de la phrase, le rayon, par son pouvoir réfractant, transforme le visible en un vaste champ prismatique :

À cette heure où des rayons venus d'expositions et comme d'heures différentes, brisaient les angles du mur, à côté d'un reflet de plage mettaient sur la commode un reposoir diapré comme les

---

1. « Bois et blés », *Paysages avec figures absentes*, Paris, Gallimard, 1976, p. 44-45.
2. (1810), trad. par H. Bideau, Paris, Triades-Éditions, 1973, p. 71.
3. *RTP* I, p. 389.

fleurs du sentier (...) cette chambre avait l'air d'un prisme où se décomposaient les couleurs de la lumière du dehors, d'une ruche où les sucs de la journée que j'allais goûter étaient dissociés, épars, enivrants et visibles, d'un jardin de l'espérance qui se dissolvait en une palpitation de rayons d'argent et de pétales de roses[1].

Proust s'attache dans ces exemples à cerner la qualité propre de la lumière : engendrant un empiétement de sensations, de temps et de lieux, elle fragmente sans pour autant séparer. Il montre ailleurs que les objets et les éléments transparents interceptent le rayon, indéfectiblement lumineux et temporel, et se l'assimilent pour en décliner l'impalpable arc-en-ciel en une « pluie flamboyante »[2] ou en une versatile translucidité. Les fleurs de la Vivonne ainsi étaient posées sur

l'obliquité transparente de ce parterre d'eau ; de ce parterre céleste aussi : car il donnait aux fleurs un sol d'une couleur plus précieuse, plus émouvante que la couleur des fleurs elles-mêmes (...) changeant sans cesse pour rester toujours en accord (...) avec ce qu'il y a de plus profond, de plus fugitif (...) dans l'heure (...)[3].

C'est ici, notons-le, la matière elle-même qui absorbe l'onde solaire, et cette conjonction interne engendre le coloré ou condense la lumière. On comprend qu'un poirier puisse alors se faire « rideau de lumière matérialisée et palpable »[4], ou que la « montagne de neige rose » d'un vitrail semble

avoir givré à même la verrière qu'elle boursouflait de son trouble grésil comme une vitre à laquelle il serait resté des flocons, mais des flocons éclairés par quelque aurore[5].

Conformément à sa description physique, la couleur naît de la relation entre l'objet et la lumière, que le sujet saisit en

1. *RTP* II, p. 64.
2. *RTP* I, p. 59.
3. *Ibid.,* p. 167-168.
4. *RTP* II, p. 455-456.
5. *RTP* I, p. 59.

acte. La couleur n'appartient en tant que telle ni à l'un ni à l'autre, n'étant pas une qualité positive, mais la réfraction de leur rencontre. De ce dynamisme témoignent les termes neufs que Proust recherche pour caractériser la couleur ou la lumière. Les connotations actives de leurs préfixes et de leurs suffixes s'opposent alors à des représentations conceptuelles plus classiques, centrées sur le statisme du pigment et la surface de l'objet : qu'on pense à des formules comme «incision en pleine chair»[1], vibration, «sursaturation» et cristallisation[2], incorporation[3], «altération», «transmutation», ce qui «intercale»[4], «élément» qui «tout aussi bien que dispensateur des teintes est un grand générateur ou tout au moins modificateur des dimensions»[5], «effort» ou «pulsation»[6], «tourbillon»[7], «réserve, prête à refleurir»[8]... Jean-Pierre Richard, en parlant d'«initiative matérielle», de «coloré» plutôt que de «couleur», en notant enfin l'emploi par Proust de verbes inchoatifs ou duratifs[9], rend bien compte de cet aspect génétique.

La seconde modalité d'expression de la couleur, on l'aura deviné au vu des citations de Proust que je viens de transcrire, met l'accent sur son caractère intrinsèquement substantiel : elle est constituée d'«éléments pondérables» internes à la chose même, qui remontent pour «[affleurer]»[10] à sa surface. Le pigment n'est alors plus une couche superficielle,

1. *RTP* III, p. 757.
2. *RTP* I, p. 425 : «Une parcelle supplémentaire (...) amena le phénomène appelé sursaturation ; tout le fard non aperçu cristallisa. »
3. *RTP* II, p. 264 : «Cette couleur, cet arôme que mes regards allaient chercher sur ces jeunes filles et dont la douceur finissait par s'incorporer en moi. »
4. *Ibid.,* p. 224 pour les trois derniers termes.
5. *Ibid.,* p. 297.
6. *RTP* I, p. 389.
7. *Ibid.,* p. 46.
8. *Ibid.,* p. 149.
9. *Op. cit.,* p. 95-101 : «Bien souvent chez Proust le bleu *bleuit,* le rouge *rougit,* le jaune *jaunit*» (p. 97).
10. *RTP* II, p. 65.

mais la qualité profonde de l'objet. Vivante, consistante[1] et signifiante, la couleur s'incorpore comme une pâte malléable à même l'objet : les couleurs des tapisseries de l'Église « en fondant, avaient ajouté une expression, un relief, un éclairage », et ses pierres tombales ne sont plus

de la matière inerte et dure, car le temps les avaient rendues douces et fait couler comme du miel hors des limites de leur propre équarrissure qu'(...)elles avaient dépassées d'un flot blond, entraînant à la dérive une majuscule gothique en fleurs, noyant les violettes blanches du marbre (...)[2].

La couleur révèle le travail de la manifestation, l' « animation interne »[3] du visible, le creux de l'Être où le regard du contemplateur peut naître ou se reposer, comme le suggèrent les remarques de Proust sur le soir, qui

avait l'air d'être posé et enfoncé comme un coussin de velours brun sur le ciel pâli qui avait cédé sous sa pression, s'était creusé légèrement pour lui faire sa place et refluait sur ses bords[4].

Caractéristiques sont les aubépines roses de Combray, qui ont « choisi une de ces teintes de chose mangeable »[5], ou les boutons d'or qui bordent le cours de la Vivonne, « jaunes comme un jaune d'œuf » :

Le plaisir que leur vue me causait, je l'accumulais dans leur surface dorée, jusqu'à ce qu'il devint assez puissant pour produire de l'inutile beauté[6].

Le désir d'ingestion, qui correspond souvent chez Proust au désir de s'approprier l'objet ou l'être visé[7], est compensatoire d'une certaine latence de la chose, d'une certaine

1. *RTP* I, p. 60 : « Le jaune de sa robe s'étalait si onctueusement, si grassement, qu'elle en prenait une sorte de consistance. »
2. *Ibid.,* p. 60 et p. 58.
3. Merleau-Ponty, *L'Œil et l'Esprit,* éd. cit., p. 71.
4. *RTP* I, p. 64.
5. *Ibid.,* p. 138.
6. *Ibid.,* p. 165-166.
7. Voir J.-P. Richard, *op. cit.,* p. 16-17. Sur les boutons d'or, voir p. 48.

absence – sa profondeur – qui pourtant semble se dévoiler dans l'intense concentration qui s'effectue en surface. La couleur pose alors une énigme sensorielle particulière. D'un point de vue physique, l'impression colorée est provoquée par la frappe d'un rayon lumineux sur la surface d'un objet, qui absorbe certaines ondes et en renvoie d'autres qui deviennent perceptibles pour le regard (c'est là l'un des plus beaux paradoxes que nous propose le monde sensible, un objet « bleu » « étant » tout, sauf bleu, puisque c'est précisément cette onde qu'il refuse). Mais la couleur devenue substance semble quant à elle produite par l'épaisseur même de la chose. Venant de ses tréfonds dont elle sourd comme une humeur, elle crée un accès sensoriel à un monde enchanté parce qu'*en train* d'advenir. Loin de n'être qu'un reflet lumineux, elle tisse des liens privilégiés et paradoxaux avec une consistance qui est en instance d'incarnation plutôt que figée dans une pureté immuable et inamovible, et a dès lors une dimension ontologique indéniable.

Certes, les descriptions du blanc et du rose « proprets de la julienne, lavés comme de la porcelaine avec un soin domestique »[1], ainsi que de certains ciels d'été au bleu sans mélange, semblent transformer la couleur en une pure surface dépourvue de prolongements :

> Sous la rotondité du ciel pâle et divin je me sentais oppressé comme sous une immense cloche bleuâtre fermant un horizon où ma grand-mère n'était pas[2].

Ce sont alors la force et la simplicité de l'intensité primaire de la couleur qui jouent le rôle de tenseur, plus que l'épaisseur sous-jacente. L'imperméabilité minérale du ciel ou de l'eau est d'ailleurs rarement contradictoire avec la profondeur substantielle, qui supporte la couleur qui s'unifie en surface. La description de la rue vénitienne, « toute en une eau de saphir », est caractéristique : elle

---

1. *RTP* I, p. 167.
2. *RTP* III, p. 159.

était d'une couleur si résistante que mes yeux fatigués pouvaient, pour se détendre et sans craindre qu'elle fléchît, y appuyer leurs regards[1].

Le durcissement ne masque pas la profondeur, il en indique bien plutôt la présence, par son caractère sécurisant. De même, le ciel proustien est souvent d'un bleu

tellement uni, tellement profond, qu'on sent que le bleu dont il est fait a été employé sans aucun alliage et avec une si inépuisable richesse qu'on pourrait approfondir de plus en plus sa substance sans rencontrer un atome d'autre chose que ce même bleu[2].

Cette infinitude potentielle, cette perfection presque insoutenable de la couleur seront significativement mises en valeur par l'aéroplane qui, en traçant sa différence dans l'azur, joue le rôle d'une bénéfique altération et transforme la couleur en étoffe : « de minuscules ailes brunes et brillantes fronçaient le bleu uni du ciel inaltérable ».

La couleur est bien l'épaisseur et la profondeur se faisant visibles : massées derrière la surface, elles intensifient son aspect de toute leur secrète densité. L'intimité de la chose se love donc dans le coloré, qui acquiert une vivacité particulière du fait que cet intérieur précisément ne parvient pas à exploser, à se répandre, restant contenu à la lisière de l'apparaître. L'extérieur est soutenu et étayé par l'intérieur, en un mouvement constant de poussée sur place : la couleur proustienne, parfois durcie comme une porcelaine ou une pierre précieuse, s'avère le plus souvent énergétique et vibrante, et donne à voir la profondeur de l'apparaître sans pour autant la libérer complètement. Incarnation d'une puissance latente à l'œuvre au cœur de l'objet[3], la couleur fissure la chose de l'intérieur et dévoile son intimité au moment précis où elle semble la masquer de toute l'étendue de sa sur-

1. *RTP* IV, p. 203.
2. *Ibid.*, p. 906-907. *Ibid.* pour la citation qui suit.
3. J.-P. Richard parle très exactement d'une « poussée délivrante de l'intériorité elle-même » (*op. cit.,* p. 97).

face. Précisons qu'à son instar, l'odeur est une émanation de l'intérieur de la chose vers sa superficie, mais une émanation privilégiée dans la mesure où elle est volatile et semble transporter la chose même hors de son lieu de façon encore plus nette que dans le cas de la couleur. Celle-ci cependant ne reste qu'en théorie adhérente à son support : elle a très souvent chez Proust tendance d'une part à « baver », à empiéter, bref à distendre les contours qui lui sont imposés (qu'on pense aux pierres tombales de l'Église ou à la description d'Esther, mixte de fondu et de « relief »[1]), d'autre part, et dans la mesure précise où il s'agit d'une matière transparente traversée par la lumière, à se nuancer, à s'éparpiller, à s'échapper (c'est ce que suggérait l'extrait cité décrivant la chambre-prisme de la grand-mère à Balbec[2]).

Deux études de textes permettront de cerner comment cette thématique de la couleur, et plus largement du dynamisme sensible, trouve son expression dans le style de Proust.

Précipité aérien : visibilité et pesanteur

La description des vapeurs qui se traînent sur la mer de Balbec, où le narrateur tente de rendre compte de la visibilité paradoxale de la pesanteur aérienne, mettent en relief ce frayage de l'intérieur vers l'extérieur qui caractérise l'apparaître proustien :

> Sur la mer, tout près du rivage, essayaient de s'élever, les unes par-dessus les autres (...) des vapeurs d'un noir de suie mais aussi d'un poli, d'une consistance d'agate, d'une pesanteur visible, si bien que les plus élevées penchant au-dessus de la tige déformée et jusqu'en dehors du centre de gravité de celles qui les avaient soutenues jusqu'ici, semblaient sur le point d'entraîner cet échafaudage (...) et de le précipiter dans la mer[3].

1. *RTP* I, p. 58 et p. 60.
2. *RTP* II, p. 64.
3. *Ibid.*, p. 161.

La nuée proustienne, étayée par un vide en mouvement, cumule les contradictoires. Ce faisant, elle constitue une première amorce ténébreuse et atmosphérique de la limpide description du jet d'eau d'Hubert Robert dans *Sodome et Gomorrhe*[1], dont Paul de Man montrait qu'elle tente « la réconciliation la plus difficile qui soit, celle du mouvement et de l'immobilité »[2]. Dans l'extrait qui nous occupe, les contraires se sécrètent eux aussi les uns les autres plus qu'ils ne s'opposent. Ils autorisent ainsi l'avènement d'un spectacle éminemment paradoxal : alliance entre les ténèbres d'une suie poudreuse et effritée, et la translucidité lisse et tangible de l'agate ; poussée conjointe du centre vers une périphérie chancelante et du bas vers un haut prêt à sombrer ; densité aérienne due à la force *quasi* matérielle d'un air qui soutient des vapeurs alourdies par leur propre poids et qui menacent de faire s'effondrer tout à la fois le noir syphon et le procès descriptif lui-même.

On retrouve ici une structuration descriptive classique que Proust privilégie à de nombreuses reprises, qui consiste à boucler le morceau textuel sur une disparition de l'objet décrit, comme c'est le cas dans les passages qui relatent l'expérience de surdité volontaire, la fragile construction du jet d'eau selon Hubert Robert, l'évanouissement des trois arbres d'Hudimesnil avec leur secret lorsque la voiture s'éloigne d'eux, ou la valse crépusculaire des trois clochers de « Combray ». Ce procédé produit un effet de réel grâce à un mime verbal, et permet au texte de s'engendrer en se dirigeant inébranlablement vers une clausule rythmique à caractère conclusif qui, selon Micheline Tison-Braun, fait office de « minuscule art poétique »[3]. La description proustienne n'est jamais figée, sauf lorsqu'elle se veut pastiche (comme c'est le cas avec les descriptions des pseudo-Goncourt) ou caricaturale de son objet (qu'on pense aux fameux monocles

1. *RTP* III, p. 56-57.
2. *Allégories de la lecture* (1979), Paris, Galilée, 1989, p. 95-96.
3. *Poétique du paysage*, Paris, Nizet, 1980, p. 16-18.

ambulants). Ou plus exactement, lorsqu'immobilisation il y a, c'est au moment même où l'objet se trouve en passe de s'effondrer ou d'éclater. Les nombreuses expériences d'hypnose ou de ralenti de la *Recherche* relatent ainsi toutes un effort du geste vers sa réalisation ou de la chose vers sa manifestation, en suggérant dans le même temps la menace d'une disparition imminente – arrêts kinétoscopiques sur une image en équilibre précaire, pleine de vie précisément parce que sur le point de se dissiper. Renvoyons pour mémoire aux ralentis décrivant les coups assenés par Saint-Loup à un journaliste puis à un homosexuel trop entreprenant, qui décomposent le mouvement et retardent son effectuation pour mieux mettre en valeur son imprévisible instantanéité ; à l'hypnose de Morel devant la photographie inattendue du Baron de Charlus, qui se conclut par un éclatement (une fuite à toutes jambes), ou à la fascination du héros devant Gilberte à Tansonville. La fixation chez Proust est toujours au bord de l'explosion, puisque le cours des choses est stoppé alors même que se laisse pressentir un surgissement... Jacques Garelli montre ainsi que

chaque chose décrite ne se livre que comme une phase provisoire en instance d'être, d'un monde lui-même invisible, bien que coprésent à son apparition[1].

Il s'agit donc pour Proust de décrire tout à la fois un effort vers l'apparaître et un effacement concomitant. Cette dialectique ambivalente, qui est celle de la vie, n'est pas qu'une thématique. Le style même de la description est écriture de la poussée, parce que l'effort constitue l'essence de la manifestation proustienne, toujours en passe de retomber dans l'invisible ou l'insensible plutôt que de se figer. Ainsi, dans la description des nuées pesantes que je viens de citer, le verbe « essayer », les énumérations et les accumulations, qui sont aussi perceptibles dans la lourdeur des locutions rapprochées (« par-dessus », « au-dessus », « jusqu'en

1. *Op. cit.*, p. 159-160.

dehors », « jusqu'ici »), le style constamment bancal parce que ponctué de rectifications et de corrections (« mais aussi »), le rythme ascendant et impair très rhétorique quoique chancelant[1], tentent de reproduire l'élan et l'effraction qui caractérisent la naissance du sensible. Quant aux oxymores (« pesanteur visible ») et aux rapprochements antithétiques (la mer et le rivage, la suie et l'agate), ils sont autant de moyens pour créer un style adapté à un objet à la fois épais et limpide. La description de la nuée dans la *Recherche* est une façon pour le narrateur de faire sentir ce que Giono, admirateur inconditionnel de Proust, appelle « le poids du monde », de dire la matérialité de l'air et la densité de la couleur. Le style ne décrit plus un monde stable et clairement défini, mais devient écriture de la génération.

Aussi ne faut-il pas analyser la métaphore proustienne comme moyen d'arrêter le flux de l'apparaître. C'est au contraire le flottement de l'apparence, ou plutôt sa vocation à l'émergence, que la « compacité » du style proustien vise paradoxalement à suggérer, en un tour de force qui tient à une esthétique bancale, fondée, comme l'a relevé Jean Milly, sur le vacillement et le décentrement phrastiques[2]. On comprend certes que le lecteur puisse sentir dans certains passages de la *Recherche* comme un arrêt de la « fuite du temps »[3] : un texte comme celui que je viens d'analyser s'attache en effet bien à un moment ponctuel. Mais cette fixation a partie liée avec la menace d'une disparition, d'un écroulement constants. Elstir lui-même était défini comme peintre de l'« Instant » :

Mais justement parce que l'instant pesait sur nous avec tant de force, cette toile si fixée donnait l'impression la plus fugitive, on sentait que la dame allait bientôt s'en retourner, les bateaux dispa-

---

1. « Sur la mer (3) / tout près du rivage (5) / essayaient de s'élever (7) / les unes par-dessus les autres (7, 8 ou 9 selon les liaisons) /... »
2. « La dynamique de la phrase proustienne », *La Phrase de Proust*, éd. cit.
3. J. Milly, *Proust et le style*, Genève, Slatkine Reprints, 1991, p. 90-91.

raître, l'ombre changer de place, la nuit venir, que le plaisir finit, que la vie passe et que les instants, montrés à la fois par tant de lumières qui y voisinent ensemble, ne se retrouvent pas[1].

Comme le peintre, si Proust fige le temps, c'est au moment précis où celui-ci est en train de *passer.*

Frayages maritimes : transparence et profondeur

Que la mer soit, à l'instar de l'air, de la lumière ou des visages d'adolescents, un sujet de prédilection descriptive est significatif. Ce qui intéresse l'écrivain dans ces éléments particuliers comme dans cette chair qui n'est pas la même que celle des adultes, c'est bien l'énigme d'une fluide transparence – qu'on retrouve traitée avec brio lors du célèbre passage sur les carafes de la Vivonne. Transparence mystérieuse, non pas en elle-même, mais par ce qu'elle recèle de profondeur. Sans celle-ci, le verre n'est très souvent qu'une manière de dire l'impénétrabilité et le leurre. On se souvient ainsi que la lorgnette de la grand-mère ne permet pas à l'enfant d'atteindre l'essence de la Berma ; de même, les monocles des étranges individus peuplant les salons mondains viennent réifier, animaliser ou techniciser leur visage. La translucidité n'intéresse en général le narrateur que lorsqu'elle est le résultat paradoxal d'une pesanteur qui la crée, d'une invisibilité qu'elle met au jour, comme en témoigne « la transparence profonde, l'infrangible dureté [des] saphirs »[2]. La bille d'agate offerte par Gilberte propose ainsi l'énigme d'une transparence solidifiée, d'un invisible tangible et ramassé sur lui-même, tout en étant aussi une façon pour Gilberte d'offrir au héros son regard transformé en chose, un œil devenu enfin saisissable.

La mer est un élément particulièrement cher aux Impressionnnistes à cause de sa « liquide mobilité »[3], de son instabilité et de son aptitude à la métamorphose instantanée,

1. *RTP* II, p. 714.
2. *RTP* I, p. 59.
3. *RTP* II, p. 33.

gageure pour la peinture qui est un art de la fixation. Analyser les liens qui se tissent entre la mer et la lumière dans la *Recherche* est indispensable : comme le rappelle Proust,

> Au reste, dans cette brèche que la plage et les flots pratiquent au milieu du reste du monde pour y faire passer, pour y accumuler la lumière, c'est elle surtout, selon la direction d'où elle vient et que suit notre œil, c'est elle qui déplace et situe les vallonnements de la mer[1].

Inspiré peut-être par Chateaubriand, pour qui le rayon « allongé du soleil couchant » « tantôt illumine une forêt, tantôt forme une *tangente d'or sur l'arc roulant des mers* »[2], Proust, qui s'attache ici au soleil levant, tâche alors de « poursuivre, sur *la roue tournante de ses rayons*, un voyage immobile et varié à travers les plus beaux sites du paysage accidenté des heures »[3].

Ne pouvant traiter en général de cette naissance conjointe de la lumière et de l'eau – « rencontre miraculeuse » selon Paul de Man, parce que « la différence des parties » s'y trouve « absorbée dans l'unité du tout »[4] –, je me pencherai plus spécifiquement sur les relations de la profondeur avec la transparence de l'océan. En effet, celui-ci offre au regard l'étrange beauté d'une surface tout entière soutenue par son épaisseur et mène la sensation vers cet au-delà invisible qui ne se donne pourtant que dans l'extériorité de la chose.

Dans *À l'ombre des jeunes filles en fleurs*, la mer, telle la nymphe Glaukonomè au nom monstrueux (le mot « glauque » évoque un brouillage visuel, une translucidité mitigée),

> avait la transparence d'une vaporeuse émeraude à travers laquelle je voyais affleurer les éléments pondérables qui la coloraient (...). Elle faisait jouer le soleil avec un sourire alangui par une brume invisible qui n'était qu'un espace vide réservé autour de sa surface translucide rendue ainsi plus abrégée et plus saisissante (...). Telle,

---

1. *Ibid.*
2. *Génie du christianisme* (1802), II, 4. Je souligne.
3. *RTP* II, p. 34. Je souligne.
4. *Op. cit.,* p. 96-97.

dans sa couleur unique, elle nous invitait à la promenade (...) d'où, installés dans la calèche de Mme de Villeparisis, nous apercevrions tout le jour et sans jamais l'atteindre la fraîcheur de sa molle palpitation[1].

Il convient de s'attarder un instant sur cet étrange passage dont la signification littérale n'est pas très claire, dans la mesure où plusieurs métaphores et personnifications divergentes se disputent la thématique centrale. La mer apparaît à la fois comme un minéral ambivalent puisque défini par une impondérabilité aérienne et « vaporeuse », et comme un visage ou une chair humaine par l'intermédiaire de la nymphe souriant et respirant « mollement ». C'est une surface ramassée, qui donne à voir à travers sa transparence non un vide mais un mouvement de poussée vers l'extérieur, un afflux de poids qui est chez Proust, comme le suggérait déjà la description des boutons d'or de la Vivonne, une des définitions du coloré. La couleur est donc l'incarnation « pondérable » et pourtant immatérielle de l'épaisseur invisible de la chose, le moment où un objet s'institue comme objet, s'ouvre un chemin qui n'est pas distinct de son être et se fraye *en lui-même* un passage vers l'avènement. Il n'est pas innocent que ce passage soit lié à l'obsessionnel lever de rideau proustien :

Par quel privilège, un matin plutôt qu'un autre, la fenêtre en s'entrouvrant découvrit-elle à mes yeux émerveillés la nymphe Glaukonomè (...).

La métaphore constante chez Proust de l'*introït* du jour et du sensible a dans cette optique une dimension symbolique : il s'agit d'exprimer la naissance renouvelée du monde tout autant que la paradoxale visibilité de la transparence. Jean-Pierre Richard diagnostique ainsi dans ce passage

---

1. *RTP* II, p. 65. *RTP* III, p. 179, mentionne « certaines mers indolentes, vaporeuses et fragiles que j'avais vues pendant des jours ardents dormir sur la plage en soulevant imperceptiblement leur sein bleuâtre d'une molle palpitation ».

un dynamisme universel qui se chargerait à chaque instant, et dans l'ombre recluse des matières, de générer, de regénérer la chair du monde. Toute couleur nous renverrait ainsi (...) à l'euphorie d'un ressourcement fondamental[1].

Que l'invisible soit une condition de possibilité de la vision, la citation le dénote clairement puisqu'elle mentionne « une brume invisible qui n'était qu'un espace vide réservé autour de sa surface translucide rendue ainsi (...) plus saisissante ». On pourrait s'appliquer à transcrire ce à quoi peut bien référer, concrètement, dans le paysage imaginaire de ce passage, la « brume invisible » – condensation de chaleur, mixte d'air et d'eau, d'invisible et de matière – ou l' « espace vide réservé ». Importe surtout le fait que la sensation de la translucidité marine est d'autant plus forte qu'elle se fait sur fond d'un invisible ou d'un « vide » qui n'est pas sans densité. Ce vide circonscrit d'ailleurs moins un espace coloré, puisque la couleur verte est simplement connotée par le terme « émeraude », qu'il ne découvre ce qui dans l'océan relève de la limpidité. Le paradoxe doit être relevé : l'eau et la brume sont deux invisibles (deux transparences) qui se font percevoir l'un l'autre tout en ayant deux fonctions inverses. En effet, la transparence marine ne devient visible que dans l'exacte mesure où l'air qui la recouvre se fait oublier. L'écriture proustienne cherche ainsi à exprimer comment la sensation peut atteindre l'imperceptible, comment une profondeur invisible peut se résoudre en remontée visible tout en demeurant translucide. Si pour les Goncourt, « l'art de peindre n'est que l'art d'exprimer l'invisible par le visible »[2], chez Proust, c'est dans la sensation elle-même que se situe ce rapport à l'invisible qui sera le fondement de son art.

Mais le style vise tout autant à décrire les ambivalences d'une sensation synesthésique pour laquelle du transparent

1. *Op. cit.,* p. 97.
2. En 1902, Proust avait *Les Maîtres d'Autrefois* pour guide dans son périple en Hollande et en Belgique (voir J.-Y. Tadié, *Marcel Proust,* éd. cit., p. 472).

peut devenir presque tangible. La couleur et la translucidité proustiennes ont en effet partie liée avec une matérialisation et une solidification qui ne sont pas une simple métaphore mais un horizon de l'eau. Cet horizon restera par définition inaccessible, puisque la « fraîcheur » désirée (le terme était annoncé discrètement avec le mot « émeraude » dont la minéralité renvoie à une certaine froideur) ne se laisse pas « atteindre ».

Sans la brume, la sensation n'aurait donc pas lieu : invisible qui ouvre à la sensation un accès direct à ce qu'il circonscrit (puisque précisément il est invisible), il est aussi le détour (un « espace », certes « vide ») par lequel il faut passer pour accéder à une sensation pleine. La sensation directe n'est donc pas dissociable de la médiation. La surface limpide de l'eau n'est visible que parce qu'elle est soutenue sur ses deux faces par de l'invisible : en bas, par sa profondeur en train de surgir, en haut, par la brume qui « contient » sa surface et l'empêche d'exploser. La mer est ainsi un objet de sensation et de description particulièrement prisé, puisqu'elle est la matérialisation de sa propre profondeur, la couleur de l'eau dépendant tout à la fois de la luminosité ambiante et de la masse interne qui étaye la surface. La sensation est totale seulement si elle se fait au travers de quelque chose, si l'objet ne se donne pas purement, bref si elle se trouve confrontée à un mélange d'ouverture et de résistance, de visible et d'invisible.

Dès lors, le style proustien se fait écriture de l'empiétement, du paradoxe et du croisement. En témoignent des locutions comme « à travers », « autour », ainsi qu'un jeu d'ambiguïtés fondé sur une hétérogénéité de classiques courants métaphoriques visant à désigner la mer. À la trame dominante de la traditionnelle personnification féminine (langueur, volupté, respiration, sourire) et de l'allusion justifiée et peut-être baudelairienne[1] à la marine néréide « qui

1. Voir, dans *Les Fleurs du Mal*, les « gigantesques naïades » de « Rêve parisien » et « La Géante ».

se plaît au sourire »[1], vient s'adjoindre une autre pente métaphorique tout aussi attestée dans la littérature. Il s'agit de l'eau couleur d'émeraude, qui rassemble par voie de conséquence les attributs de la pierre (la métaphore peut être motivée par le fait que l'on parle de « l'eau » d'une pierre pour caractériser sa transparence et sa pureté). Ces deux versants, eau féminine, eau pétrifiée, sont revitalisés par Proust qui, en les mêlant, superpose leurs sèmes. Il peut alors créer un signifié difficile à représenter, voire insensé : qu'est-ce que la « surface translucide » d'une nymphe souriante ? Qu'est-ce qu'« un sourire alangui par une brume invisible » ? La personnification érotise le texte. Cependant, l'évocation même de ces intenses suggestions sensibles vient brouiller la compréhension directe de l'extrait, puisque les prédicats qui s'appliquent à un corps de femme, fût-elle une déesse, ne conviennent pas forcément à une substance minérale.

Cette esthétique du croisement se retrouve au niveau sonore. Si le texte est harmonisé d'un bout à l'autre par des allitérations en « l » et « r », liquides particulièrement adaptées à la description de l'élément aquatique et de la mollesse féminine, on trouve une alternance très marquée entre deux chaînes d'assonances. La première partie de la citation, la plus voluptueuse, décline une série d'assonances en « en » (« mollement », « transparence », « éléments »), ainsi qu'en « e » et « o » ouverts ou fermés (« Glaukonomè », « beauté », « mollement », « vaporeuse », « émeraude », « coloraient »). La partie centrale est quant à elle unifiée par les sons « i » et « u », qui sont, comme dirait Proust, plus « abrégés » et « saisissants » (« sourire », « alangui », « invisible », « qui », « vide », « translucide », « ainsi », « saisissante », « brume », « surface », « rendue », « plus »). Cette poétique du chiasme (l'alternance des assonances venant varier la constante allité-

1. La note 1 de *RTP* II (p. 1368) renvoie à Hésiode, *Théogonie*, v. 256. Glaukonomè est une des cinquante filles de Nérée et Doris, les deux enfants de Neptune et Thétis.

rative des liquides) provoque bien une évanescence du sens conceptuel au profit d'un sens plus sensible.

On peut dès lors se demander si le nom de la néréide, Glaukonomè, situé en début de texte comme un « pantonyme »[1] ou un « thème-titre »[2], n'a pas dans l'économie de cet extrait une fonction majeure d'unification et de justification d'incohérences apparentes (le terme « glauque » lui-même peut renvoyer par son sens de visualité diffuse aux brouillages et imprécisions sémantiques à l'œuvre dans le texte). D'une part, « Glaukonomè » contient en germe liquides et assonances en « o » qui parcourront le passage. D'autre part, son étymologie permet de superposer, cette fois sans solution de continuité, les trois éléments du procès métaphorique déjà relevés, la mer, l'émeraude et la nymphe. En effet, « glaukos » en grec désigne à la fois la mer, souvent appelée dans la littérature « la Glauque »[3], et la couleur verte de l'émeraude ou de l'océan. On comprend que Proust, après avoir choisi dans une première version de son texte Alecto (une des trois Erinnyes) comme thème-titre de sa description, ait ensuite privilégié la figure de Glaukonomè, plus apte à incarner la volupté marine et à unifier, par ses sonorités et ses connotations étymologiques, le sens de la description. Ce nom lui parlait particulièrement, puisqu'on le retrouve, différemment décliné mais parcouru par les mêmes sèmes, dans une note manuscrite d'octobre 1888 :

J'ai voulu représenter le charmant Glaukos, *brassant* doucement dans un rayon de *soleil* l'entassement de ses lettres d'amitié. (...) Glaukos *sourit* au souvenir des grandes passions violentes qui le *remuèrent* autrefois, lui *fanaient* un instant ses belles prunelles claires

1. Voir Ph. Hamon, *Du Descriptif*, Paris, Hachette, 1993, p. 127 et s.
2. Selon J.-M. Adam, c'est le « pivot nominal » qui permet d'« ancrer » la description, et qui peut être modifié par une « reformulation » – ici, celle de l'émeraude. In *La Description*, Paris, PUF, 1993, p. 104-105.
3. Le *Larousse universel en deux volumes*, Larousse, 1922-1923, propose comme unique exemple significatif de sa définition (« couleur verte tirant sur le bleu ») : « mer glauque ».

(...). J'ai représenté Glaukos songeant seul, presque *nu* pour montrer sa *beauté* avant de vêtir les lins précieux. *Il sourit et le soleil le chauffe*[1].

Le passage définitif est bien un exemple parfait de l'esthétique proustienne puisqu'il insère un complexe d'horizons dans la simple mention d'une vision : l'invisible transparence a partie liée avec le visible, l'eau avec la pierre, la vision avec le toucher, la surface avec la profondeur... Cette ambivalence du sentir signe l'étrange familiarité qu'il entretient avec la création, puisque le narrateur se définit lui-même comme

un étrange humain qui en attendant que la mort le délivre, vit les volets clos, ne sait rien du monde (...), *ne voit un peu clair que dans les ténèbres*[2].

De façon identique, la sensation ainsi définie comme mixte de sensible et d'insensible entretient des liens singuliers avec la mémoire, qui rend viable l' « incompréhensible contradiction du souvenir et du néant »[3], et avec le rêve, qui réfracte « la douloureuse synthèse de la survivance et du néant dans la profondeur devenue translucide des viscères mystérieusement éclairés »[4].

---

1. [Glaukos], in *Écrits de jeunesse, 1887-1895*, éd. de A. Borrel, Institut Marcel Proust international, 1991, p. 120-121 : je souligne les mots renvoyant, directement ou non, à la version de la *Recherche*. Il s'agit d'une note manuscrite, non publiée, rédigée avant le 15 octobre 1888.
   Une note de cet ouvrage précise qu'en grec, « le nom propre *Glaukos* est celui de deux guerriers (*Iliade*, 2, 876 ; 6, 114) et celui d'un pêcheur d'Antèdon qui fut changé en dieu marin (Euripide, *Oreste*, 364) ». Je laisse à d'autres le soin d'analyser la transformation *in fine* du masculin en féminin.
2. *RTP* III, p. 371. Je souligne.
3. *Ibid.*, p. 165.
4. *Ibid.* p. 157. Cette vision interne à la chair même a pour pendant une invisibilité dramatique, puisque ce rêve raconte la poursuite du héros qui ne parvient pas à rejoindre et à *voir* sa grand-mère.

LA FIN DE LA DICHOTOMIE
SURFACE-PROFONDEUR

On saisit pourquoi de nombreux critiques perçoivent la *Recherche* comme une entreprise de dépassement de l'apparence et de dévalorisation de la sensation. Ils s'étayent sur des formulations apparemment catégoriques de Proust, pour qui

seul mérite d'être exprimé ce qui est apparu dans les profondeurs (...). Ces profondeurs sont obscures. Cette profondeur, cette nécessité pour nous-mêmes est la seule marque de la valeur – aussi peut-être d'une certaine joie[1].

Le narrateur de *Le Temps retrouvé* précise de son côté qu'il ne sait et ne veut pas observer comme le font les Goncourt, qui se laissent piéger par la surface des choses et des êtres, mais qu'il préfère « radiographier »[2]. En lui en effet est un personnage qui

regardait et écoutait, mais à une certaine profondeur seulement, de sorte que l'observation n'en profitait pas.

Nous avons vu cependant que si son esprit poursuit un « point commun » qui se situe « à mi-profondeur, au-delà de l'apparence elle-même, dans une zone un peu plus en retrait »[3], celui-ci n'est accessible qu'à travers la manifestation sensible. De même que l'écriture garde toujours un certain halo de mystère, « qui n'est que le vestige de la pénombre que nous avons dû traverser, l'indication (...) de la profondeur d'une œuvre[4], de même la surface sensible n'est

1. Note d'un carnet de Proust, cité par A. Ferré, in *Les Années de collège de Marcel Proust*, éd. cit., p. 211.
2. *RTP* IV, p. 297.
3. *Ibid.*, p. 296.
4. *Ibid.*, p. 476.

pas le contraire de l'épaisseur et de l'invisible, mais comme leur exsudation[1]. Proust accompagne ou anticipe sur ce point les découvertes faites par certains poètes lyriques, notamment contemporains[2].

Au lieu donc de dénier à la sensation la faculté d'accéder à l'invisible ou à la profondeur parce qu'ils seraient des insensibles exclusivement dépendants du pouvoir spirituel de déduction ou de création, c'est à sa redéfinition qu'il faut s'attacher, en tenant compte des indications proustiennes. La sensation est selon moi le thème majeur de la *Recherche*, dans la mesure précise où, ouvrant sur l'Être total, elle mène à autre chose qu'elle :

> Je gardais, dans mon logis, la même plénitude de sensation que j'avais eue dehors. Elle bombait de telle façon l'apparence de surfaces qui nous semblent si souvent plates et vides, la flamme jaune du feu, le papier gros bleu du ciel (...), le tapis (...), que, depuis, ces choses ont continué à me sembler riches de toute une sorte particulière d'existence (...)[3].

L'impression sensorielle n'est certes pas toujours aussi intense. Le vrai sujet de la *Recherche* n'en demeure pas moins cette sensation qui pénètre la totalité des horizons du monde et de soi. N'étant pas un simple enregistrement physiologique, elle ouvre sur le langage et la parole, qu'elle inclut en elle au même titre que tout le reste. Le narrateur s'attache à exprimer le fait que la surface des choses est hantée, gonflée par leur propre matérialité, par le monde qui les environne, par les croyances subjectives – ce fait évident, quotidien et pourtant étrange que le sentir ouvre sur le tout[4], même

---

1. Nous avons vu que les seuls moments de la *Recherche* où l'apparence se fait glacis muet sont justement ceux où le monde se résorbe dans la pure perception constative.
2. Voir J.-M. Maulpoix, *La Poésie comme l'amour*, Paris, Mercure de France, 1998, p. 122-123.
3. *RTP* II, p. 394.
4. Ce qui explique que certains critiques aient pu voir en Proust un mystique latent. Pour une critique de cette position, voir H. Bonnet, *Le Progrès spirituel dans l'œuvre de Marcel Proust*, t. II, éd. cit., p. 206-212.

absent physiquement, bien plus que sur un objet précis. En cela, l'expérience « panique » du monde se distingue de la quête de la sensation pure abordée en première partie. La métaphore du plongeur qui suit l'extrait qui vient d'être retranscrit est significative, dans la mesure où celui qui hante les profondeurs se trouve toujours en même temps, et d'autant plus vitalement, « relié » à la surface :

> Comme un plongeur respirant dans un tube qui monte jusqu'au-dessus de la surface de l'eau, c'était pour moi comme être relié à la vie salubre, à l'air libre, que de me sentir pour point d'attache ce quartier, ce haut observatoire dominant la campagne (...)[1].

Si la *Recherche* est bien le roman de l'apparence, il s'agit d'une apparence qui n'est pas une plane esquisse, mais la pointe extrême d'un enracinement. Car la sensation véritable est relation à l'absence dans la perception effective de l'objet.

On comprend alors les critiques de Proust à propos de la littérature de « notations ». La divergence de style engage une approche du monde radicalement différente. Les preneurs de notes s'attachent à décrire une surface vidée de ses soubassements, quand l'écrivain redéfinit l'apparence comme creusée d'horizons divers, sensibles, fantasmatiques ou temporels. Retrouver le réel revient alors à restituer cette profondeur ontologique qui, pour être le but de l'entreprise artistique proustienne, ne se situe pas moins aussi en son aval, lors de la rencontre sensible, « aléthique », entre le moi et le monde. Affirmer, comme le fait Gilles Deleuze, que le sensible se réduit à un signe incomplet qui interdit l'accès à son essence revient selon moi à méconnaître que cette dernière se confond, dans la vie même et pas seulement dans l'art, avec cette dialectique entre apparition et évanouissement qui travaille l'apparaître, avec cette tension entre ouverture et repli qui rend le corps proustien à la fois irré-

1. *RTP* II, p. 394-395.

ductible à son enveloppe matérielle et irrémédiablement lié à elle. Le signe esthétique peut bien dévoiler la structure de l'essence, celle-ci, fût-ce implicitement, informait déjà la relation existentielle entre le sujet et le monde, et n'a donc pas simplement une valeur *a posteriori*. L'art doit précisément et paradoxalement (puisque symboliser, c'est se mouvoir dans la réflexivité et le détour) reprendre à son compte ce commerce initial. Et s'il le peut, c'est que le langage ou la représentation imaginaire faisait déjà partie, d'une certaine manière, du rapport au monde sensible.

DE LA PROFONDEUR
À LA SURIMPRESSION

Les analyses du jeu de l'actrice ou de l'ouverture au monde du sujet, l'étude de l'architecture invisible du visible effectuées plus haut peuvent permettre de dégager certains traits caractéristiques du réel proustien. Transcendant l'opposition entre matière et esprit, il se définit comme un rapport actif entre la chair et le sens, entre l'être et le latent, et ne peut être envisagé qu'en fonction de sa dimension dynamique de profondeur, qui est le schème général traversant tous les niveaux de la *Recherche*. Qu'elle hante à ce point le roman n'est pas un hasard : multidirectionnelle, la profondeur permet d'appréhender le monde sans le réduire, puisque sa saisie peut s'effectuer selon les modes divers, passifs ou actifs, de l'enfouissement, du surgissement ou de la percée. En elle se croisent tous les axes que l'homme a l'habitude de décliner pour démêler les nœuds de son rapport au monde, en une simplification qui ne lui permet pas de restituer les croisements et les embranchements qui, d'un ordre à l'autre – rêve et réel, désir et existence –, sont créés par la vie. La profondeur possède donc les caractéristiques majeures, éminemment proustiennes, de l'ambivalence et de l'« aléthique » :

222

elle dévoile dans la mesure précise où elle voile, elle fait percevoir le positif et dans son contraire, l'être dans un non-être qui ne se confond pas avec un inexistant. Le Bal de Têtes oblige ainsi le héros, pour « identifier » un inconnu qu'il ne parvient pas à reconnaître, à « penser sous une seule dénomination deux choses contradictoires », à « admettre que ce qui était ici, l'être qu'on se rappelle n'est plus, et que ce qui y est, c'est un être qu'on ne connaissait pas », à « penser quelque chose de presque aussi troublant que la mort »[1].

La prédilection que voue à la profondeur Proust ne s'arrête cependant pas là. Avant tout, elle rend sensible cet « inconcevable »[2] qui œuvre d'un bout à l'autre de notre vie : le temps. Perceptible grâce à certaines choses qui ont gagné par leur statut propre ou leur fréquentation avec nous une singularité qui les distingue à jamais des autres, comme l'église de Combray dont les murs enveloppent la mémoire du lieu, ou les livres de l'enfance dont la couverture s'ouvre sur un passé oublié, la profondeur temporelle est surtout liée à la chair : celle-ci réinsère en effet l'individu dans un passé collectif – celui de sa race ou de sa lignée – dont elle rassemble les dimensions jusqu'alors éclatées.

Pourtant, ce constat n'entre pas en contradiction avec le fait que seule la profondeur permet un accès à la plus extrême singularité. On sait ainsi que « la création artistique se fait dans le sens de la profondeur, la seule dimension qui ne nous soit pas fermée », selon « une loi de développement » « purement interne ». Ce « voyage de découvertes dans les profondeurs »[3] ne se confond cependant pas avec le simple dévoilement d'un vécu que l'art se contenterait de restituer. Si la musique de Vinteuil s'assimile à « la transposition, dans l'ordre sonore, de la profondeur » de son univers intime, cette traduction[4] constitue autant son objet qu'elle le

1. *RTP* IV, p. 518.
2. *Ibid.,* p. 504.
3. *RTP* II, p. 260.
4. *RTP* IV, p. 469. Sur l'émulation entre l'art et la vie, voir la Conclusion.

découvre : sans la révélation finale de sa vocation, le héros n'aurait pas reconquis sa vie, et la contingence des événements aurait pris le pas sur leur enchaînement nécessaire. La profondeur n'est donc pas qu'une dimension à découvrir, elle doit être construite par le retrait et la réflexion esthétique, se révélant comme le terme d'une recherche autant que sa cause. Si la vie brise les fils de l'amour,

il est encore plus vrai qu'elle en tisse sans cesse entre les êtres, entre les événements, qu'elle entrecroise ces fils, qu'elle les redouble pour épaissir la trame, si bien qu'entre le moindre point de notre passé et tous les autres un riche réseau de souvenirs ne laisse que le choix des communications[1].

Cette superposition de couches et ces réseaux divers, pour être réalisés par la vie, restent incohérents ou insensés tant que l'artiste n'en a pas révélé les raisons – états de faits, lois, hasards – ou, nous allons le voir, restitué l'universalité de sa forme. En effet, comme le précise Merleau-Ponty dans ses *Résumés de cours*,

ce qu'on a appelé le platonisme de Proust est un essai d'expression intégrale du monde perçu ou vécu. (...) Il s'agit de produire un système de signes qui restitue par son agencement interne le paysage d'une expérience, il faut que les reliefs, les lignes de force de ce paysage induisent une syntaxe profonde, un mode de composition et de récit, qui défont et refont le monde et le langage usuel[2].

La seule façon de rendre compte de cette profondeur singulière sans la trahir consiste dès lors à en démêler les nœuds sans en défaire la trame : c'est à ce stade que le thème phénoménologique de la profondeur se transforme en procédé d'écriture et en amorce du fonctionnement palimpsestique de l'œuvre d'art que je vais à présent étudier.

1. *Ibid.*, p. 607.
2. « Le problème de la parole », *Résumés de cours* (Collège de France, 1952-1960), Paris, Gallimard, 1968, p. 40.

Chapitre II

Une esthétique de la surimpression

> Cet escroc érudit qui employait à
> fabriquer de faux palimpsestes un
> labeur et une science dont la cen-
> tième partie eût suffi à lui assurer
> une situation plus lucrative[1].

La notion de surimpression appliquée à l'étude de Proust possède une tradition féconde, que je vais retracer brièvement afin de situer mon propre propos, qui se tient au croisement des axes de la critique thématique, de la stylistique et de l'ontologie (terme que l'on emploiera par défaut pour caractériser l'Être chez Proust, qui n'a aucune existence absolue, puisqu'il est institué par ce mouvement de frayage et d'échappement concomitants repéré au cœur de la manifestation sensible).

Benjamin Crémieux a été le premier, dès la parution des premiers tomes de la *Recherche*, à théoriser le « sur-impressionnisme » de Proust, dont le style, lieu de l' « interpénétration »,

circule à travers trois étages superposés et intercommuniquants : l'étage des impressions, l'étage de l'imagination et de la mémoire, l'étage de l'intelligence[2].

Si je reprends à mon compte cette formule d'une surimpression proustienne, il convient cependant d'en relier les implications en majorité psychologiques que lui conférait le critique de 1924 à la poétique particulière qui les ressai-

---

1. *RTP* I, p. 131.
2. « Marcel Proust », *XXᵉ siècle*, Paris, Gallimard, 1924, p. 83-84.

sit : art de l'analogie, de la « transvertébration »[1] et du palimpseste. Ce procédé de structuration permet d'inclure la durée vitale au sein de la linéarité du roman et de contourner la successivité de l'écriture au profit d'une simultanéité qui vise à rendre compte des strates du temps ou de la psyché :

> Une des choses que je cherche en écrivant (et non à vrai dire la plus importante), c'est de travailler sur plusieurs plans, de manière à éviter la psychologie plane[2].

Cette réponse que Proust fait à une lettre de Jacques Rivière, qui lui demandait des retranchements pour publier un extrait de son roman dans sa revue et qui trouvait, dans cette perspective éditoriale, « la chère madame Cottard admirable », mais faisant « désordre dans notre morceau », rend bien compte du projet du romancier. Les Cottard et consorts ne sont pas intégrés dans *Le Côté de Guermantes* pour le plaisir de la variété « mais pour donner (...) un aperçu des substructions et des étagements divers »[3] qui structure le roman ou la personnalité. À l'instar de la profondeur psychique ou sensible qui s'accumule en surface « à la façon d'un afflux de sang »[4] ou de couleur,

> notre moi est fait de la superposition de nos états successifs. Mais cette superposition n'est pas immuable comme la stratification d'une montagne. Perpétuellement des soulèvements font affleurer à la surface des couches anciennes[5].

La terminologie proustienne qui rend compte du dynamisme du moi est significativement la même que celle qui caractérise le processus de surgissement de l'apparaître, et fait dire à Georges Poulet que Proust « conçoit une superposition de type géologique et plutonien, sorte de stratification instable »[6]. Pour mettre en relief cette découverte fondamen-

1. *RTP* I, p. 10.
2. *In* M. Proust et J. Rivière, *op. cit.,* Lettre XIX, p. 36.
3. *Ibid.*
4. *RTP* III, p. 596 (à propos du mensonge qui se révèle malgré lui).
5. *RTP* IV, p. 125.
6. In *L'Espace proustien*, éd. cit., p. 114-115.

tale d'une temporalité tectonique, Proust a donc créé, au niveau macro-structurel, une forme à large ouverture de « compas »[1]. En effet, seule ce que Roland Barthes appelait une « composition par enjambements » et « marcottage »[2], est apte à rendre sensible au lecteur tout à la fois l'écart entre deux moments distincts et leur imbrication, grâce notamment à une distance paginale qui contribue à créer l'effet de profondeur du roman. Celui-ci, et c'est ce qui fait sans doute son extrême modernité, est donc la proie d'une tension constante entre linéarité et stratification[3]. La chronicité romanesque est perceptible dans le fait que la *Recherche* part en gros de l'enfance du narrateur pour aboutir à sa vieillesse. Mais cette linéarité se trouve constamment au bord de l'explosion : soit parce que la matière temporelle est trop riche et prête à déborder – par deux fois, un demi-tome traite d'une seule journée –, soit parce qu'elle est trop pauvre – d'où les ellipses –, soit parce que la notion même de division en présent, passé, avenir est récusée au profit d'un feuilletage qui induit ce que Proust nomme une « méthode de lecture à travers des symboles superposés »[4]. Nombreux sont les critiques qui l'ont relevé, l'architecture globale du roman invite à mettre en contact les différentes parties de l'éventail du roman et à « lire le livre deux fois »[5].

Ce tour d'horizon montre que l'analyse critique a trouvé dans la notion de « palimpseste »[6], que Jean Ricardou analyse de façon extrêmement nuancée sous le nom « d'ordination métaphorique »[7], un opérateur théorique général pour ressai-

1. G. Henrot, *Délits/Délivrance. Thématique de la mémoire proustienne*, Padoue, CLEUP Editrice Padova, 1991, p. 36.
2. *In* « ça prend » (1979), *Magazine littéraire*, n° 350, janvier 1997, p. 45-46.
3. Voir G. Genette, « L'espace et la littérature », *Figures II*, éd. cit., p. 46.
4. *RTP* II, p. 557 : c'est en découvrant les lois psychologiques et diplomatiques de cette méthode que le prince de Faffenheim parvient enfin à se faire élire à l'Institut.
5. Schopenhauer à propos de *Le Monde comme volonté et comme représentation*, cité par L. Fraisse, *op. cit.,* p. 402.
6. Voir M. Tison-Braun, *op. cit.,* p. 35-45 et p. 127-132, et J. Rousset, *Forme et Signification*, Paris, Corti, 1962, p. 144-145.
7. *Op. cit.,* p. 101 et s.

sir la structure et le fonctionnement narratif de la *Recherche* (opérateur qui est d'ailleurs tout aussi fondamental pour les approches génétiques et intertextuelles[1]). Ce qui m'intéresse est une autre forme de stratification, qui se laisse pressentir dès la première lecture et qui ne se confond pas avec ces palimpsestes intratextuels, où deux textes s'appellent l'un l'autre, où la couche du dessous est effacée voire camouflée par celle du dessus. Au niveau d'un seul texte, en effet, Proust parvient à rendre compte d'une esthétique de la surimpression aux deux sens du terme « esthétique » : son style crée des réseaux et des entrecroisements où chaque élément coexiste, de façon fluctuante et souvent conflictuelle, avec un autre qui peut à première vue sembler lui être hétérogène, pour révéler, dans le présent vécu, une *aisthèsis* multiple[2], où les spectacles sensibles et mentaux s'interpénètrent dans un bougé constant.

Les réminiscences du *Temps retrouvé* sont un paradigme[3], puisqu'elles présentent la surimpression de plusieurs sensations de modalités et d'époques différentes, phénomène que Proust appelle « sensation transposée »[4]. Un trébuchement physique provoque l'émergence d'un « azur profond »[5], éblouissant et frais, un bruit de vaisselle produit l'émanation d'une odeur forestière, une sensation tactile de raideur engendre le déploiement d'un « océan vert et bleu »[6], un titre ou une couverture de livre recèle une « lointainte nuit d'été »[7]... De nombreux textes moins explicites et moins ana-

---

1. Dans *Proust et Flaubert. Un secret d'écriture*, Amsterdam-Atlanta, Éd. B. V. Rodopi, GA 1999, M. Naturel montre comment Proust masque l'influence de Flaubert, par des procédés d'effacement, de décalages, de réécritures.

2. Voir *RTP* IV, p. 467 : « Une image offerte par la vie nous apportait (...) des sensations multiples et différentes. »

3. Voir G. Genette, « Proust et le langage indirect », *Figures II*, éd. cit., p. 293-294.

4. *RTP* IV, p. 499.

5. *Ibid.,* p. 445.

6. *Ibid.,* p. 447.

7. *Ibid.,* p. 465.

lytiques témoignent cependant que la surimpression textuelle trouve sa place bien avant les réminiscences, qui ne font que mettent en relief, *via* la distorsion évidente des époques et des lieux qu'elles superposent, un mode d'être général du monde et de soi qui leur préexistait. L'épisode de la lanterne magique[1] constitue ainsi le modèle inaugural de la surimpression à tous les plans : début du roman, désir refoulé d'inceste et sadisme enfantins, mise en communication d'époques et d'espaces différents au rythme d'un flottement onirique, découverte d'une validité quotidienne de la légende. La dense formule du «corps astral» de Golo y résume la superposition du criminel légendaire et du bouton blanc familier de la porte de la chambre combraysienne. Pour parvenir cependant à cette métaphore finale, il a fallu passer par une description qui montre comment la surimpression s'effectue, à partir de termes différents (plis des rideaux, porte...) qui, pour s'assimiler les uns aux autres, ne perdent jamais totalement leur identité première : le bouton de porte ne laisse «paraître aucun trouble de cette transvertébration», et reste indéfectiblement un bouton de porte, aidant par là même, en sa froide luminescence de porcelaine, à indexer le caractère de Golo.

Dans la *Recherche*, ce sont en fait tous les niveaux de l'être et du non-être qui sont susceptibles de faire l'objet d'une surimpression qui s'avère la caractéristique première et ultime de la la réalité proustienne. Deux sensations présentes peuvent ainsi se superposer (par exemple le visage de maman et l'ogive vénitienne, les traits d'Odette et la carnation de Swann), ou un objet et une «idée» qui n'est qu'à première vue abstraite (le lierre sur l'église de Carqueville), ou un sensible et une temporalité globale (la robe d'Odette ou les «masques» de la Matinée Guermantes, qui apparaissent comme des concrétions même du passé), voire enfin du réel, du temps et du fantasme (cas du tragique lever de soleil à

---

1. *RTP* I, p. 9-10. *Ibid.* pour les citations qui suivent.

Balbec, où l'interpolation est constituée de trois images différentes[1]). Dans tous les cas, l'écriture tente de rendre compte, par des procédés qu'il faudra mettre en valeur, du glissement des couches les unes sur les autres, engendrant, selon une récurrence qui ne fut avant Proust encore jamais systématisée à l'ensemble d'un roman, un objet de lecture complexe qui, ayant pour fondement les entrecroisements mêmes du réel, témoigne d'une transitivité primordiale entre sens et sensible[2], entre « l'espace du monde et l'espace du langage »[3].

JEUX SURIMPRESSIFS :
« COMME REVIENNENT LES CHOSES DANS LA VIE »

Avec le palimpseste textuel, Jean-Pierre Richard le rappelle à propos de la description de la robe d'Odette, il s'agit de « lire en filigrane » : le caractère hétérogène des éléments y étant « presque effacé, subtilement résiduel », il « installe dans l'espace de la robe juste assez d'altérité pour y permettre le jeu, ou comme dit Proust, la circulation des signes »[4]. La superposition n'est en effet jamais totale, jamais figée : l'écriture inclut activement la différence au sein de l'identique, puisque c'est un unique moment sensible qui ouvre une multiplicité d'horizons, puisque c'est un seul texte qui exhibe plusieurs couches. Une frontière, un « liséré »[5] de

1. Voir mon article « Proust et l' » architecture « du visible », *Merleau-Ponty et le littéraire*, éd. cit., p. 105-116.
2. Voir N. Castin, *Sens et sensible en poésie moderne et contemporaine*, Paris, PUF, 1998.
3. G. Genette, « Raisons de la critique pure », *Figures II*, éd. cit., p. 21.
4. *Op. cit.*, p. 261.
5. *RTP* I, p. 83. Voir « Marcel Proust », *Études sur le temps humain*, Paris, Plon, 1968, p. 318.

conscience entre l'objet et le moi, entre l'expérience première et sa thèse, empêchent le sujet de se fondre dans la sensation tout en l'engendrant comme sa condition de possibilité. Il conviendra donc d'étudier les manières par lesquelles l'écriture proustienne s'attache à instituer et restaurer cette distance interne, dont on oublie trop souvent qu'elle n'est pas une tare de notre rapport au monde, mais une des conditions du bonheur :

Sans doute dans ces coïncidences tellement parfaites, quand la réalité se replie et s'applique sur ce que nous avons si longtemps rêvé, elle nous le cache entièrement, se confond avec lui, comme deux figures égales et superposées qui n'en font plus qu'une, alors qu'au contraire, pour donner à notre joie toute sa signification, nous voudrions garder à tous ces points de notre désir (...) le prestige d'être intangibles[1].

La fusion du rêve et de la réalité « a anéanti » cet aspect si essentiel au bonheur proustien, l'indétermination, fût-elle angoissante, des possibles. La différenciation entre deux états de la vie disparaît en effet dans l'accomplissement du désir puisque le passé sans Gilberte devient, vu du présent avec elle, le chemin nécessaire qui mène vers lui : les moments du présent « rétroagissent (...) sur notre passé que nous ne sommes plus maîtres de voir sans tenir compte d'eux ». D'où l'impossibilité non seulement de connaître véritablement le « changement », mais du même coup le « bonheur » qui en découle, puisqu' « il se composait de deux états que je ne pouvais, sans qu'ils cessassent d'êtres distincts l'un de l'autre, réussir à penser à la fois ». Sauver le bonheur, c'est donc restaurer la différence des époques tout en mettant en valeur leur relation, c'est recréer, par des anneaux métaphoriques justes et « nécessaires »[2], la contingence du passé, qui fut un présent ouvert sur une multiplicité d'horizons dont un seul se trouvera actualisé. Dans le cours

1. *RTP* I, p. 528 ; p. 528-529 pour les citations qui suivent. Le héros vient de réaliser son rêve : devenir un intime des Swann.
2. *RTP* IV, p. 468.

de la vie, le héros ne parvient pas toujours, comme le suggère la citation, à « confronter » deux moments en maintenant leur discrimination. L'écriture, à l'inverse, par la surimpression stylistique et par la rénovation de la tradition du discours rétrospectif, qui consiste à adopter une posture d'ignorance volontaire apte à mettre en valeur la plénitude des possibles ouverts par l'existence, permet de faire penser à la fois deux objets ou deux moments sans les faire « se confondre, et coïncider ».

« Le procédé de la surimpression, ou, pour reprendre à Proust un de ses termes favoris, la recherche de l'*épaisseur* »[1] fait donc apparaître des procédés stylistiques inédits : intervalles, interstices, jeu, effets de profondeur textuelle. Les « suppositions alternatives »[2] et les balancements obsessionnels du discours proustien (ces « soit que ... soit que », ces « ou bien ... ou bien » familiers du lecteur de la *Recherche*), les anagrammes masquées, les parenthèses[3] et les corrections[4] qui minent la successivité de la lecture ne visent pas seulement à faire sentir le caractère relatif et subjectif de nos interprétations. Elles peuvent certes annoncer certaines pratiques scripturales chères à Philippe Jaccottet[5] ou Claude Simon[6], chez lesquels elles sont autant de manières d'exprimer l'imperfection du discours face à la présence sensible.

1. J. Milly, *Proust et le style*, éd. cit., p. 67.
2. J.-Y. Tadié, *Proust et le roman*, éd. cit., p. 125.
3. Voir la thèse d'I. Serça, *La parenthèse chez Proust. Étude stylistique et linguistique*, Université de Toulouse le Mirail, 1998.
4. Pour un tableau général de la duplication, voir J. Milly, *La Phrase de Proust*, éd. cit., p. 170-176.
5. Voir, par exemple, « La tourterelle turque » : « *Est-ce* le berceau de l'aube ? C'est *du moins*, d'abord, des couleurs, un nid de couleurs, fines et douces comme celles qu'assemble la naissance du jour, *et pourtant* différentes ; couleurs, *ou plutôt* nuances, gradations sans ruptures, nuages de terre et de lait qui se mêlent, *ou, mieux,* s'épousent. (...) *Mais* déjà l'œil a démêlé que *c'est aussi* un corps, tiède, vivant (...) » (in *Paysages avec figures absentes*, éd. cit., p. 51 ; je souligne).
6. Voir, par exemple, *Leçon de choses*, Paris, Éd. de Minuit, 1975, p. 9 : « Au-dessus de la plinthe court un galon (ou bandeau ?) dans des tons ocre-vert et rougeâtres (vermillon passé) (...). »

Elles sont surtout chez Proust une façon récurrente de mettre en mots ce bougé, cette relation qui font que jamais nous ne nous perdons complètement dans l'objet, et que jamais le monde ne peut être objectivable dans une parole totalisante, sauf dans certains cas désespérés que j'ai évoqués en premier lieu, et qui relèvent soit d'une perte de la croyance en la structure d'horizon du réel, soit d'une osmose qui, comme l'ivresse, met en danger l'intégrité du moi.

L'écriture proustienne et sa lecture ont donc à voir avec le va-et-vient, le « jeu » (au sens mécanique et technique de déséquilibre dans un engrenage), ce que Merleau-Ponty appelait le « porte-à-faux »[1] et surtout le « chiasme ». Ce rapport au monde inédit, en germe à l'époque de Proust chez les plus grands écrivains, engendre une nouvelle façon de décrire. L' « objet » de la philosophie classique disparaît de l'univers proustien parce qu'il résiste à la visée globalisante ou unifiante du sujet, comme en témoignent, dans *À l'ombre des jeunes filles en fleurs*, les tentatives infructueuses du héros pour fixer le motile visage d'Albertine. Aussi le narrateur n'a-t-il plus d'autre solution que de nous raconter comment justement l'objet conçu d'abord comme une réalité stable ne peut offrir de prise, cette échappée belle étant une bonne définition d'un réel dont l'une des caractéristiques fondamentales est la temporalité et ses intermittences.

Il importe peu de chercher à quel moment de la *Recherche* l'objet n'est plus conçu comme un en-soi accessible par quelque façon, par exemple en se rapprochant de lui ou en s'en éloignant, mais comme l'un des termes à jamais inassignable d'un commerce avec un sujet lui-même fluctuant. Alors que le héros doit découvrir que l'être du monde et de soi est relation, direction vers une réversibilité toujours en instance de se réaliser sans être jamais accomplie, le narrateur, si tant est qu'on puisse le confondre avec celui qui naît à la fin du roman, sait en revanche dès le début qu'il

---

1. In *Résumés de cours*, éd. cit., p. 128.

n'existe ni noumène ni phénomène purs. Dès lors, toutes les réflexions sur la notion d'enchevêtrement, qui interviennent en dernier lieu pour définir la vie, le temps, la construction d'un personnage, de même que la programmatique stylistique du *Temps retrouvé* – écrire par métaphores, trouver les points communs et fonder leurs différences, tisser une *trame*[1] textuelle où le jeu ait sa part – étaient « déjà » découvertes et mises en œuvre dès la première ligne du roman. C'est que la transverbération des objets, des personnages, des images mentales et sensibles, comme la surimposition propres aux métaphores ou aux textes doit être ironique, distanciée, reportée : dans le cas contraire, on aboutit alors soit à l'aporie fusionnelle, soit à la menace tautologique de la promenade au Bois de Boulogne étudiées en commençant.

On comprend dès lors que toute analogie se construise chez Proust à partir d'une disparité sous-jacente et jamais résorbée, dans une tension[2] très perceptible dans les textes analysant la dialectique du même et de l'autre. Ainsi, dans

les interrogations si dissemblables qui commandaient le mouvement si différent de la sonate et du septuor, l'une brisant en courts appels une ligne continue et pure, l'autre ressoudant en une armature indivisible des fragments épars

se laisse entendre « pourtant une même prière »[3]. La nouveauté, mise en valeur par les intensifs et par le parallélisme oxymorique de la syntaxe et du sens (« l'une brisant »/« l'autre ressoudant » ; « ligne » singulière/« fragments » pluriels), contient donc des « ressemblances dissimulées » qui permettent de restituer l'« accent » obsessionnel des profondeurs intimes. Le quatuor forme ainsi une strate

1. *RTP* IV, p. 550. Voir aussi Léo Spitzer, « Le style de Marcel Proust », *Études de style*, Paris, Gallimard, 1970, p. 399.
2. Sur la tension et le contraste, voir J.-Y. Tadié, *Proust et le roman*, éd. cit., p. 404.
3. *RTP* III, p. 759.

ou plus exactement un anneau « dans la ronde divine »[1] du septuor :

À plusieurs reprises une phrase, telle ou telle de la sonate, revenait, mais chaque fois changée, sur un rythme, un accompagnement différents, la même et pourtant autre, comme reviennent les choses dans la vie[2].

Pour éviter le piège du ressassement qui guette la similitude, l'écriture doit lui restituer sa dimension interne d'hétérogénéité. Celle-ci fonde donc à la fois le mouvement vital (on a vu dans le chapitre précédent que le sensible s'engendre lui-même à partir d'une fission interne ou d'une « déhiscence ») et la possibilité du sens : comme le montre Jean-Pierre Richard, la « différence minimale, éprouvée dans le tissu d'un même » engendre en définitive une « superposition-écart »[3] que je vais désormais étudier d'un point de vue stylistique.

UNE POÉTIQUE DE L'EMPIÉTEMENT

On se rappelle que Proust définit la beauté par l'exemple de la rime, modèle d'une « complexité ordonnée » fondée sur la répétition et la « variation », qui permet de sentir « deux systèmes qui se superposent, l'un de pensée, l'autre de métrique »[4]. Comment fonctionne, au niveau psychologique ou thématique, et surtout se bâtit, sur le plan technique, une surimpression de ce type ? Comment l'écriture proustienne parvient-elle, dans sa pratique, à exprimer la découverte d'une immersion du sujet dans un réel structuré selon des

1. *Ibid.,* p. 764.
2. *Ibid.,* p. 760.
3. *Op. cit.,* p. 215.
4. *RTP* II, p. 351.

hallucination

horizons qui dépassent sa pure actualité et qui en même temps ne sont pas le contraire, mais le fondement de sa présence ? Ce chapitre, quittant le terrain théorique, relève du parti pris d'une micro-lecture pointilleuse destinée à préciser, par une confrontation avec les textes, ce qu'on peut entendre par « poétique de l'empiétement » ou « esthétique de la surimpression ».

Le couple d'études qui suit relève deux angles d'attaque majeurs, proches l'un de l'autre : celui de l'imbrication du visible et de l'invisible et celui des rapports entre l'espace et le temps. J'ai dit que l'invisible est l'armature secrète du sensible. L'usage proustien de la superposition et de l'interpolation descriptives, qui consistent à faire lire dans l'espace d'un texte unique plusieurs scènes, incarne alors poétiquement la problématique phénoménologique de l'hallucination considérée comme un mode d'accès véritable au réel. Nous verrons que ce feuilletage primordial de la réalité joue à tous les niveaux. En effet, la réalité s'institue comme constant va-et-vient entre la matière et l'émotion, l'actualité et le fantasme, le passé et le présent, en une ouverture ontologique généralisée que Merleau-Ponty reprendra à son compte dans *Le Visible et l'Invisible* :

Les choses ici, là, maintenant, alors, ne sont plus en soi, en leur lieu, en leur temps, elles n'existent qu'au bout de ces rayons de spatialité et de temporalité, émis dans le secret de ma chair (...)[1].

Je montrerai notamment comment Proust pose deux motifs dissemblables en début de description, pour fonder le mouvement textuel sur leur progressive réunion en une sensation unique, dont le paradigme est le noir linéament des trois clochers de Martinville, voué à la disparition[2]. Les textes de Proust, en présentant une surimpression fondée sur un tremblé aussi vacillant que l'est l'image de Golo sur les plis du rideau, visent donc paradoxalement, et selon une dia-

1. *Le Visible et l'Invisible*, éd. cit., p. 153.
2. *RTP* I, p. 180.

236

lectique entre linéarité et rassemblement, à *préparer* le lecteur à une saisie *intuitive* de leur propos, à provoquer un « éveil différentiel du sens »[1], selon une dynamique de la tension éphémèrement résolue qui passe le plus souvent par une « clausule élaborée »[2]. En déduire que l'écriture veut suggérer que l'expérience sensible anéantit la disparité serait une erreur. Certes,

> Le monde des différences n'existant pas à la surface de la terre, parmi tous les pays que notre perception uniformise, à plus forte raison n'existe-t-il pas dans le « monde ». Existe-t-il d'ailleurs, quelque part ? Le septuor de Vinteuil avait semblé me dire oui. Mais où ?[3]

Ce que Proust ici critique, ce sont les synthèses de la *perception*, qui omettent que le ciel et l'océan se distinguent nominalement, mais non pas toujours ontologiquement, ou que deux parties de la mer sont inassimilables au simple mot « mer ». Les différences existent donc dans le sensible, mais sont niées par les catégorisations du jugement que l'art a précisément pour charge de fluidifier.

L'architecture de l'émotion : l'ogive vénitienne

On pourrait retrouver une certaine filiation romantique de Proust dans son obsession à incarner le sentiment dans les choses. Celles-ci ne sont cependant pas, comme souvent chez ses prédécesseurs, des symboles discrets et soigneusement sélectionnés, selon leur portée sublime (les « ruines » chères à la pensée romantique), cosmique, ou littérairement attestée[4] : jamais Lamartine ou Vigny n'aurait osé recevoir

---

1. J.-P. Richard, *op. cit.,* p. 216.
2. J. Milly, *La Phrase de Proust*, éd. cit., p. 197.
3. *RTP* III, p. 781. Le « monde » renvoie ici à la mondanité des salons.
4. Un exemple de Hugo parmi d'autres innombrables : « Dieu nous prête un moment les prés et les fontaines, / Les grands bois frissonnants, les rocs profonds et sourds, / Et les cieux azurés et les lacs et les plaines, / Pour y mettre nos cœurs, nos rêves, nos amours » (« Tristesse d'Olympio »).

une révélation du Temps humain dans des latrines. D'autre part, si la complicité romantique du paysage et des émotions humaines permet certes d'effacer le hiatus entre le moi et l'objet, le poète n'en reste pas moins souvent un être clivé, puisque le « je » énonciateur est un témoin ou un spectateur qui se retourne sur les impresssions du « moi » pour les structurer. Enfin, cette connivence existentielle passe le plus souvent par une personnification de la Nature qui finit par anéantir sa fondamentale altérité.

L'entrecroisement de l'intimité et de l'extériorité que Proust reformule est beaucoup moins porté par cette anthropomorphisation romantique d'un paysage souvent présenté comme un vaste « contenant », que par une pénétration plus globale et plus infuse de la matière par l'émotion. Ces dernières échangent leurs qualités sans souci de hiérarchie, qu'il soit métaphysique ou démonstratif : l'une se prolonge dans l'autre, à tous les niveaux et selon un unique et dynamique processus de genèse réciproque. C'est ce que suggère l'épisode vénitien où « maman » se trouve assimilée à la fenêtre ogivale de l'hôtel qui donne sur la place Saint-Marc :

> De bien loin (...) j'apercevai cette ogive qui m'avait vu, et l'élan de ses arcs brisés ajoutait à son sourire de bienvenue la distinction d'un regard plus élevé et presque incompris. Et parce que derrière ces balustres de marbre de diverses couleurs, maman lisait en m'attendant, le visage contenu dans une voilette en tulle (...) ; parce que (...) elle envoyait vers moi du fond de son cœur son amour qui ne s'arrrêtait que *là où* il n'y avait plus de matière pour le soutenir, *à* la surface de son regard passionné qu'elle faisait aussi proche de moi que possible, qu'elle cherchait à exhausser, *à* l'avancée de ses lèvres en un sourire qui semblait m'embrasser, dans le cadre et sous le dais du sourire plus discret de l'ogive (...) – à cause de cela, cette fenêtre a pris dans ma mémoire la douceur des choses qui eurent en même temps que nous (...) leur part dans une certaine heure qui sonnait, la même pour nous et pour elles (...)[1].

---

1. *RTP* IV, p. 204. Je souligne. Sur une interprétation différemment ciblée (axée sur « le souriant »), voir J.-P. Richard, *Proust et le monde sensible*, éd. cit., p. 94.

Ce passage met en rapport différents éléments, d'époque ou de statut différents. L'ogive orientale et Renaissance est tout d'abord comparée à l'occidentale fenêtre de Combray, qui en formait comme l'ébauche. Cette dernière était plus parfaite au sens où « maman » avait alors confiance en l'avenir intellectuel du héros, et moins belle en ce qui concerne la grossièreté des matériaux employés. Ce qui importe cependant est moins cet entrelacement différentiel du passé combraysien et du présent vénitien déjà relevé par Julia Kristeva[1], que la surimpression *stylistique* qui va transformer l'ogive en visage maternel (et *vice versa*), selon une fantastique « fusion ville mère »[2].

Une dissémination savante fonde tout d'abord la création de l'objet référentiel. Ce palimpseste de la chose et de la chair est en effet discrètement annoncé et déconstruit en amont de notre passage. Le narrateur se rappelle alors la fenêtre de son « hôtel, devant les balustres de laquelle [sa] mère [l']attendait en regardant le canal »[3], posture qu'il semble ne mentionner qu'incidemment. On retrouve ici ce que Geneviève Henrot appelle, dans son analyse du fonctionnement de la réminiscence, mais qui peut être transposée à celui de la surimpression, le procédé du « camouflage »[4]. Ce dernier vise à insérer hors contexte un élément destiné à se fixer (et parfois à s'oublier) dans l'inconscient du lecteur, pour se dégager ensuite dans le processus d'anamnèse. La suite du texte récupérera effectivement ces données de l'attente maternelle, quoiqu'en les inversant (maman étant passée « derrière [les] balustres de marbre »), comme pour s'assurer une nouvelle fois que le lecteur a bien en sa possession le référent fictif qui va fonder la possibilité de la surimpression. La dissociation entre maman et la fenêtre a d'ailleurs commencé à se déliter avant même que le visage

---

1. *Op. cit.,* p. 145.
2. *Ibid.,* p. 151.
3. *RTP* IV, p. 203.
4. *Op. cit.,* p. 19.

maternel et l'ogive matérielle soient explicitement imbriquées, lorsque le héros opère un début d'anthropomorphisation de l'ogive vénitienne, qui l'« avait vu » et dont les « arcs brisés » forment comme des sourcils hautains. Dans les avant-textes, ces « arcs brisés » étaient d'ailleurs une « arcade » qui a pu peut-être faire dévier l'inconscient proustien vers l'image d'une arcade sourcilière, implicite dans la version finale. Nous allons voir qu'à cette personnification, plus ténue que celle des vastes constructions romantiques, va s'adjoindre, pour aller à sa rencontre, la progressive matérialisation du visage maternel.

La surimpression de la chair et de l'architecture est fondée, comme c'était le cas pour l'église de Carqueville[1], sur une relation de contiguïté, résumée par Jean Ricardou par la formule « qui s'assemble se ressemble ». Elle fonctionne pour l'essentiel selon un réciproque échange entre les sèmes de l'ogive et ceux du visage. Que ce terme finisse par supplanter la « fenêtre » des avant-textes n'est d'ailleurs pas indifférent : une première surimpression, jouant au niveau du mot, se laisse découvrir dans la *quasi*-anagramme qui fait fusionner le « VISaGE » et et l'« OGIVE » en en éparpillant les phonèmes tout au long du passage. Cette surdétermination textuelle[2] vise à inscrire dans l'inconscient du lecteur une homogénéité sonore apte à engendrer la perception d'une homogénéité d'apparaître.

La figure de l'hypallage, dans une phrase complexe et formée elle-même d'enchâssements multiples, sert elle aussi l'échange des attributions : elle permet de révéler une transi-

---

1. Voir *RTP* II, p. 68 : « Dans le bloc de verdure devant lequel on me laissa, il fallait pour reconnaître une église faire un effort qui me fit serrer de plus près l'idée d'église. » La façade est effectivement discrètement assimilée au flux marin (cf. des expressions comme « remous », « les feuilles déferlaient les unes contre les autres », « les piliers onduleux, caressés et fuyants »), conformément à l'environnement normand qui « commande et cautionne la ressemblance » (G. Genette, « Métonymie chez Proust », *Figures III*, éd. cit., p. 45).
2. Voir J. Ricardou, *op. cit.,* p. 340, et M. Riffaterre, « Modèles de la phrase littéraire », *La Production du texte*, Paris, Éd. du Seuil, 1979, p. 45-59.

tivité entre le lieu et l'é-motion, puisque la mère du héros opère littéralement une sortie hors de soi. Les termes « exhausser » et « l'avancée » se rapportent au regard et aux lèvres de maman, mais sont tous deux des mots techniques pouvant caractériser une moulure ou un cadre de fenêtre, lequel était en début de description caractérisé par son « élan » vers le jeune homme. Le verbe « embrasser », pris dans son sens usuel, fait lui-même une discrète référence à l'« embrasse » d'une fenêtre, en l'occurrence celle de Combray, dont il est dit quelques lignes plus haut qu'« une embrasse divisait et retenait écartés » les rideaux. Enfin, le terme « sourire », qui renvoie à l'ogive, est bien sûr la formulation déplacée de l'expression maternelle.

La surimpression ne fonctionne cependant pas qu'à un niveau rhétorique. De même que la dernière phrase du lever de soleil désolé sur Balbec, à la fin de *Sodome et Gomorrhe*, est, sur le plan conceptuel et grammatical[1], à la limite du compréhensible, un brouillage syntaxique de type amphibologique s'opère ici qui a pour charge de parfaire l'effet de surimpression. Car le lecteur doit s'y reprendre à deux fois pour comprendre que l'expression « là où il n'y avait plus de matière pour le soutenir » fait fonction de dénominateur commun aux formules soulignées « à la surface de son regard » et « à l'avancée de ses lèvres », alors que « à exhausser » dépend d'une relative enchâssée dans une relative *princeps* (« à la surface de son regard (...), qu'elle cherchait à exhausser »).

La surimpression du visage et de l'ogive est donc fondée sur le procédé de l'emboîtement et de l'échange qui est un des sésames du rapport au monde proustien. Ces enchâssements syntaxiques et rhétoriques renvoient eux-mêmes à une double imbrication plus directement référentielle, qui opère une mise en abyme des profondeurs. Le visage de maman, déjà « contenu dans une voilette » apparaît « *dans* le cadre et *sous* le dais du sourire plus discret de l'ogive »[2], série

1. Voir *RTP* III, p. 513-514.
2. Je souligne.

d'enveloppes transparentes plus qu'opaques, et qui visent à assimiler le contenu et le contenant. C'était déjà, on s'en souvient, le cas pour les carafes de la Vivonne. Transparentes enveloppes, en effet, puisque le thème central de ce passage est bien celui d'une vision démultipliée et hyperbolisée : l'ogive que j'aperçois me regarde, maman que je vois et appelle me lance en retour son regard venu des profondeurs de son cœur, de son voile et de l'ogive qui l'enserre. Le regard proustien, même fondé sur une incompréhension, est toujours réversible, s'indexant lui-même autant qu'il montre son objet. Qu'on pense ainsi à ce paradigme de la première rencontre avec Gilberte, où les deux regards dédoublés du héros et de la fillette se croisent dans une fulguration qu'il faut deux pages au narrateur pour retranscrire, ou à ce fantastique passage où le héros voit son regard géminé à celui du fantôme d'Albertine, qui suggère que voir, c'est apprendre à voir avec les yeux d'autrui, et souffrir de ce qu'ils nous montrent :

> Au regard que je venais de poser sur telle ou telle d'entre elles s'appariait immédiatement le regard curieux (...), reflétant d'insaisissables pensées, que leur eût à la dérobée jeté Albertine, et qui géminant le mien d'une aile mystérieuse, rapide et bleuâtre[1],

autorise un contact avec un désir inconnu.

Cette réversibilité de la pulsion scopique peut être historiquement analysée comme la marque d'un subjectivisme proustien : on ne peut décrire un objet que par la description du regard qui est porté sur lui. Elle indique surtout une possible réversibilité des êtres et des choses. Au-delà des fractures douloureuses qui fondent souvent le rapport de Proust au monde, une complicité fondamentale fait des choses et des êtres des entités formées, pour reprendre des formulations de Merleau-Ponty, d'une semblable « étoffe », d'un même « élément » et d'une même « chair ». Maman n'est pas un élément rapporté dans la fenêtre : elle l'habite, pour le présent et le futur (puisque la fenêtre se souviendra d'elle).

1. *RTP* IV, p. 141.

Quand on se rappelle de plus que la fenêtre vénitienne réalise en quelque sorte les virtualités esthétiques de la fenêtre combraysienne, on comprend que le narrateur définisse « le beau style » comme « [superposition de] formes différentes »[1]. Il vient en effet de décrire la fenêtre de Tante Léonie, en des termes très précis qui s'attardent non plus comme habituellement sur la fenêtre en tant que point de vue, mais en tant que cadre, matérialité particulière (on y retrouve un vocabulaire technique comme « embrasse », « barre coudée », « appui de bois »). La fenêtre vénitienne vient s'inscrire dans cette lignée descriptive, en lui apportant un surplus d'art (« ogive », « dais », « balustres de marbre »), épaisseur esthétique supplémentaire qui renvoie bien sûr elle-même aux reproductions que la grand-mère offrait à son petit-fils dans *Du côté de chez Swann*[2].

On mesure l'aune du réseau surimpressif tissé, qui vaut aux plans stylistique, thématique, psychologique et ontologique et qui met en valeur ce que Michel Collot appelle avec René Char la « matière-émotion ». C'est cette indissociabilité d'une heure, d'un lieu, d'une chose et d'un être qui constitue selon moi le référent proprement dit du texte, inassimilable à la simple vision du visage de maman encadré dans une fenêtre. L'admiration finale de Bergotte pour Vermeer se fait aussi plus compréhensible : les « couches de couleur »[3] sur lesquelles il aurait dû fonder son style ne sont pas qu'un procédé artistique qui lui était jusqu'alors inconnu, mais l'unique manière de rendre compte de la structuration palimpsestique du réel.

1. *RTP* I, p. 408.
2. *Ibid.*, p. 40. Sur la notion d'*ekphrasis*, voir mon article « Proust et la superposition descriptive », *Bulletin d'informations proustiennes*, n° 25, 1994, p. 151-166.
3. *RTP* III, p. 692. Sur la naissance du sens qui naît de la superposition de couches colorées (Vermeer) ou de couches inter-textuelles (rapport de Proust à Ruskin), voir E. Bizub, *La Venise intérieure,* Neuchâtel, À la Baconnière, 1991, p. 128.

Il s'agit maintenant d'étudier comment Proust parvient à faire sentir que la réalité se définit comme inclusion de différentes dimensions temporelles, indéfectiblement sociales et intimes, dans un présent particulier. La résurgence des salons Verdurin sous le regard de Brichot, texte que Proust lui-même nomme une « interpolation »[1], met le lecteur en présence d'un monstre stylistique à la limite de l'auto-pastiche, puisque la phrase centrale de la description comporte plus de quarante lignes dans la typographie serrée de la Pléiade.

La transverbération généralisée des idées, des êtres, des lieux ou des choses ne peut être réifiée ou figée sous peine de perdre le processus temporel qui en définitive la fonde. La description du salon des Verdurin[2] focalisée par Brichot et le héros peut ainsi être analysée comme un palimpseste particulièrement réussi, qui annonce les analyses de Maurice Blanchot sur « l'intrication, peut-être trompeuse, mais merveilleuse, de toutes les formes du temps »[3] chez Proust. À l'alternance entre les couches superposées[4] se substitue progressivement une surimpression totale, grâce à une syntaxe travaillée qui contourne la linéarité de l'écriture et l'écartèlement des différents pôles du réel et de l'irréel. L'imbrication des relatives engendre une dissémination des diverses temporalités à travers tout le texte et restitue au présent « une sorte de profondeur »[5]. Trois salons réels se superpo-

---

1. *RTP* III, p. 789.
2. *Ibid.*, p. 788-790. Toute citation sans référence renvoie à ces pages ou à *RTP* III.
3. « Le chant des Sirènes », *Le Livre à venir*, Paris, Gallimard, 1959, p. 21.
4. Les « anciens meubles » ou la réitération de leur « arrangement » « intégraient dans le salon actuel des parties de l'ancien qui *par moments* l'évoquaient jusqu'à l'hallucination *et ensuite* semblaient presque irréelles » (p. 789 ; je souligne).
5. P. 790.

sent ici, celui de la rue Montalivet, celui de la Raspelière, et le salon actuel, quai Conti : la sensation innervée par le temps devient, comme le précise Julia Kristeva, « une *impression* », lieu d'une « *association* de sensations » où la « particularité solitaire se perd »[1].

Il n'est pas innocent que ce passage soit lui-même enchâssé, à un niveau macro-structurel, dans la longue narration de la soirée parisienne chez les Verdurin. C'est en effet ce soir-là que le héros voit sa vocation se rappeler à lui en écoutant le septuor écarlate de Vinteuil, fondé tout entier sur une apothéose paradisiaque qui prend sa source dans une reprise de la sonate, et dans une lutte de motifs « où parfois l'un disparaissait entièrement, où ensuite on n'apercevait plus qu'un morceau de l'autre »[2], bref dans une caractérisation musicale de la constitution du Temps proustien. En une préfiguration[3] thématique et lexicale du *Temps retrouvé* et une reconfiguration anecdotique de la structure du septuor qui s'est joué dans un salon attenant, si adéquat à son objet, « le salon actuel » intègre ainsi « des parties de l'ancien qui par moments l'évoquaient jusqu'à l'hallucination »[4].

On aurait pu le montrer à propos de Gilberte-Mélusine[5], du lever de soleil sur Balbec, du jet d'eau d'Hubert Robert, de la nuée de vapeurs sur la mer, des cataractes microscopiques et édéniques du lait qui bout pour le sourd, des trois clochers de Martinville ou du septuor, la singularité de l'objet est moins un point de départ qu'un aboutissement dû au regroupement par un sujet des différents réseaux du temps ou de l'espace. L'individuation est donc une résultante éphémère et fragile d'un concours de pluralités : elle se découvre comme « une forme », décrite dans l'espace d'une

1. *Op. cit.*, p. 307.
2. P. 764.
3. Voir M. Muller, Préfiguration et structure romanesque dans *À la recherche du temps perdu*, Lexington, Kentucky, French Forum Publishers, 1979.
4. P. 789.
5. *RTP* I, p. 555-556.

seule énumération comme étant à la fois matérielle («sculptaient»), mentale («spiritualisaient») et existentielle («faisaient vivre»). À l'instar des autres sensibles proustiens, cette «figure idéale» sombre sitôt décrite parce que visée dans l'instant par une conscience qui passe ensuite à autre chose, comme en témoigne le très fort encadrement de cet extrait. À une description «poétique» se trouve ainsi immédiatement substituée, dès la première ligne du paragraphe suivant[1], une reprise prosaïque de la narration, continuation d'un dialogue vraisemblablement déjà commencé pendant le temps de la description, qui semble devoir reléguer le temps de l'«action» mentale qui précède à un dixième de seconde. La fulguration de cette expérience intime et temporelle se trouve donc dilatée. Comme dans de nombreuses autres descriptions proustiennes, l'écriture restitue l'instant, mais grossi, gonflé par tout un passé (ou un avenir) qu'il porte en lui, habité par une temporalité générale qui ne se laisse pressentir que lorsqu'elle finit par exploser.

Se contenter de nommer la «patine» ou le «velouté des choses»[2] ne permettrait pas à Proust d'en faire sentir la profondeur indissociablement matérielle et émotive. Il lui faut donc, en un premier geste, en éparpiller les éléments, comme en témoigne le champ lexical de la marqueterie, du découpage et du sectionnement, pour *in fine* les rassembler, soit dans une clausule provisoire («tout cela»), soit dans une acmé ultime («une forme qui était comme la figure idéale, immanente à leur logis successifs, du salon des Verdurin»). La syntaxe du texte, qui oscille entre dislocation et réunification, rappelle ainsi le «mouvement si différent» qui avait été thématisé quelques trente pages auparavant[3], au cours de la même soirée, à propos «de la sonate et du sep-

1. Cf. p. 790 : «... une forme qui était comme la figure idéale, immanente à leurs logis successifs, du salon des Verdurin.
    «Nous allons tâcher, me dit Brichot à l'oreille, de mettre le baron sur son sujet favori. Il est prodigieux.»
2. P. 790.
3. P. 759.

tuor, l'une brisant en courts appels une ligne continue et pure, l'autre ressoudant en une armature indivisible des fragments épars ». Cette dialectique s'avère bien, comme l'a relevé Jean Milly[1], une caractérisation métalinguistique du style de Proust.

La description dans sa globalité conjoint en effet le commentaire théorique et la mise en œuvre de l'esthétique de l'enchâssement. Différents procédés visent à signifier le mouvement palimpsestique et son tremblé, au moins autant que le contenu précis de la surimpression. Le métalangage (« profusion », « évoquer », « floraison », « interpolation », « éparpillé », « découpaient, délimitaient », « marquetaient », « sectionnant », « poursuivant ») indexe l'enclave des relatives ou des comparaisons et met en relief le procédé de l'énumération[2]. Quant à l'assimilation du mental et du concret, elle est suggérée par l'intégration du lexique de l'idéalité (« partie devenue purement morale », « double spirituel », « forme », « figure idéale »[3]) dans le champ de la matérialité la plus détaillée (« canapé surgi du rêve (...) et bien réel, petites chaises revêtues de soie rose, tapis broché de table à jeu », « profusion des bouquets de fleurs, des boîtes de chocolat »).

Au plan syntaxique, l'anacoluthe et l'enchâssement creusent le texte comme pour redoubler la sensation de surimpression. Comme souvent chez Proust, la clausule finale du passage mérite un intérêt tout particulier, puisqu'en elle se trouvent condensés et rassemblés les faisceaux jusqu'alors « éparpillé[s] » dans le texte :

Tout cela, éparpillé, faisait chanter devant lui comme autant de **touches sonores** qui éveillaient dans son cœur des ressemblances aimées, des réminiscences confuses et *qui*, à même le salon tout actuel, qu'elles marquetaient çà et là, *découpaient, délimitaient,* comme fait par un beau jour un cadre de soleil sectionnant l'atmosphère,

1. *La Phrase de Proust,* éd. cit., chap. III, p. 143 à 203.
2. Pour ne donner que deux exemples : « cette patine, ce velouté » ; « sculptaient, évoquaient, spiritualisaient, faisaient vivre ».
3. Respectivement p. 788, 789, et 790 pour les deux dernières occurrences.

les meubles et les tapis, **poursuivant** d'un coussin à un porte-bouquets, d'un tabouret au relent d'un parfum, d'un mode d'éclairage à une prédominance de couleurs, **sculptaient, évoquaient, spiritualisaient, faisaient vivre UNE FORME** qui était comme la figure idéale, immanente à leurs logis successifs, du salon des Verdurin[1].

L'anacoluthe, à la limite de la grammaticalité, et la longueur phrastique (dont je n'ai restitué que le tiers...) servent le projet surimpressif en créant, au niveau des effets de lecture, une profondeur textuelle. Divers procédés syntaxiques ont pour fonction de dupliquer le thème de la lutte du présent et du passé, qui tentent, comme dans les célèbres réminiscences du *Temps retrouvé*[2], de se fondre l'un dans l'autre sans y parvenir totalement. En témoignent l'écartèlement des verbes et de leur complément par la comparaison avec le « cadre de soleil » ; la dislocation de l'enchaînement du sujet (« touches sonores ») et de l'énumération verbale finale ; les incises des groupes nominaux[3] déroulés selon une gradation sensible allant du plus concret au plus impalpable ; les nuances hétérogènes enfin des quatre groupes verbaux qui forment l'énumération terminale. Les enchâssements syntaxiques, la comparaison centrale[4] qui « sectionne » la phrase, le sens des premiers verbes (« découpaient, délimitaient ») procèdent ainsi, à première vue, à une décomposition et une dislocation de la « figure ». Mais le style engendre en définitive l'impression d'une coulée générale. La dilatation de la phrase ainsi que ses énumérations au rythme ascendant finissent par mimer stylistiquement la « patine » indissociablement matérielle, mentale et perceptive qui recouvre le salon. C'est alors « l'atmosphère » elle-même qui est transposée, tout autant que des meubles ou des objets précis

1. P. 790. Sont mis en relief les groupes syntaxiques reliés.
2. *RTP* IV, p. 453.
3. « d'un coussin à un porte-bouquets, d'un tabouret au relent d'un parfum, d'un mode d'éclairage à une prédominance de couleurs ».
4. « comme fait par un beau jour un cadre de soleil sectionnant l'atmosphère ».

« qu'on ne saurait isoler des autres »[1]. La fragmentation est donc peu à peu contrebalancée par la mise à un même niveau grammatical d'apparentes incongruités locales (le sens des quatre verbes réunis à la fin) et par une indistinction plus générale produite par l'impossibilité, dans une lecture première, de comprendre le fonctionnement logique, discret, de la phrase. L'anacoluthe (la participiale « poursuivant » est à inclure dans l'énumération verbale finale puisqu'elle attend le même complément d'objet), la traître énumération (une première lecture laisse croire que les quatre formes verbales finales à l'imparfait sont à lire sur le même plan que les deux verbes « découpaient, délimitaient », alors que ceux-ci régissent en fait un complément différent – « les meubles et les tapis »), le retard du complément majeur de la relative *princeps* (en majuscules grasses), semblent n'approcher qu'à reculons de la « forme » idéale du salon Verdurin, qui devient l'horizon du texte comme de la sensation effective, le terme d'une poursuite labile plus qu'un constat effectif.

Le salon virtuel ne se laisse donc pressentir qu'au prix de cette expansion agrammaticale et de ces flottements syntaxiques. L'évanescence et la fuite en avant du style donnent au lecteur l'impression que le salon des Verdurin n'est pas un objet descriptible ou un lieu défini par une place fixée dans l'espace, mais une « réalité évoquée, songée, insaisissable »[2] ou « idéale », qui n'en reste pas moins « immanente ». Dans une anticipation et une dissémination lexicale de la définition de l'essence selon *Le Temps retrouvé*[3], « le salon tout actuel » est creusé de l'intérieur par une « figure » à laquelle il apporte la matérialité et de laquelle il tire son idéalité : la fin de la description du salon des Verdurin renforce les analyses du spiritualisme abordé en première partie, en suggérant que l'idéal chez Proust ne définit le réel que dans la mesure pré-

---

1. P. 789.
2. *RTP* II, p. 80.
3. *RTP* IV, p. 451 : « Réels sans êtres actuels, idéaux sans être abstraits. »

cise où il s'incarne dans des objets, par le biais d'une visée subjective sensible ou émotionnelle. La réalité n'est retrouvée qu'au prix d'un *mouvement* entre le passé et le présent, entre l'actualité et la virtualité, vacillement qui constitue en dernière instance le réel proustien, et qui annonce les réflexions ultimes de Merleau-Ponty :

> L'espace et le temps ne sont pas somme d'individus locaux et temporels, mais présence et latence derrière chacun d'eux de tous les autres[1].

LE RÉEL
ENTRE PALIMPSESTE ET RÉSEAU :
L'IMPOSSIBLE HERMÉNEUTIQUE

L'esthétique surimpressionniste a, dans la *Recherche,* plusieurs fonctions. Elle vise tout d'abord à rendre sensible la structure d'horizon du monde, dont la ressaisie, rêvée par Proust dans une esquisse où intelligence et sensibilité sont sommées de se conjuguer « pour tâcher d'épuiser la réalité »[2], n'en est pas moins jamais totale. En effet, chaque souscouche mémorielle, sensorielle ou fantasmatique conduit elle-même vers une autre « nébuleuse »[3] qui transforme la *Recherche* en un gigantesque réseau multidimensionnel, que Gilles Deleuze a comparé, sur le plan horizontal, à une toile d'araignée[4], et que Jean-Yves Tadié nomme, en tenant davantage compte du temps qui s'y intercale, « faisceau de lignes obliques » constitué de « foyers provisoires »[5]. En aval, les fils de ce réseau ne cessent de se pouvoir tisser et dérou-

1. *Le visible et l'invisible*, éd. cit., p. 156.
2. *RTP* IV, Esquisse XXXVI du cahier 57, p. 861.
3. *RTP* II, p. 71.
4. *Op. cit*, p. 218.
5. *Proust et le roman*, éd. cit., p. 387.

ler potentiellement, selon une cohérence interne mais aussi un mouvement illimité qui rappelle la surnutrition génétique du roman proustien. En amont, leur trame complexe apparaît comme un ultime avatar de la métaphore universelle du texte-tissu analysée par Daniel Dubuisson[1], qui montre que Proust opère un retour troublant aux origines.

Si « entre le moindre point de notre passé et tous les autres un riche réseau de souvenirs ne laisse que le choix des communications »[2], la ramification n'en fonctionne pas moins aussi dans la sphère du présent vécu par le héros. On a vu en effet que les bruits de Paris qui hantent l'atmosphère chargée d'humidité ou cassante d'ensoleillement de la ville ouvrent vers un ailleurs intime qui est un mixte de souvenir sensoriel et de création imaginaire, ou que Doncières apparaît comme une ville-fantôme, construite sur une rumeur dont elle conserve en son pavé la résonance infinie. La surimpression textuelle se découvre ainsi comme un des procédés majeurs d'exemplification de la perméabilité temporelle des lieux[3] ou des marbrures et « veinures »[4] de la conscience. Charpentant la « dimension inconcevable » et invisible du temps, elle la rend « sensible »[5] en provoquant un effet de profondeur.

Le palimpseste permet aussi, par le flottement constant entre ses couches, de suggérer la dialectique entre distanciation et insertion qui informe la relation du sujet avec le réel. Le « moi » proustien s'intègre dans un *champ*[6] mondain configuré par ses désirs ou ses refoulements plus que dans un lieu ou un moment précis. Style et existentialité sont dès lors

---

1. *Anthropologie poétique. Esquisses pour une anthropologie du texte*, Louvain-la-Neuve, Peeters, 1996, p. 45-54. On se souvient que Proust compare son livre à une robe rapiécée.
2. *RTP* IV, p. 607.
3. *Ibid.*, p. 453 : « Ce Combray, ce Venise, ce Balbec envahissants et refoulés qui s'élevaient pour m'abandonner ensuite au sein de ces lieux nouveaux, mais perméables pour le passé. »
4. *RTP* I, p. 184.
5. *RTP* IV, p. 504.
6. Cf. G. Florival, *op. cit.*, p. 62.

conjoints, puisque le rapport au monde ainsi conçu rappelle les données mêmes du procès métaphorique cher à Proust, qui s'élabore à partir d'une disjonction (d'un terme ou d'un thème par rapport à son champ d'appartenance) pour aboutir à une jonction nouvelle (entre le thème importé et son champ d'aboutissement). La surimpression proustienne, pour se tendre vers la fusion, n'aboutit jamais à une superposition définitive, puisque les termes reliés se transformeraient alors en image dépourvue de vie. La couche apparente elle-même, figée et « irréelle », n'est d'ailleurs pour Proust qu'un « voile morne », une « vue peinte »[1] :

Quand je montre (...) que pour moi la vraie réalité est quelque chose qu'on n'aperçoit pas d'abord qui est derrière ce qu'on croit voir et entendre qui est si confus, tandis qu'elle est claire (et le pastiche est au fond cette perception en littérature car (...) je descend au-dessous et je prends connaissance du thème clair (...)), il faudra ajouter (très important) que c'est à cause de cela, à cause de cette réalité immanente à nos impressions et plus durable, que tout ce qui a trait à la première couche ne m'intéresse pas[2].

Ce surgissement de la « réalité immanente » jusqu'alors lovée sous la surface des choses explique les rôles également majeurs que tiennent chez Proust la discordance et la continuité. L'exemple des salons Verdurin vient de le montrer, l'actualité sensible est très souvent « déterritorialisée »[3] par la temporalité fantasmatique ou mnémosique qui la double. Le réel est là, devant le héros, et *en même temps*, il est ailleurs : il est précisément cet entre-deux, ce saut hors de la temporalité qui est en fait une mise en relief de la temporalisation (des changements, des reconfigurations multiples du passé, des projections du futur, etc.). Que l'ultime Matinée Guermantes, où le héros doit ajuster sa sensation présente à sa

---

1. Ces citations sont toutes tirées de *RTP* III, p. 514.
2. Cahier XIV, ff. 2 r°, 3 r°, cité par J. Milly, in *Les Pastiches de Proust*, Paris, Armand Colin, 1970, p. 46.
3. G. Deleuze, F. Guattari, *Rhizome, introduction*, Paris, Éd. de Minuit, 1976, p. 9.

sensation passée pour découvrir l'identité de la personne qu'il aperçoit, se place tout entière sous le signe de la superposition montre l'importance de ce procédé chargé de mettre au jour le dynamisme du réel. Le rapport au temps qui s'y découvre suggère à quel point la réalité est tout entière mouvance, en permettant à la différence de creuser sa place dans la similitude et l'universelle analogie. La perception du temps comme changement à partir du même suggère certes que Proust a pu être influencé par la sociologie de Gabriel Tarde, axée comme l'a montré Anne Henry[1] sur le désir de ressemblance et le constat d'une répétition fondamentale de la sociabilité. Mais la réitération proustienne, en tenant compte des données propres à la durée, prend aussi en charge l'évolution et son imprévu. L'histoire ainsi ne se contente pas de stagner. Elle avance ou recule, comme le suggèrent non seulement les reformulations sociales (la bourgeoisie épouse la noblesse) ou individuelles (le héros parvient à contourner l'inertie héritée de Tante Léonie), mais aussi les palimpsestes militaires relatés par Saint-Loup[2], où le grand général est celui qui s'inspire des « règlements » pour créer du nouveau : la surimpression doit inclure l'inouï dans le même, sous peine d'échec sanglant. Le héros, qui transpose sans doute ses propres interrogations sur le « génie » littéraire (qui, comme le grand général, devra donc tenir compte des impératifs du réel[3]), questionne ainsi son camarade :

— Tu me dis qu'on calque des batailles. Je trouve cela en effet esthétique, comme tu disais, de voir sous une bataille moderne une plus ancienne, je ne peux te dire comme cette idée me plaît. Mais alors est-ce que le génie du chef n'est rien ? (...)

1. Voir « Le kaléidoscope », *Cahiers Marcel Proust*, 9, 1979, p. 27 à 66, et « L'enfer des sous-groupes », *Proust romancier. Le Tombeau égyptien*, éd. cit.
2. Lui-même est une surimpression de différentes figures avunculaires ou ancestrales.
3. *RTP* II, p. 413 : « Les caractéristiques du pays où on manœuvre, commandent en quelque sorte et limitent les plans entre lesquels le général peut choisir. »

— Mais je crois bien ! (...) tu verras des généraux imiter scolastiquement telle manœuvre de Napoléon et arriver au résultat diamétralement opposé. (...) [Même] pour l'interprétation de ce que *peut* faire l'adversaire, ce qu'il fait n'est qu'un symptôme qui peut signifier beaucoup de choses différentes[1].

On comprend que ces différences, voire ces contradictions qui s'insinuent dans la similitude empêchent de faire du protagoniste un pur herméneute. Certes, les lois, qui se trouvent « du côté » de la répétition, affirment (de façon trop voyante pour être honnête) le penchant de Proust à saisir le général au sein du particulier. Mais ce qui se découvre surtout dans la *Recherche*, c'est le désir de témoigner de ce qui dans les signes ou les événements reste irréductible aux prévisions ou aux inductions de la rationalité : le passé d'Albertine, vaste réseau aux ramifications indéfinies que les informations d'Aimé ne permettent qu'en partie d'arpenter, demeure à jamais un objet de conjecture. Même la mort ne transforme pas la vie en destin (c'est là, relevons-le, une des rares formes que prend la liberté chez Proust). Une poussée militaire sur le flanc de l'ennemi ou « une reconnaissance au début d'une bataille » peuvent de leur côté signifier tout et son contraire ; et si « les plus petits faits, les plus petits événements, ne sont que les signes d'une idée qu'il faut dégager », « souvent » elle en « recouvre d'autre, comme dans un palimpseste »[2]. Michel Charles le montre bien, dans ce modèle complexe constitué de quatre degrés de décryptage, on finit par aboutir à la « fausse feinte », « ce qui veut dire que l'interprétation de l'action est en toute rigueur impossible » (quant à celle du texte lui-même, il n'est pas sûr qu'il faille en valoriser l'impact esthétique)[3]. À partir du moment où les signes sont contradictoires, fluctuants ou constamment remplacés par d'autres, c'est donc la thèse même de l'épuisement herméneutique qui se trouve remise en cause.

1. *Ibid.*, p. 412. Voir aussi p. 409.
2. *Ibid.,* p. 408.
3. *Introduction à l'étude des textes*, Paris, Éd. du Seuil, 1995, p. 322.

Il n'est donc pas indifférent que Saint-Loup rapproche l'art militaire de l'étymologie[1], qui est, avec la syllepse de sens, une des formes minimales de la surimpression linguistique : l'étymologie, comme telle opération militaire dûment répertoriée mais reconfigurée par un général de génie, provoque une remise en doute radicale du dévoilement du signe par Proust. Qui, en effet, du curé de Combray, qui rêve d'un point de vue englobant à la fois le panoramique et le détail, ou de Brichot, le futur aveugle qui sait percevoir l'imbrication des temporalités, a raison dans la bataille des noms normands ? Seul un ultime spécialiste d'étymologie pourrait répondre, qui peut-être marquerait les erreurs du premier comme du second, pour en commettre d'autres : on pressent pourquoi Proust ne juge pas nécessaire de l'inclure dans sa narration...

Ce curé de Combray constitue lui-même une sorte de palimpseste. Il vaut en effet, dans un même élan, comme figure de repoussoir (il ne comprend pas la valeur archéologique des « vieilleries » de son église) et comme porte-parole des visées de Proust qui tente, dès le premier chapitre de la *Recherche*, de définir le réseau parfait. Le point de vue du clocher de Saint-Hilaire est ainsi « grandiose » parce qu'on y « embrasse à la fois des choses qu'on ne peut voir habituellement que l'une sans l'autre », contrairement à la vision interne à Jouy-le-Vicomte, qui présente à la vue les fragments successifs du canal. Comme le dit le curé, « les mettre ensemble par la pensée » ne fait alors « pas grand effet ». Mais

du clocher de Saint-Hilaire, c'est tout autre chose, c'est tout un réseau où la localité est prise. Seulement, on ne distingue pas d'eau, on dirait de grandes fentes qui coupent si bien la ville en quartiers, qu'elle est comme une brioche dont les morceaux tiennent ensemble mais sont déjà découpés[2].

1. *RTP* II, p. 410.
2. *Ibid.*, p. 104-105.

Ni la proximité interne, qui fragmente, ni le point de vue panoramique, qui éloigne et désincarne, ne suffisent à contenter le regard : « il faudrait pour bien faire être à la fois dans le clocher de Saint-Hilaire et à Jouy-le-Vicomte »[1]. Le « réseau », pour être idéal, doit à la fois être perçu de l'intérieur et se déployer, dans une constante ubiquité qui, restant « sans référence à une unité »[2] finale ou originelle, empêche toute fixation morbide. La vraie Venise elle-même, ville de la profondeur du « secret »[3], est constituée de canaux qui

semblaient, au fur et à mesure que j'avançais, me pratiquer un chemin, creusé en plein cœur d'un quartier qu'ils divisaient en écartant à peine, d'un mince sillon arbitrairement tracé, les hautes maisons (...)[4].

On retrouve dans ces extraits, non encore théorisée, la notion finale d'anneau, qui comme le lien rapproche en séparant, mais dont la courbure, pour marquer le retour, n'en inclut pas moins la positive durée d'un accomplissement : ces anneaux correspondent à une syntaxe du rapport *et* de l'écart, ou, selon l'avant-texte de la célèbre phrase du *Temps retrouvé*, de l' « alliance »[5]. Avec celle-ci, le mot n'est plus une entité délimitée comme le nom propre qui possède une intrinsèque (et traître) poéticité. « Dénommer » (créer) revient à récuser la successivité et la discrétion de l'écriture au profit d'une courbure stylistique et d'une « ronde (...) invisible »[6]. Ce qui renvoie à la chose n'est donc plus le mot en soi, notion de l'intelligence, mais le mouvement oblique de la phrase et des textes, ou, pour reprendre une formule de Merleau-Ponty, « le trafic occulte de la métaphore »,

1. *Ibid.,* p. 105.
2. G. Deleuze, *Proust et les Signes,* éd. cit., p. 149. Sur l'ubiquité, voir J. Ricardou, *op. cit.,* p. 273, et J. Rousset, *op. cit.,* p. XXI.
3. *RTP* IV, p. 207. Sur l'ésotérisme de la Venise proustienne, voir J. Hassine, *Esotérisme et écriture dans l'œuvre de Proust,* Paris, Minard, 1990, p. 15.
4. *Ibid.,* p. 206.
5. *RTP* IV, Esquisse XXIV, p. 818.
6. *RTP* III, p. 764.

ce qui compte n'étant plus le sens manifeste de chaque mot et de chaque image, mais les rapports latéraux, les parentés, qui sont impliqués dans leurs virements et leurs échanges[1].

À l'empiétement entre sens et sensible ou entre deux sensibles différents correspond donc une écriture ironique, des palimpsestes bancals où la fusion n'est jamais aussi parfaite que lorsqu'elle se laisse désirer. C'est ce que suggère la ressemblance toujours décalée de Gilberte avec ses parents, qui incarne le *jeu* constant entre le même et l'autre[2], ou l'identité fluctuante du héros lui-même, qui ne découvre que tardivement que l'intermittence et le changement sont moins des obstacles à la cohérence personnelle que des éléments incontournables de la définition d'un sujet sain (Odette, incapable d'évoluer, se transforme en une rose stérilisée[3]). La *Recherche* est bien ce qu'Antoine Compagnon appelle un « roman de l'entre-deux »[4]. Le seul rapport authentique entre le moi et le monde est cet « étrange flottement »[5] qui caractérise Venise, ville-« réseau »[6] où rêve et réalité s'entrecroisent, ville oxymorique qui conjoint les domaines (terre et mer, ténèbres et cristal), les époques (Renaissance et Belle Époque), le divers et la singularité. Les « allées et venues mondaines », frivoles, philosophiques et temporelles sont ainsi « triples et uniques dans cette Venise où » elles « pren-

1. *Le Visible et l'Invisible*, éd. cit., p. 167.
2. *RTP* I, p. 555-556.
3. *RTP* IV, p. 528.
4. *Op. cit.*, p. 13. Voir aussi E. Bizub, *op. cit.*, p. 134 et R. Breeur, *op. cit.*, p. 45-72.
5. *RTP* IV, p. 230 : « Je finissais par me demander si ce n'était pas pendant mon sommeil que s'était produit, dans un sombre morceau de cristallisation vénitienne, cet étrange flottement. »
   Par-delà les différences entre la Venise de Barrès, liquéfiée et décomposée, et celle de Proust, certains points de convergences se retrouvent : cf. dans *La Mort de Venise* (1903), la description de la ville comme un « réseau » (p. 31), une « présence continuelle du passé » (p. 35-36), une superposition d'époques et de styles (p. 29) (Saint-Cyr-sur-Loire, Christian Pirot, 1990).
6. *RTP* IV, p. 229-230.

nent en même temps la forme et le charme d'une visite à un musée et d'une bordée en mer »[1]. Il importe cependant de relever que, dès « Combray », le va-et-vient entre mythe et réel se trouvait mis en valeur, avec l'image du nénuphar-Sisyphe de la Vivonne, accroché à sa tige, lien tangible qui court d'une rive (d'un côté) à l'autre sans jamais s'arrêter.

1. *Ibid.*, p. 209.

Conclusion

Cette hypothèse où l'art serait réel[1].

NATURE, LIBERTÉ, HISTOIRE :
LE RÉEL SACRIFIÉ ?

L'objet premier de cet ouvrage était de cerner comment l'écriture peut passer outre l'apparente indicibilité de la sensation. Au fur et à mesure de sa progression cependant, c'est la notion même de sensation, soupçonnée de n'être que l'*artefact* théorique et analytique d'un rapport sensible au monde et à l'imaginaire beaucoup plus global et complexe, qui a disparu de son champ d'étude. En effet, la réalité, échappant à l'Idée comme au phénomène brut, se définit, selon les termes mêmes du *Temps retrouvé*, comme sillon, réseau, et engainement. On comprend alors l'importance du feuilletage du style proustien, seul apte à révéler l'articulation primordiale de la subjectivité et de la réalité, de la latence et de l'être : l'écriture surimpressive permet de retrouver ce qui dans le réel tient de l'actif accomplissement – émergence ou creusement. Comme l'écrivait Anaïs Nin,

Est-ce parce que le tumulte – transformation, mouvement, pensée et sentiment – a été en définitive enregistré et saisi au

---

1. *RTP* III, p. 876.

moment même de l'évolution, que cette évolution se prolonge sans cesse ? [Proust] n'a jamais décrit l'immobile, le statique, la pétrification, cœur ou corps figé[1].

Plus que la subjectivité, c'est la chair, pour se conformer aux nuances décisives que fait l'allemand entre *Körper* et *Leib*[2], qui devient chez Proust le berceau d'une réalité temporalisée, creusée de songes et de sentiments, d'un univers où la perception de l'invisible est l'un des centres de la narration. La *Recherche* commence ainsi par un aveuglement qui n'en est pas un, celui de la nuit et de sa ronde lumineuse, pour se clore sur une épiphanie scopique, celle d'un regard apte à percevoir la « quatrième »[3] dimension, la profondeur du « Temps »[4]. Si l'héritage romantique se laisse ici pressentir, la révolution menée à son terme par Proust n'en laisse pas moins quelques sacrifiés sur le terrain, au nombre desquels la nature, la liberté, et, en apparence, l'histoire, ne sont pas les moindres. En effet, parce que la chair se découvre comme l'origine et le terme de la relation avec le sensible, on ne trouvera pas dans la *Recherche* de propension *explicite* à la fête cosmique ou au désastre historique (le « Bal de Têtes » est autant une méditation sur la destinée de l'homme qu'une prise de conscience des revirements du kaléidoscope social).

La célébration de la beauté et de la grandeur effrayantes du monde naturel, que l'on rencontre chez Hugo, Claudel ou Giono, forme tout d'abord le point aveugle de la vision de Proust, qui s'intéresse sur ce plan davantage aux amibes qu'aux étoiles. L'auteur de la *Recherche*, esprit profondément

---

1. Cité par Maurice Paz, « À Combray-sur-le-Loir (un message d'Anaïs Nin) », *Bulletin de la Société des Amis de Marcel Proust*, n° 27, 1977, p. 530-534.
2. Voir aussi M. Merleau-Ponty, in *Signes*, Paris, Gallimard, 1960, p. 287 : « Pour beaucoup de penseurs, à la fin du XIXᵉ siècle, le corps, c'était un morceau de matière, un faisceau de mécanismes. Le XXᵉ siècle a restauré et approfondi la notion de la chair, c'est-à-dire du corps animé. »
3. *RTP* I, p. 60.
4. *RTP* IV, p. 625.

athée[1], est persuadé de l'absence de sens transcendant de l'univers – c'est même, comme le précise Pierre-Edmond Robert, ce qui le distingue de la plupart des grands « ramiers » anglo-saxons qui poursuivirent une route parallèle à la sienne[2]. Seul l'artiste formule la richesse du monde, et l'altérité traverse toujours, d'emblée, son intimité. Cette immanence du sens, cette résonance constante du moi, si elles ouvrent sur la profondeur du sensible, empêchent aussi d'en rejoindre la terrible et fantastique sauvagerie, qui n'a littéralement pas lieu d'être dans la *Recherche*. Tout, y compris le monde, s'y trouve déroulé à l'aune de l'humain : il n'y a pas à proprement parler de *nature* chez Proust, au sens d'une incommensurabilité cosmique ou animale, ou d'une sublimité qui meurt avec la grand-mère du héros.

Avec l'altérité de la réalité, avec ce fait que le monde nous semble parfois radicalement étranger, surprise plus que reconnaissance, se perd ce qui en constitue le répondant du côté de l'humain. On ne trouve en effet pas chez Proust de liberté qui puisse se définir comme *hybris* et héroïsme – la mort de Saint-Loup, froidement relatée, ne tient pas seulement à un refus de verser dans le récit de guerre hagiographique. La jouissance et le dépassement stendhaliens de soi dans l'aventure ou l'amour, la conjonction entre l'énergie cosmique et le sentiment humain (brutalité ou tendresse) décrite par Giono, Proust ne les pressent pas. Il y a certes chez lui une approche de l'homme fondée sur sa faculté innée à la démesure ; mais elle concerne la libido (la jalousie), le caractère (propension à la cruauté, à la colère, à l'inertie morbide...) et la vocation artistique. Alors que chez Hugo la liberté de l'artiste-prophète, étayée par son alliance divine avec l'univers, se trouve garante de la liberté collective, chez Proust, l'excès ne se creuse qu'au niveau érotico-psychique. Le personnage proustien est fondamentalement serf, sans

---

1. Comme l'écrit J.-F. Revel, Proust « ignore » Dieu (*Sur Proust*, Paris, Julliard, 1960, p. 70).
2. *Marcel Proust lecteur des Anglo-Saxons*, Paris, Nizet, 1976, p. 55.

« volonté » autre qu' « aveugle » et « jamais consciente d'elle-même »[1], englué dans des projets d'ascension sociale person-nelle qui rappellent ceux des grands héros balzaciens sans en atteindre la vitalité, dépendant de ses pulsions, engagé comme malgré lui dans la grande ou dans la petite histoire. Le salut réside en réalité dans l'aptitude à exprimer une vision individuelle du monde : la question de la liberté comme confrontation à une imprévisibilité sociale de l'avenir[2] ou à un projet collectif n'est donc pas posée par l'écrivain (on sait cependant que l'homme lui-même s'est souvent engagé).

Cette absence de liberté et ce refus d'envisager l'histoire sous l'angle de l'action volontaire expliquent que Proust subisse une relative éviction de la scène publique pendant les années vingt à cinquante, centrées sur « l'urgence »[3] de l'engagement et de la vigilance critique. Au tournant des années soixante se fait jour une accalmie : la redécouverte de Proust et son inscription dans la mouvance de la textualité pure en découle logiquement – la tour de guet s'effondre pour laisser la place à la tour d'ivoire de l'autotélisme litté-raire. Ce courant critique « ségrégationniste »[4], tout en per-mettant de faire sortir l'étude de la *Recherche* de l'ornière bio-graphiste ou idéaliste où elle s'enlisait (du moins en France), a eu cependant tendance à gauchir le projet romanesque de Proust, en caricaturant la question de la référence (confondue avec la tentative de copie d'un réel lui-même réduit à une collection de faits ou d'objets) et en omettant que le bonheur scriptural a chez lui partie liée avec « la joie du réel retrouvé »[5]. Ce serait en outre une erreur que de croire que la réalité dans la *Recherche* ne s'inscrit pas dans le

1. S. Beckett, *Proust* (1931), trad. par E. Fournier, Paris, Éd. de Minuit, 1990, p. 102. Voir aussi E. R. Curtius, *op. cit.,* p. 82.
2. Sauf l'exception fameuse de *RTP* I, p. 41.
3. D. Hollier, « De Malraux à Proust, panoramas », présentation de *Lecture de Proust* de G. Picon, éd. citée, p. 21.
4. Th. Pavel, *Univers de la fiction*, Paris, Éd. du Seuil, p. 19.
5. *RTP* IV, p. 458. Dans *RTP* I, p. 180, la page d'écriture rend « heureux ».

mouvement historique. Certes, l'à-venir proustien peut être compris comme dépendant d'un mouvement de rétrospection[1] ; certes le temps social avance de façon paradoxale, à coup de réitérations et de reculades où l'individu se trouve pris le plus souvent sans en avoir une claire conscience. Il ne faudrait pas pour autant oublier que cette ruse hégélienne de l'histoire est aussi une ruse proustienne, qui finit par marier Mme Verdurin au prince de Guermantes[2]. L'absence de maîtrise des personnages sur l'histoire témoigne en fait d'une volonté de l'écrivain d'en réintégrer l'indétermination dans la vie quotidienne pour rendre compte de son présent. Proust refuse de considérer l'histoire sous l'angle de l'*a posteriori*, puisque les questions du choix et de l'erreur, voire de la reconnaissance même du fait qui deviendra événement, ne se posent plus une fois les événements « accomplis ». C'est pourquoi l'histoire, dans la *Recherche*, contrairement aux options de *Jean Santeuil*, n'est pas « relatée », perçue comme une somme de moments clefs. Erich Auerbach précise bien que dans le courant réaliste du XXᵉ siècle, la vie, « structure globale qui se modifie sans cesse » ne se résorbe jamais, comme le croyaient certains romanciers, dans « une succession continue d'événements extérieurs »[3] et chronologiques. L'histoire chez Proust est ainsi intégrée dans le déroulement de vies qu'elle bouleverse (un moment, car la roue tourne, et le snobisme avec elle) ou épargne. Elle n'est pas au-delà de l'existence des personnages, mais s'insinue en eux, étant retentissement plus qu'action véritable. L'événement historique n'est donc pas une toile de fond devant laquelle se meuvent les hommes, il descend en eux pour former un réseau de leur existence totale.

---

1. G. Poulet a à l'inverse proposé des analyses de la prospection proustienne avec lesquelles je m'accorde totalement (in *Études sur le temps humain/4*, éd. cit., p. 325).
2. Voir Cl. Imbert, « L'écrivain, le peintre et le philosophe », *Merleau-Ponty et le Littéraire*, éd. cit., p. 66.
3. *In* « Le bas couleur de bruyère », *op. cit.,* p. 544.

LE SILENCE
AU CŒUR DE LA RÉFÉRENCE

Si le réel se définit en partie comme rapport entre un sujet et un monde qui s'influencent mutuellement, on comprend que sa reconquête passe par l'écriture sans trahison. Non que l'impact sensoriel, affectif et charnel, et sa reprise scripturale soient un seul et même événement : le mot asthme n'étouffe pas, souffrir par la mort d'Albertine n'est pas identique à décrire cette souffrance. La différence entre sensation et écriture ne se réduit cependant pas à la distinction entre la vie en acte d'un côté et l'approfondissement spirituel de l'autre. Certes, la rencontre du monde qu'elles autorisent touche différemment le sujet. Mais leur structuration procède également d'une mise en relation de l'intérieur et de l'extérieur, et d'un dévoilement de la profondeur. Comme le montre l'ouverture de la *Recherche*, l'écriture formule et révèle que ce qui avait lieu dans l'expérience préthétique (du sommeil en l'occurrence), c'était déjà une jonction du symbolique et de la chair. Il n'est pas innocent ainsi que ces pages liminaires mettent en relief l'entrelacement de la lecture et du songe, l'ancrage de la mémoire dans l'inconscient d'un corps érotisé, la ronde des temps et des mondes autour d'un sujet lové dans son lit et emporté par un espace-temps tourbillonnant[1]. Si la non-identité entre le sentir effectif et sa relation linguistique relève d'une évidence, en déduire que le sensible est oblitéré par le langage reviendrait à méconnaître que la réalité vécue était toujours, déjà, tramée de croyances ou de rêves linguistiques, qu'à tout le moins elle ne prenait sa forme éphémère et mouvante qu'en fonction d'un regard qui en accompagnait le surgissement. Le croisement entre la

---

1. Voir J.-C. Coquet, « Il y a... », *Littérature*, n° 114, juin 1999, p. 29.

réalité et l'art est donc celui de deux axes différents, qui n'en appartiennent pas moins au même plan, puisque la plénitude sensible se donne toujours sur fond de latence ou d'invisible, puisque le style est opération de présentification et d'institution (on pense aux fameuses femmes que Renoir amène à l'existence).

Le cratylisme et l'adamisme, ces beaux et vieux rêves d'une langue qui dit le monde sans détour, apparaissent donc comme une simplification abusive de la question de la référentialité ; il serait cependant tout aussi réducteur de négliger les rapports qu'entretiennent le langage et le réel en confondant ce dernier avec l'existence objective et factuelle. Sortir de cette alternative entre une conception naïve et vita-liste[1] d'un langage en phase totale avec le monde et une conception uniquement centripète du discours littéraire ne consiste pas à se situer à l'intersection de ses termes, puisque dans les deux cas, c'est une conception analogue, quoique contradictoirement valorisée, de la référence comme centrée au pire sur le mot, au mieux sur la phrase, et donc du réel comme « étant » figé qui est présupposée. Or, nous avons vu que la description du procès sensible chez Proust dévoile moins un objet fixe que son propre déroulement, voire, comme le suggère le texte sur les salons Verdurin ou celui décrivant la superposition entre une fenêtre ogivale et le visage de maman, que le présent lui-même est tissé de senti-ment, de fantasme ou de passé. La référence proustienne s'avère ainsi le contraire exact d'une monstration. Qu'elle soit une *construction*, d'écriture comme de lecture, ne signifie cependant pas qu'elle soit fictive ou inopérante : elle n'est pas un fait (montrer une réalité extra-textuelle), mais une fonction ou un acte (rendre compte de la profondeur de la réalité par un style adéquat). Comme le rappelle Alain Dere-metz à propos de la réflexivité, les système signifiants « par-lent d'eux-mêmes, tout en parlant du monde, parlent d'eux-

---

1. Voir P. Ricœur, *La Métaphore vive*, Paris, Éd. du Seuil, 1975, p. 313-316.

mêmes pour parler du monde »[1]. Si le réel est structuré par des horizons, sensibles ou personnels, c'est donc cette structuration qui est le but du processus référentiel, plus qu'un improbable étant. On comprend alors la fonction majeure de la surimpression stylistique. La distanciation interne à la superposition des couches permet de créer un jeu ou un conflit qui redouble la tension constante entre être et non-être, apparition et « échappement »[2] qui caractérise les paysages proustiens ; plus généralement, elle renvoie à « l'éclosion de l'apparaître »[3] et au rôle fondamental du temps, de sa durée et de ses intermittences, dans la définition du réel. On se rappelle ainsi que la colonne de vapeurs sur l'océan étudiée en troisième partie n'est visible que dans la mesure précise où elle est continûment en train de sombrer. Il importe dès lors de placer la distance et l'absence au centre du procès référentiel. La *Recherche* ne promeut pas l'avènement d'objets définitivement clos sur eux-mêmes. Par son style et ses thèmes, elle indexe plutôt des modalités de construction perceptive et mentale, recrée les rythmes d'un monde en perpétuelle formation et, en cela, renvoie à des schèmes généraux d'appréhension du réel. Le vitalisme critiqué par Paul Ricœur nie le fossé qui sépare le mot de la chose ; le rétablir ne revient pas à couper le langage de la réalité, mais à signifier que notre insertion dans le réel elle-même n'est pas de pure fusion, puisque nous sommes précisément capables de réfléchir notre implication.

Le référent proustien s'assimile donc à une dynamique, comme en témoignent nombre d'objets du discours privilégiés par l'écrivain : climats, poussée substantielle de la couleur, visages ductiles d'adolescentes, mobiles paysages marins, paysages terrestres qui ne sont jamais saisis qu'en

1. *Le Miroir des Muses. Poétiques de la réflexivité à Rome*, Villeneuve d'Ascq, Presses universitaires du Septentrion, 1995, p. 476.
2. M. Collot, *La Poésie moderne et la structure d'horizon*, Paris, PUF, 1989, p. 179.
3. P. Ricœur, *op. cit.,* p. 390.

mouvement, par la fenêtre d'un véhicule. La description cherche à retranscrire ce dynamisme d'une façon elle-même paradoxale, puisqu'il reste enserré dans les mailles d'un style compact qui ne laisse parfois que peu de place à l'incertain. Tout, même le sadisme, paraît amené sans reste à son sens par une syntaxe saturée, coagulée comme les grappes de têtards de la Vivonne. Pour Julien Gracq, ainsi, merveilleux lecteur de la *Recherche*, monde et style proustiens bourgeonnent, s'engluent, cristallisent, étouffent, s'avèrent l'exact contraire de l'aérien élan stendhalien[1] (le côté proustien de Gracq est dans l'écriture de *Le Rivage des Syrtes* si prononcé qu'il opère sans doute ici une autoanalyse, adulant l'ouverture stendhalienne comme son autre absolu). Proust en ce sens « ignore le mouvement »[2]. Il y a cependant chez lui un « grouillement » et un foisonnement qui est une certaine forme, en quelque sorte sur place et immobile, de mouvement. L'étude du caractère génétique et temporalisé du sensible dans la *Recherche* a montré que c'est précisément le suspens menacé et le travail substantiel de la réalité que ce style surchargé tente d'exprimer et de rejoindre. L'écriture est donc bien une « recherche », une enquête qui tente de coller à la labilité de son objet et de le constituer dans le mouvement même de sa poursuite – tâche infinie, puisque celle-ci n'a de terme qu'arbitraire, dû au hasard d'une mort annoncée. Cette double vocation du style et du réel à la profondeur peut certes donner l'impression d'un enlisement. Bien que le mot soit peu proustien, elle témoigne surtout d'une certaine *pudeur*, puisque la tentative d'expression de la profondeur inclut en elle une marge constante d'indétermination (c'est le rôle de la pénombre dans la constitution du style proustien) et ne construit son référent qu'en en marquant l'évanouissement, comme en témoignent les quelques clausules étudiées en troisième partie.

1. « Proust considéré comme terminus », *En lisant, en écrivant*, Paris, Corti, 1980, p. 95-109.
2. *Ibid.*, p. 108 ; p. 101 pour le « grouillement ».

Cette surcharge tente donc, sans y parvenir – le sensible lui-même exigeait cette ouverture indéfinie – de rejoindre la temporalisation en acte du sensible et la variété de ses manifestations. Si elle s'oppose dans ses modalités à des styles plus épurés, elle vise autant qu'eux à restituer le tremblement et la respiration du monde. Ce constant travail d'approche de la qualité particulière de la chose ne correspond donc pas seulement à une nouvelle manière, subjective, de «voir» le réel[1]. Le style de Proust, métaphorique et/ou surimpressif, met en avant un nouvel ordre du monde, et affirme ainsi, à une époque où la physique renonce à une géométrie euclidienne et à un temps universel, que l'espace *est* courbe (les côtés opposés se rejoignent), le temps non linéaire, réversible et ne s'écoulant pas à une vitesse constante. La syntaxe et le vocabulaire péremptoires du *Temps retrouvé*, qui conjoint les termes nécessité, vérité et réalité, suggèrent bien que l'on n'a pas affaire ici à une nouvelle «interprétation», mais à une description véritable du réel, appréhendé à un *niveau* différent de celui du réalisme ou de la superficialité. Si l'invention artistique est pour l'écrivain indissociable d'une certaine façon de réfléchir son existence, elle permet aussi de dévoiler, voire de produire un ordre du monde que la rationalité n'imagine pas (la «sorcellerie évocatoire» de l'écrivain peut amener le mot asthme à étouffer...).

Le style n'est donc ni une copie, ni une création *ex nihilo*, mais un va-et-vient constant entre une expérience du monde qui se découvre et se produit à mesure qu'elle se formule, comme en témoignent les nombreux avant-textes de Proust, toujours plus attentif aux sens qui se créent dans la pratique de l'écriture. L'écriture découvre des structures existentielles ou ontologiques qui n'étaient pas dévoilées avant leur profération. Elles n'en appartenaient pas moins au vécu de l'auteur et à un mode de manifestation encore secret des

---

1. Sur cette question, voir les critiques de P. Ricœur, *op. cit.,* p. 199 et p. 287.

choses, qui, sans une reprise, sans une plongée en soi, se seraient délités dans le non-sens (selon Michel Deguy, la « référance » est « déférence (...) à du non-perceptible autrement que dit »)[1] :

> J'étais déjà arrivé à cette conclusion que nous ne sommes nullement libres devant l'œuvre d'art, que nous ne la faisons pas à notre gré, mais que préexistant à nous, nous devons (...) la découvrir. Mais cette découverte que l'art pouvait nous faire faire, n'était-elle pas, au fond, celle qui devrait nous être le plus précieux, et qui nous reste d'habitude à jamais inconnue, notre vraie vie, la réalité telle que nous l'avons sentie (...)[2] ?

La référence proustienne est donc un processus « aléthique » en prise sur le dynamisme interne qui est la marque récurrente de l'ontologie proustienne, s'institue comme désignation des rythmes qui nous lient au réel. Visant au sein du récit et dans un mouvement asymptotique, un « dehors » et un passé qu'elle ne rejoint qu'en en marquant la « transmutation » en « équivalents spirituels », elle relève ainsi d'une définition vectorielle qui peut seule diriger vers cette réversibilité désirée ou redoutée entre monde et langage. Le choix par Proust d'un rejet *in fine*, une fois la vie du narrateur écoulée, de la découverte de sa vocation suggère qu'il n'y a pas d'expression possible sans une expérience préalable et non thématisée de ce qui doit advenir dans la parole. Et pourtant, cette parole même, irriguée par la vie, finit par en inventer le sens, par « trouver du nouveau » : sans la *Recherche*, il n'existerait pas de clocher-coquillage, d'homosexuel-bourdon, d'asperges-fées, de filles-fleurs, de livre-bœuf mode, tout simplement parce que le travail d'écriture lui-même devient une expérience à part entière du sensible, aussi valide sinon plus que sa rencontre effective.

L'opposition entre l'art et la vie est en fait une option du héros (notamment dans *La Prisonnière*) que l'on a attribuée

1. « Correspondances », *Poésie*, n° 1, Belin, 1977, p. 99.
2. *RTP* IV, p. 459.

trop rapidement à Proust. Elle ne vaut que momentanément, lorsque le héros envisage l'existence sous l'angle insignifiant d'une somme factuelle d'où se trouve évincée la croyance. Au-delà du fait qu'il serait étonnant que le narrateur sanctionne une vie d'errances en lui dédiant la fin de sa vie, son erreur principale n'a pas été de confondre la duchesse de Guermantes et Geneviève de Brabant. Elle est de croire que la démythification totale du réel est possible ou même simplement souhaitable, et qu'elle correspond à une vérité supérieure à laquelle il serait possible d'accéder tout en conservant l'essence même de ce réel. Mais chez Proust, toute démythification engendre une remythification : la duchesse a un nez incompatible avec celui de Geneviève ? Qu'importe, la voici transformée en oiseau altier et blond, dont le bec comme la douceur duveteuse se ramifient sur toute sa lignée. Même les dérisoires pantins du Bal de Têtes acquièrent, *via* une description qui allie comique et cruauté, une dimension tragique – au cœur du burlesque se tient la Mort en arme. La *Recherche* décrypte certes les illusions et les préjugés. Mais, le lecteur le sait bien, elle commence par nous les présenter dans leur force et leur actualité, s'interdisant le plus souvent de les désamorcer à l'avance. Je l'ai montré en seconde partie, il s'agit ce faisant moins de faire sentir l'écart qui sépare le héros de la vérité, que de suggérer que son erreur même peut révéler l'intensité et la qualité de sa relation avec le monde ou avec les autres.

Il est donc avec Proust impératif de sortir du débat critique sur la prééminence de la vie ou de l'art dans l'origine de la création et de percer la logique diachronique de la conception classique de la création. Il s'agit même, au niveau du sensible, d'arriver à penser l'être en dehors de l'actualité, en y incluant le non-être, en dehors du temps chronologique, en y incluant le latent : penser l'être comme réseau où l'espace vide qui s'aménage entre ses mailles a une portée ontologique aussi importante que la trame proprement dite. C'est pourquoi la « pénombre » et le « silence » (que Merleau-Ponty qualifierait d'interne à la parole[1]) finissent dans *Le Temps retrouvé*[2] par suggérer la profondeur du sens, l'aura insaisissable comme telle de l'intelligible, l'étrange paradoxe de l'apparaître, qui a toujours à faire avec de l'invisible et un repli insoupçonnés. Si la notion de distance doit être rétablie contrairement à ce que pouvaient laisser penser les réflexions du héros lors de la première représentation de la Berma, c'est dans la mesure où elle est distance intérieure, lointain intime qui appartient à notre perception de l'objet au même titre que l'objet lui-même. L'obscurité, l'enveloppe, la distance, la clôture des fameux vases proustiens, loin d'être les signes d'un enfermement négatif du spirituel et du sens dans le matériel ou le charnel, sont au contraire pour l'écrivain les seuls moyens, qui valent comme salut et non comme damnation, d'exprimer des significations et d'en faire valoir le « rayon central »[3]. Proust, annonçant sur ce plan le « roman philosophique »[4] du XXᵉ siècle, affirme à plusieurs reprises qu'il n'y a d'idée véritable qu'incarnée[5] (et inversement, chez lui comme chez Gustave Moreau, il n'y a que des « couleurs pensées »[6]). Le sens ne consiste donc en un reniement de l'expérience préthétique (sommeil, rêverie, ivresse, impression que la pluie chante « doucement (...) au milieu de la chambre »[7], fulguration du coup de foudre) que lorsqu'il s'ordonne aux axes de l'entendement rationnel. En réalité, « le devoir et la tâche d'un écrivain sont ceux d'un traducteur »[8] : l'artiste « crée » un style (profond, surimpressif, mobile) qui lui est en même

---

1. Sur le « cogito silencieux », voir *Le Visible et l'Invisible*, éd. cit., p. 232-233 : « sa description même du silence repose entièrement sur les vertus du langage ».
2. *RTP* IV, p. 476. Voir aussi A. de Lattre, *op. cit.,* t. I, p. 67-68.
3. *RTP* II, p. 348.
4. J.-Y. Tadié, « *A la recherche du temps perdu*, ou le combat avec la philosophie », *Le Roman au XXᵉ siècle*, Paris, Belfond, 1990, p. 180.
5. Cf. *RTP* I, p. 81, *RTP* II, p. 75, *RTP* III, p. 876, *RTP* IV, p. 460. Sur la philosophie « instinctive » de *Macbeth*, voir « Contre l'obscurité », *CSB*, p. 392.
6. « [Notes sur le monde mystérieux de Gustave Moreau] », *ibid.,* p. 667.
7. *RTP* IV, p. 622.
8. *Ibid.,* p. 469.

temps et sans contradiction « dicté » par la vie ; en ce sens, et par cette réversibilité, il restitue les motifs centraux et les formes de la *relation* qu'il entretient avec le monde. La vocation littéraire est proprement décrite par Proust comme une *ontologie*, puisqu'à l'instar de son modèle musical, elle doit s'attacher à « reproduire cette pointe intérieure et extrême des sensations », c'est-à-dire à restaurer « l'inflexion de l'être »[1]. Autant dire que le réalisme proustien – au sens contemporain établi par Nathalie Sarraute[2] – n'est la pointe aboutie des tentatives mimétiques du XIXe siècle que dans la mesure précise où il sort du mythe de la reproduction. En effet, c'est parce que la sensorialité s'élabore sur un fond d'absence et d'invisibilité que l'écriture peut avoir un pouvoir référentiel. Le style tente, avec ses moyens propres qui, pour être différents de ceux de la sensorialité, ne lui sont pas étrangers, de formuler les horizons intelligibles du sensible, l'épaisseur ou la fragilité élémentaire du monde et de la psyché. Il faut pour cela non pas réduire l'inaccessibilité foncière de l'être mais l'inclure dans le discours, en la rendant sensible par une merveilleuse aura de silence et un « vernis qui brille du sacrifice de tout ce qu'on n'a pas dit »[3]. Comme le rappelle Merleau-Ponty, le « passage du sens perceptif au sens langagier, du comportement à la thématisation » n'est pas un « problème ». Car

le langage réalise en brisant le silence ce que le silence voulait et n'obtenait pas. Le silence continue d'envelopper le langage ; silence du langage absolu, du langage pensant[4].

Une ultime fois, le philosophe rejoint Proust, qui tenta de rendre sensible l' « arrière-plan de silence »[5] de son style.

---

1. *RTP* III, p. 876.
2. *In* « Ce que voient les oiseaux », *L'Ère du soupçon*, Paris, Gallimard, 1956, p. 137-141.
3. *Sésame et les Lys*, Paris, Mercure de France, 1906, n. 1, p. 85. Sur l'art comme résistance à l'herméneutique, voir J.-Y. Tadié, *Proust et le Roman*, éd. cit., p. 436.
4. *Le Visible et l'Invisible*, éd. cit., p. 230.
5. *RTP* III, p. 757.

Index

Figurent dans cet index les noms d'auteurs et d'artistes.

Table

ÉCRITURE

* Titre reparu ou à paraître dans la collection « Quadrige ».

* Titre reparu ou à paraître dans la collection « Quadrige ».

* Titre reparu ou à paraître dans la collection « Quadrige ».

* Titre reparu ou à paraître dans la collection « Quadrige ».

On the basis of Anne Henry & Ann Simon – think about the purpose of the novel as it impacts the photo issue.

écriture de la relation
would have to link Merleau-Ponty back to HB.

- the ph optic shows its a mistake de nos ? fr an exclusively phil. perspective – it performs the error of idealisme.

read Merleau-P's analysis of MP in Visible et l'Invi
Alain De Lattre

arguments contre ou Bal-theu reclaim thee for ph
photo et "l'ineffable" (Sank.)

Imprimé en France
Imprimerie des Presses Universitaires de France
73, avenue Ronsard, 41100 Vendôme
Novembre 2000 — N° 47 709

poetic reading · (thematic)